Le Courage de changer

Al-Anon un jour à la fois, II

Linda - 14-6-95

Al-Anon Family Group Headquarters, Inc.
Le Bureau des Services mondiaux
Al-Anon et Alateen
New York

Le titre original de ce livre est:
COURAGE TO CHANGE

Dépôt légal — 4e trimestre 1994
ISBN 2-921351-44-7
(Édition originale: ISBN 0-910034-79-6, New York)

Al-Anon Family Group Headquarters, Inc.
P.O. Box 862, Midtown Station
New York, N.Y. 10018-0862

approuvé par la
Conférence des Services mondiaux des
Groupes familiaux Al-Anon

traduit et publié avec la permission de l'éditeur par les
PUBLICATIONS FRANÇAISES P.F.A. INC.
C.P. 266, Succursale Outremont
Montréal (Québec) Canada
H2V 4N1

1-15M-94 B-16 imprimé au Canada

Les Groupes familiaux Al-Anon forment une fraternité de parents et d'amis d'alcooliques qui partagent leur expérience, leur force et leur espoir dans le but de résoudre leurs problèmes communs. Nous croyons que l'alcoolisme est un mal familial et qu'un changement d'attitude peut contribuer au rétablissement.

Al-Anon n'est affilié à aucune secte, dénomination religieuse, entité politique, organisation ou institution. Al-Anon ne s'engage dans aucune controverse et n'appuie ni ne condamne aucune cause. Il n'y a pas de frais d'inscription; la fraternité subsiste par ses propres moyens grâce aux contributions volontaires de ses membres.

Al-Anon n'a qu'un but: aider les familles des alcooliques. Nous y parvenons en pratiquant les Douze Étapes, en accueillant et en réconfortant les familles des alcooliques, et en apportant notre compréhension et notre encouragement à l'alcoolique.

Préambule des Douze Étapes suggéré aux groupes Al-Anon

Prière de Sérénité

Mon Dieu, donnez-moi la sérénité
d'accepter les choses que je ne puis changer,
le courage de changer les choses que je peux
et la sagesse d'en connaître la différence.

PRÉFACE

Vivre un jour à la fois s'est avéré essentiel pour ceux dont la vie a été affectée par le problème d'alcoolisme d'un parent ou d'un ami et qui mettent en pratique le programme de rétablissement d'Al-Anon. Ce livre, tout comme son prédécesseur *Al-Anon un jour à la fois*, est conçu de façon à garder notre attention centrée sur la journée présente et nous donne le courage de changer les choses que nous pouvons.

La Conférence des Services mondiaux Al-Anon de 1988 a décidé, par vote, de publier un deuxième livre de lectures quotidiennes qui refléterait mieux la diversité des membres de notre fraternité, lesquels sont les véritables auteurs de ce recueil. Une telle sagesse collective nous aide à considérer chaque journée comme une occasion d'être heureux en nous concentrant sur la réalité d'aujourd'hui sans les fardeaux d'hier ou les peurs de demain.

Étant donné que ces textes sont basés sur des témoignages personnels, ils sont écrits tantôt au masculin tantôt au féminin, et font référence à des relations spécifiques, mais l'idée même en est applicable à des gens de toutes conditions sociales.

Comme dans *Al-Anon un jour à la fois*, des citations appropriées viennent renforcer les méditations. L'utilisation de ces citations ne signifie aucunement que nous endossons l'opinion de leur auteur ou les volumes cités. Elles ont été choisies pour leur contenu, non pour leur auteur.

Nous vivons dans une société de gratifications instantanées: café instantané, petit déjeuner instantané, argent instantané provenant d'un guichet automatique — et c'est comme cela partout! Ce n'est pas étonnant que beaucoup d'entre nous se présentent aux portes d'Al-Anon en y cherchant la réponse instantanée à tous les problèmes qui résultent du fait de vivre auprès d'une personne alcoolique et d'aimer une personne alcoolique.

Le rétablissement est un processus. Il faut du temps pour reconquérir, récupérer et recouvrer tout ce qui a été perdu alors que nous tentions, seuls, de faire face à la consommation d'alcool. Acquérir de la confiance prend du temps, changer prend du temps, guérir de vieilles blessures prend du temps; il n'y a pas de solutions immédiates, toutes faites. Mais les outils et les principes de notre programme — Étapes, Traditions, slogans, réunions, parrainage, service — peuvent nous mener à des réponses appropriées pour nous.

Nous passons tous des périodes sombres dans la vie, mais la voie menant à des périodes meilleures est souvent ce qui fait de nous des gens plus heureux, plus forts. Quand nous cessons de nous attendre à un soulagement instantané, nous pouvons en arriver à croire que là où nous sommes aujourd'hui est exactement là où notre Puissance Supérieure veut que nous soyons.

Pensée du jour

Al-Anon est un programme qui se pratique «un jour à la fois». Peu importe ce qui se passe autour de moi, aujourd'hui je sais que je vais de l'avant. Je ferai confiance au processus de rétablissement. Je laisserai du temps au temps.

«Si je me fixe un horaire trop chargé, si je suis tendu... je m'arrêterai quelques minutes et je penserai uniquement à aujourd'hui et à ce que je peux en faire.»

Al-Anon un jour à la fois

Rechercher de l'affection et du soutien auprès d'une personne alcoolique peut se comparer à aller chercher du pain à la quincaillerie. Peut-être nous attendons-nous à ce qu'un «bon» père ou une «bonne» mère alimente et entretienne nos sentiments, ou qu'un conjoint «aimant» nous réconforte et nous prenne dans ses bras quand nous avons peur, ou qu'un enfant «attentionné» nous aide quand nous sommes malades ou bouleversés. Bien que ces êtres chers puissent ne pas répondre à nos attentes, ce sont nos attentes et non ceux que nous aimons qui nous déçoivent.

L'amour s'exprime de diverses façons et les personnes souffrant d'alcoolisme ne sont peut-être pas capables de l'exprimer comme nous le souhaiterions. Mais nous pouvons essayer de reconnaître l'amour, peu importe quand et comment il est offert. Lorsque l'amour n'est pas démontré, nous n'avons pas à nous en sentir privés; la plupart d'entre nous trouvons une source intarissable d'amour dans Al-Anon. Grâce à l'encouragement et au soutien des autres membres, nous apprenons à traiter nos besoins comme étant importants et pertinents et à nous traiter en conséquence.

Pensée du jour

Aujourd'hui, il se peut que l'alcoolique soit capable ou non de nous donner ce que nous désirons. Et jamais une seule personne ne nous donnera tout ce qu'il nous faut. Si nous cessons de tenir à ce que nos besoins soient comblés selon nos désirs, nous découvrirons peut-être que tout l'amour et tout le soutien dont nous avons besoin sont déjà à notre portée.

«Avec l'aide d'Al-Anon, je découvre en moi les possibilités de jeter une lumière nouvelle sur une situation apparemment sans issue. J'apprends que je dois me servir de cette force, non pour essayer de changer l'alcoolique sur qui je n'ai aucun pouvoir, mais pour corriger mes idées fausses et changer ma propre attitude.»

Al-Anon un jour à la fois

J'écris l'histoire de ma vie avec chaque *aujourd'hui,* sans exception. Est-ce que je vais dans la bonne direction? Si tel n'est pas le cas, peut-être ai-je besoin d'effectuer certains changements. Je ne peux rien faire pour changer le passé, sauf cesser de le répéter dans le présent. L'assistance aux réunions Al-Anon et la pratique des principes du programme sont quelques-uns des moyens que j'utilise déjà pour rompre avec mes anciennes habitudes malsaines et peu satisfaisantes.

Je crois que ma vie est construite sur des couches de petites réalisations de tous les jours. Quand je pense de cette façon, me fixer des buts et prendre de petits risques ne sont rien de plus qu'un effort quotidien pour améliorer ma vie. Poser chaque jour de petits gestes peut s'avérer beaucoup plus efficace que des semaines et des mois d'inactivité, suivis de tentatives frénétiques pour effectuer des changements radicaux du jour au lendemain. Cela me donne certainement plus de sérénité. Lorsque je fais face à un nouveau défi, j'essaie de commencer là où j'en suis et de passer à l'action à partir de là.

Pensée du jour

Personne ne peut me faire changer. Personne ne peut m'empêcher de changer. Personne ne sait vraiment de quelle façon je dois changer, pas même moi. Pas avant que je ne commence. Je me souviendrai qu'il ne faut qu'un minuscule changement de direction pour commencer à changer ma vie.

«Le voyage le plus long commence par un premier pas.»

Lao-tseu

Au début, quand j'ai découvert Al-Anon, j'étais seul et désespéré. J'aspirais à la sérénité que possédaient de façon tellement évidente les autres personnes qui assistaient aux réunions. Quand les membres parlaient des outils du programme qui avaient été efficaces pour eux, j'écoutais très attentivement.

Voici ce que j'ai entendu : Assiste aux réunions et exprime tes sentiments quand tu le peux ; mets toutes les Étapes en pratique, mais ne les entreprends pas toutes en même temps — commence par la Première Étape ; choisis-toi un parrain ; lis un peu de documentation Al-Anon tous les jours ; téléphone aux membres entre les réunions pour demander de l'aide. Graduellement, j'ai mis en pratique chacune de ces suggestions et j'ai commencé à constater de réels changements dans ma vie. J'ai commencé à croire que ma vie était plus qu'une suite de journées pénibles auxquelles il fallait survivre. J'avais maintenant des ressources pour m'aider à faire face aux situations, même les plus difficiles. J'en suis venu à voir qu'avec l'aide de ma Puissance Supérieure, je pouvais surmonter tout ce qui se présentait et même progresser à travers cela. Avec le temps, les outils et les principes du programme m'ont aidé à acquérir cette sérénité que je désirais depuis longtemps.

Pensée du jour

Al-Anon me donne les outils dont je peux me servir pour atteindre de nombreux buts, dont la sérénité, l'équilibre mental et le détachement avec amour. Et les membres Al-Anon qui partagent leur expérience, leur force et leur espoir me montrent comment mettre ces outils à l'œuvre dans ma vie.

« Une vigilance quotidienne s'avérera un faible prix à payer pour ma tranquillité d'esprit. »

Un dilemme : le mariage avec un alcoolique

À mon arrivée à Al-Anon, j'étais terriblement perplexe quant au sens du mot «compassion». Je croyais qu'il signifiait trouver des excuses à l'alcoolique ou couvrir ses chèques sans provision. Al-Anon m'a aidé à trouver un autre mot pour ce comportement: «secourir». J'ai appris que lorsque je réparais les conséquences du comportement de l'alcoolique, je lui permettais de continuer à boire tout à son aise et de poursuivre son petit jeu sans avoir à en payer la note. Une façon plus compatissante d'agir envers ceux que j'aime pourrait être de leur permettre de faire face aux conséquences de leurs actes, même quand cela leur causera des souffrances.

Comment savoir si je pose un geste de secoureur? Bien que ce ne soit pas toujours clair, je trouve utile d'examiner attentivement mes motivations. Est-ce que j'essaie d'intervenir dans les conséquences normales des choix d'un être cher? Est-ce que j'essaie de faire pour quelqu'un ce qu'il pourrait faire lui-même? Est-ce que je fais ce que je pense être le mieux pour moi? Est-ce que je fais quelque chose qui me déplaît? Si tel est le cas, est-ce réellement un choix inspiré par l'amour? Parfois la chose la plus compatissante que je peux faire, c'est de laisser les autres assumer la responsabilité de leur comportement.

Pensée du jour

Aujourd'hui, je me souviendrai que j'ai le choix, tout comme l'alcoolique d'ailleurs. Je ferai les meilleurs choix possibles et je permettrai aux autres personnes dans ma vie de faire de même, sans intervenir.

«Je dois apprendre à donner à ceux que j'aime le droit de faire leurs propres erreurs et les reconnaître comme étant les leurs.»

Al-Anon face à l'alcoolisme

Entre les réunions, j'ai besoin de demeurer, par téléphone, en étroite communication avec d'autres membres Al-Anon. Comme beaucoup de ceux qui ont été affectés par l'alcoolisme, je me sentais terriblement accablé lorsque j'ai adhéré à la fraternité. Quand un membre m'écoute patiemment à l'autre bout du fil, cela continue de m'aider à débarrasser mon cœur d'un lourd fardeau.

Parler du rétablissement Al-Anon au téléphone me permet de tendre la main à quelqu'un d'autre pour obtenir du support moral. La personne à qui je parle n'est ni mon conseiller, ni mon confesseur, ni quelqu'un qui règle mes problèmes. Elle n'est pas obligée non plus de rester là à écouter toutes mes histoires mélodramatiques.

Cette personne peut plutôt m'aider à raisonner les choses. Parfois elle me rappellera une idée ou un outil d'Al-Anon qui me permettra d'acquérir une certaine perspective de ma situation. Elle ne me donne pas de conseils quant à ce que je devrais faire ou ne pas faire — c'est à moi de décider. À la fin de notre conversation, j'ai habituellement trouvé un peu de soulagement face au problème qui m'avait semblé si énorme alors qu'il était prisonnier dans ma tête.

Pensée du jour

J'ai la responsabilité de résoudre mes propres problèmes avec l'aide de Dieu tel que je Le conçois. Puisque Dieu parle souvent par l'entremise des autres personnes, lorsque j'appelle un membre Al-Anon et que je demande de l'aide, je suis disposé à recevoir cette aide.

«Nous ne pouvons grimper le long d'un câble qui n'est fixé à rien d'autre qu'à notre ceinture.»

William Ernest Hocking

«Aujourd'hui seulement, je me réserverai une demi-heure de calme et je me détendrai.» Comme cela me paraissait simple jusqu'à ce que j'essaie de le mettre en pratique. J'ai trouvé difficile de passer ne serait-ce qu'un peu de temps seul — trente minutes de tranquillité enlevées à mon horaire chargé, c'était beaucoup trop! Alors j'ai commencé par cinq minutes. Avec le temps, j'ai été capable de me réserver dix, puis vingt, puis ensuite trente minutes.

Curieusement, ces demi-heures de calme me redonnent mon équilibre mental. C'est grâce à ces périodes de solitude, passées surtout dans la prière et la méditation, que je trouve la paix et la force de mon Dieu.

Comme résultat, j'ai appris à me tolérer et même à me plaire en ma propre compagnie. Maintenant, quoi qu'il arrive, j'ai besoin de cette demi-heure tous les jours pour obtenir une juste perspective de ma vie. En restant tranquillement assis au milieu du tumulte, je découvre que je ne suis pas seul. Si je prends le temps, ma Puissance Supérieure m'envoie Son message.

Pensée du jour

Je m'aime assez pour prendre une demi-heure de calme pour me détendre. Mais si je ne peux pas prendre une demi-heure, c'est très bien aussi. Peu importe le temps que je m'accorde, ce sera un pas en avant. Si je peux immobiliser mon esprit, ne serait-ce que quelques instants, ma Puissance Supérieure peut prendre la relève et me diriger dans la bonne direction.

«Reposez-vous; un champ qui est reposé donne une magnifique récolte.»

Ovide

J'ai déjà dit catégoriquement aux membres de ma famille que leurs chamailleries énervaient la personne aimée nouvellement sobre et que cela pouvait l'amener à recommencer à boire. J'ai été stupéfait d'entendre répliquer tout aussi catégoriquement: «Eh bien, qu'elle boive!» J'ai constaté que j'essayais encore d'aplanir toutes les difficultés pour l'alcoolique, parce que je n'avais pas accepté que j'étais tout aussi impuissant devant l'alcoolisme vécu dans la sobriété que je l'avais été durant les années d'alcoolisme en phase active.

C'est alors que j'ai réellement découvert à quel point le slogan «lâcher prise et s'en remettre à Dieu» peut être merveilleusement efficace. Quand j'ai pleinement compris combien j'étais impuissant devant la situation, j'ai été capable de croire que la personne alcoolique a sa propre Puissance Supérieure et qu'ensemble, elles peuvent s'occuper de son avenir. Je me sentais un homme nouveau parce que j'étais libéré du besoin constant de la surveiller, j'étais libre de vivre ma propre vie.

Je me soucie de l'alcoolique dans ma vie plus que je ne peux le dire. Je lui souhaite la santé, le bonheur et la sobriété, mais je ne peux pas les lui donner. Elle et sa Puissance Supérieure s'occupent de cela. Je ne peux que l'aimer et à bien y penser, c'est suffisant.

Pensée du jour

Aujourd'hui, je choisis de faire confiance à cette Puissance Supérieure, sachant que tout est bien.

> «Si nous y mettons de la bonne volonté, Dieu nous accordera de la force.»
>
> *Les Groupes familiaux Al-Anon*

Que de fois je cherche l'approbation des autres! Le projet sur lequel je travaille est une réussite, mais ma satisfaction dépend de la reconnaissance de ce succès. Le repas que je prépare pour ma famille n'est pas aussi savoureux quand je ne reçois pas de compliments. Je suis contrariée quand j'accorde des faveurs à mes enfants et qu'ils négligent de m'en remercier.

Nous avons tous besoin à l'occasion d'un mot d'encouragement. Mais quand l'approbation des autres devient la motivation de mon comportement et est nécessaire à ma satisfaction, alors je leur ai donné un pouvoir sur moi.

Il se peut que les gens oublient de remarquer les choses fantastiques que j'ai faites, ou ils peuvent ne pas se sentir à l'aise de me féliciter. Je n'ai pas à me sentir visée personnellement. L'apitoiement et le ressentiment ne sont pas les seuls choix qui s'offrent à moi. Si je peux apprendre à évaluer mon comportement et mes actes ainsi qu'à apprécier mon propre jugement, alors l'approbation des autres me sera agréable, mais elle ne sera plus essentielle à ma sérénité.

Pensée du jour

Aujourd'hui seulement, je m'apprécierai. Je ne rechercherai pas l'approbation des autres; elle viendra de moi. Je me permettrai de reconnaître que je fais du mieux que je peux. Aujourd'hui, il me suffit de faire mon possible.

«Vous aurez une vision claire des choses uniquement quand vous pourrez regarder dans votre propre cœur.»

Carl Jung

J'imagine que si je récupérais toutes les minutes, les heures et les journées que j'ai sacrifiées à l'inquiétude et à la peur, j'ajouterais des années à ma vie. Quand je cède à l'inquiétude, j'ouvre une boîte de Pandore avec ses images terrifiantes, ses voix paranoïaques et une autocritique impitoyable. Plus j'accorde d'attention à cet état mental, plus je perds pied devant la réalité. Alors rien d'utile ne peut être accompli.

Pour rompre le cycle de l'inquiétude et de la peur, j'apprends à centrer toute mon attention sur le moment présent. Je peux me détourner des pensées destructrices et me concentrer plutôt sur les images et les sons qui m'entourent: l'ombre et la lumière, le sol sous mes pieds, le pouls de la vie quotidienne — tous des morceaux de l'instant présent. Ces bribes de réalité contribuent à me protéger des «oui mais» et des «j'aurais dû» en m'ancrant dans le présent. La prière et la méditation, les slogans et les appels téléphoniques à des amis Al-Anon sont d'autres sources de sérénité qui me ramènent au moment présent. Quand je me ferme au bruit, je suis plus réceptif à la volonté de ma Puissance Supérieure et par conséquent, je suis davantage en mesure de traverser les périodes difficiles.

Pensée du jour

Aujourd'hui est la seule journée dont je dois m'occuper, et c'est tout ce dont j'ai besoin. Si je suis tenté de m'inquiéter des soucis de demain, je ramènerai doucement mon esprit à aujourd'hui.

«Le passé s'est envolé. Le mois et l'année à venir n'existent pas. Nous ne possédons que le petit instant présent.»

Mahmud Shabistari

J'ai l'impression d'être la personne la plus chanceuse du monde parce que j'ai trouvé une seconde famille et que j'en fais vraiment partie. Dans ma nouvelle famille, je suis accepté tel que je suis. Je ne suis jamais obligé de faire semblant ni de masquer mes sentiments. Je peux parler librement en étant assuré que mes paroles ne sortiront pas de la salle de réunion.

Dans ma nouvelle famille, les membres font preuve d'empathie quand je parle de mes difficultés. Mais au lieu d'essayer de résoudre mes problèmes à ma place, ils m'accordent la dignité de le faire moi-même. Ils m'offrent leur expérience, leur force et leur espoir et dans cet échange, il m'arrive souvent d'entendre exactement ce dont j'ai besoin pour m'aider à vivre une situation difficile.

Dans ma nouvelle famille, l'amour n'est pas une question de mérite. Je n'ai pas à gagner l'amour des autres — il m'est donné généreusement en cadeau. Je n'ai pas à gagner ma place au soleil, je peux simplement me détendre et être moi-même.

Pensée du jour

Lorsque l'alcoolisme d'un être cher m'a amené à Al-Anon, j'ai trouvé une autre famille, une seconde famille qui m'a aidé à découvrir le moi qui était caché depuis si longtemps, une famille qui sera toujours là pour moi. Aujourd'hui, je me réjouirai d'avoir un endroit où je me sens vraiment à ma place.

> «L'alcoolisme s'est avéré pour moi un héritage aigre-doux — aigre, à cause de la souffrance que j'ai vécue, et doux, parce que n'eût été de cette souffrance, je n'aurais ni cherché ni trouvé un meilleur mode de vie.»
>
> *Al-Anon face à l'alcoolisme*

Tôt un matin, je me suis arrêté pour observer un essaim d'abeilles. Un peu intimidé par leurs mouvements frénétiques et leur bourdonnement intense, je me suis rappelé que si je ne fourrais pas mon nez dans leur ruche, je ne me ferais pas piquer. Si je choisissais de rester à une distance raisonnable d'une situation dangereuse, il ne m'arriverait rien.

Selon moi, c'est exactement la leçon que le détachement enseigne. C'est à moi de choisir. Lorsque je sens qu'une situation est dangereuse pour mon bien-être physique, mental ou spirituel, je peux mettre plus de distance entre moi et la situation. Parfois cela veut dire de ne pas trop m'impliquer dans un problème sur le plan émotif; parfois je peux quitter la pièce ou mettre un point final à une conversation. Et parfois j'essaie de mettre une distance spirituelle entre moi et l'alcoolisme d'une autre personne, ou son comportement. Cela ne veut pas dire que je cesse d'aimer cette personne; cela veut dire seulement que je reconnais les risques que je cours pour mon bien-être personnel et que je choisis de prendre soin de moi.

Pensée du jour

Je sais maintenant comment mettre fin à une dispute en refusant simplement d'y participer, comment me tourner vers ma Puissance Supérieure pour demander de l'aide concernant toute chose que je suis impuissant à changer, comment dire «non» quand je veux dire non, et comment m'éloigner de la déraison plutôt que d'y plonger. Le détachement est un cadeau d'amour que je continue de m'offrir et d'offrir aux autres.

«Si un homme porte sa propre lanterne, il n'a pas à craindre les ténèbres.»

Dicton hassidique

Al-Anon me donne une grande liberté spirituelle en m'encourageant à trouver une conception personnelle de Dieu et à accorder aux autres la même liberté. Jusqu'à ce que je puisse penser à Dieu en termes qui avaient du sens pour moi, je n'ai pas été capable de vraiment confier ma vie à une Puissance Supérieure.

Mon concept de Dieu évolue. Il change et croît à mesure que je continue à changer et à croître. Comme c'est merveilleux, car je perçois maintenant une Puissance Supérieure Qui est aussi vivante que moi ! Jamais dans ma vie je n'ai rêvé de trouver une telle source de sérénité, de courage et de sagesse.

Il y a un but unique à mon cheminement dans la vie. Je suis le seul à pouvoir vivre ma vie et j'ai besoin de l'aide de Dieu *tel que je Le conçois* afin de la vivre pleinement. Ancré dans la foi, je peux tenir bon dans mon cheminement et faire face à l'avenir avec confiance.

Pensée du jour

Jadis j'avais peur de vivre ma vie. C'est que je ne savais pas comment faire et je pensais qu'il n'y avait personne pour me l'apprendre. Maintenant, j'ai en mon for intérieur une ressource pour me guider dans les nombreux chemins de la vie. Je ne suis pas seul pour faire le trajet.

«Au milieu de l'hiver, j'ai finalement appris que j'avais en moi un invincible été.»

Albert Camus

J'ai appris dans Al-Anon que je suis voué à l'échec en voulant faire cesser quelqu'un de boire, parce que je suis impuissant devant l'alcoolisme. D'autres membres de la fraternité avaient aussi échoué, néanmoins ils semblaient presque heureux de l'admettre. Avec le temps, j'ai compris: En abandonnant cette bataille perdue d'avance, nous devenions libres.

Graduellement, j'ai appris que rien de ce que je faisais ou ne faisais pas ne convaincrait l'être aimé de devenir sobre. Je le comprenais dans ma tête, mais il m'a fallu du temps pour le croire dans mon cœur. De fréquentes réunions Al-Anon, des appels téléphoniques et la lecture de la documentation Al-Anon ont été indispensables à ce processus d'apprentissage.

Plus tard, quand l'être aimé a choisi de devenir sobre, j'ai trouvé de nouvelles façons d'appliquer ce principe d'impuissance. Même si j'ai été tenté de vérifier le nombre de réunions auxquelles l'alcoolique assistait et de le protéger de tout ce qui pouvait le contrarier, j'avais accepté que rien de ce que je pouvais faire ne susciterait ou ne briserait la sobriété d'une autre personne. Après un certain temps, j'ai constaté que mes peurs avaient peu de rapport avec l'alcoolique. Elles indiquaient plutôt que j'avais besoin de mettre mon programme en pratique.

Pensée du jour

Quand je suis capable d'admettre que je suis impuissant devant l'alcool, ma vie devient plus contrôlable. Aujourd'hui, j'emprunterai la voie de la liberté personnelle et de la sérénité dont l'abandon est le commencement.

> «Notre croissance spirituelle sera sans limite et notre récompense sans fin si nous essayons d'intégrer le programme Al-Anon dans tous les domaines de notre vie quotidienne.»
>
> *Les Douze Étapes et les Douze Traditions*

J'ai appris récemment l'existence d'une situation de crise dans la vie d'une personne alcoolique que j'aime. Aujourd'hui, en essayant de travailler, je me suis retrouvé effondré sur une chaise, déprimé et distrait. J'ai bientôt perdu tout cœur à l'ouvrage, étant occupé à prévoir une horrible issue à la crise que vivait l'être aimé et appréhendant les façons dont les conséquences de cette situation pourraient m'affecter. Le slogan «un jour à la fois» me rappelle qu'en dépit de mes peurs, je ne sais pas ce que demain me réserve.

Pourquoi est-ce que je me projette dans l'avenir? Peut-être n'ai-je pas accordé à mes sentiments la place nécessaire pour qu'ils existent. Une partie de moi mise sur le fait qu'en m'inquiétant à l'avance, les mauvaises nouvelles seront plus faciles à envisager si elles surviennent. Mais l'inquiétude ne me protégera pas de l'avenir. Elle ne fera que m'empêcher de vivre le moment présent.

Pensée du jour

Je n'ai pas besoin de chercher à savoir ce que je ressentirai au sujet de quelque chose qui pourrait arriver dans l'avenir. Je ne sais pas réellement ce que je ressentirai, et peut-être que cela n'arrivera jamais. Alors, quand je m'apercevrai que je m'éloigne du présent, je me rappellerai que l'avenir n'est pas le problème d'aujourd'hui.

«L'inquiétude n'enlève jamais les peines de demain, elle ne fait que saper les forces d'aujourd'hui.»

A.J. Cronin

Il fut un temps où, si une pensée me passait par la tête, elle ressortait automatiquement de ma bouche. Même si je n'étais pas certain de la véracité de ce que je disais, les mots surgissaient de mes lèvres. Dans Al-Anon, j'ai appris à «penser» avant de parler.

Quand je suis tenté de répondre à de furieuses accusations par d'autres accusations, je m'arrête pour «penser». Quand j'éprouve une forte envie de trahir une confidence, de faire du commérage, ou de dire quelque chose d'extrêmement personnel à un parfait étranger, je m'arrête pour «penser». Et quand on ne me demande pas mon opinion concernant les affaires d'une autre personne, je prends le temps de «penser» avant de m'impliquer. De cette façon, je choisis consciemment comment je réagirai.

Je déciderai peut-être de ne rien dire, ou je choisirai de procéder avec plus de tact, ou je me demanderai si je dis vraiment ce que je pense. Je déciderai peut-être que l'endroit n'est pas approprié pour discuter de ce que je pense. Ou je peux choisir d'agir sur-le-champ et de parler d'une manière très directe. Peu importe ma décision, aujourd'hui je suis disposé à accepter les conséquences de mes actes parce que j'ai pris le temps de faire un choix.

Pensée du jour

Aujourd'hui, je permettrai que mes paroles servent à mon plus grand bien. Je les choisirai avec soin.

«Je ne laisse pas ma bouche prononcer des paroles que ma tête ne peut pas approuver.»

Louis Armstrong

Toute personne qui aurait observé mes réactions face aux alcooliques dans ma vie aurait probablement considéré que c'était moi la cinglée. C'était moi qui cherchais l'alcoolique dans tous les bars, qui faisais des scènes dans les endroits publics et qui devenais hystérique pour des peccadilles. C'était aussi moi qui me tourmentais à propos du comportement de l'alcoolique, qui mentais, présentais des excuses et le défendais tout en n'aimant pas ce que je faisais. Était-ce sensé ?

Al-Anon a été le premier endroit où je me suis posé des questions sur mon propre équilibre mental. J'ai constaté que je ne pouvais pas vaincre les conséquences de cette maladie à force de volonté ou de raisonnements. Comme on dit couramment, c'est le meilleur de mes raisonnements qui m'a amenée ici. Mais la Deuxième Étape d'Al-Anon m'a révélé qu'une Puissance Supérieure pouvait me rendre la raison.

Je savais que je me sentais plus rationnelle durant une réunion Al-Anon qu'en n'importe quel autre moment et par conséquent, je me suis tournée vers la Puissance qui semblait émaner de ces réunions pour avoir de l'aide. J'ai encore de temps en temps des moments d'irrationalité, mais je ne blâme plus quelqu'un d'autre pour mon comportement déraisonnable. Maintenant, je sais exactement vers Qui me tourner quand je suis prête à recouvrer une fois de plus la raison.

Pensée du jour

Aujourd'hui, je me concentrerai sur mon propre comportement. S'il y a lieu d'apporter certaines améliorations, je demanderai de l'aide à une Puissance supérieure à moi-même.

« Si nous ne changeons pas de direction, nous aboutirons probablement là où nous nous dirigeons. »

Ancien proverbe chinois

Quand, pour la première fois, j'ai entendu dire que la meilleure façon d'aider une personne alcoolique, c'était de me concentrer sur moi, j'ai pensé qu'Al-Anon était un endroit où se réunissaient des gens sans cœur et où je serais forcé de cesser de m'intéresser aux êtres qui m'étaient chers. J'avais décidé de ne jamais y retourner, mais quelqu'un a émis une opinion qui m'a fait changer d'idée. Il a dit que même si le désir d'aider une autre personne pouvait provenir d'une bonne motivation et être empreint de compassion, nos anciennes façons d'«aider» n'aidaient pas nécessairement. Al-Anon offre une nouvelle façon d'aider.

J'ai examiné ma façon d'aider l'alcoolique. J'ai constaté que lorsque je couvrais ses chèques sans provision ou que je présentais des excuses à sa place, je l'empêchais de faire face aux conséquences de ses actes. En fait, je la privais d'occasions de vouloir changer.

J'ai dû aussi me demander pourquoi je me sentais si désespéré lorsque je n'étais pas en train d'aider. Quand j'ai examiné mes motivations, j'ai découvert que c'était à *mon* anxiété que je ne voulais pas faire face.

Pensée du jour

L'aide que j'offre est-elle vraiment aimante ou est-ce que j'ai d'autres motivations? Est-ce que j'essaie de changer une autre personne ou de l'amener à faire ce que je veux? En discuter avec mon parrain peut me donner une autre perspective. Le meilleur espoir que j'ai d'aider ceux que j'aime commence vraiment quand je me concentre sur moi.

«Dans Al-Anon, nous apprenons à:
— ne pas provoquer une crise;
— ne pas empêcher qu'une crise se produise si c'est dans l'ordre normal des choses.»

Le détachement

Aujourd'hui, je cherche à m'accepter un peu plus, à être un peu mieux dans ma peau. Même s'il est important de reconnaître et d'admettre mes limites et mes déficiences, seule ma Puissance Supérieure peut me les enlever.

Juger sévèrement mes imperfections n'a jamais rehaussé mon appréciation de la vie, pas plus que cela ne m'a aidé à m'aimer davantage. Peut-être qu'aujourd'hui seulement, je peux cesser toute condamnation. Je reconnaîtrai que je suis sur une voie spirituelle d'amélioration personnelle. Chaque petit pas dans cette voie me rapproche de la complétude, de la santé et de la sérénité.

Si je deviens impatient envers moi-même, je peux examiner mes attentes. Je m'attends peut-être à me rétablir du jour au lendemain. Aujourd'hui, je prendrai le temps de reconnaître mes efforts et je ferai confiance au processus de rétablissement du programme Al-Anon.

Pensée du jour

Al-Anon est un programme de rétablissement qui agit en douceur. Aujourd'hui, je me rappellerai d'être moins sévère envers moi-même, de croire que le rétablissement se produira.

> «Aujourd'hui, je peux m'accepter pour ce que je suis car je sais que peu importe ce qui arrive, j'ai une Puissance Supérieure et il y a des membres qui m'aimeront de toute façon.»
>
> *...dans tous les domaines de notre vie*

«L'anonymat est la base spirituelle de toutes nos Traditions...» L'anonymat nous permet de nous départir non seulement de notre nom de famille, mais aussi de toutes les étiquettes et les attentes qui nous écrasent quand nous sommes à l'extérieur des salles de réunions Al-Anon. En nous engageant à garder l'anonymat, nous pouvons mettre de côté *ce que* nous sommes et commencer à savoir *qui* nous sommes.

Quand j'ai commencé à reconnaître à quel point ce principe spirituel était déjà précieux dans ma vie, j'ai compris pourquoi il était si important de protéger l'anonymat des autres, incluant celui de l'alcoolique. Si je veux bénéficier de ce que le programme a à offrir, j'ai l'obligation d'accorder aux autres le même respect et la même courtoisie qui me donnent un sentiment de sécurité, me libèrent des étiquettes et me laissent libre d'être moi-même.

Pensée du jour

En prenant ma place parmi les milliers de personnes anonymes qui forment les Groupes familiaux Al-Anon, je sais que je n'aurai plus jamais à être seul. Je ne mettrai pas en danger cette précieuse ressource en violant son principe spirituel le plus fondamental.

«Chacun devrait pouvoir quitter une réunion Al-Anon avec l'assurance que ce qu'il a partagé ne sera pas répété.»

Pourquoi Al-Anon est-il anonyme ?

Avant de connaître Al-Anon, je ne pouvais jamais faire la différence entre ce qui me regardait et ce qui ne me regardait pas. J'avais l'impression que je devais prendre soin de tous ceux qui m'entouraient jusqu'à ce que je n'en puisse plus. Habituellement j'agissais ainsi tant que je ne tombais pas malade. Mon corps essayait de me dire de tenir compte de mes propres besoins, mais je n'étais simplement pas prêt à écouter.

Al-Anon m'aide à «écouter pour apprendre», apprendre de mon corps, de mon âme et de ma Puissance Supérieure. Comment est-ce que j'y parviens? J'essaie de faire le point sur moi-même sur une base régulière. Est-ce que j'éprouve de la faim, de la colère, de la solitude, ou de la fatigue? Si oui, je peux m'obliger à abandonner ce que je suis en train de faire suffisamment longtemps pour m'occuper de mes besoins.

Quand je porte attention aux messages qui me sont donnés, j'ai de meilleures chances de me détacher des gens qui m'entourent ainsi que des situations, si c'est approprié. Selon moi, c'est la base de la sérénité.

Pensée du jour

Je ne suis plus obligé d'attendre l'effondrement de ma santé, de ma situation financière, ou de mon état émotif avant de m'occuper de mes besoins. Aujourd'hui, je peux m'exercer à être plus conscient de ce que ma voix intérieure essaie de m'apprendre. Je peux «écouter pour apprendre».

«N'écoute pas tes amis quand l'Ami à l'intérieur de toi dit: "Fais ceci!"»

Mahatma Gandhi

J'ai tellement essayé d'apprendre à me détacher. La vie dans le contexte de l'alcoolisme en phase active était déconcertante et le concept du détachement semblait vague. L'alcoolique dans ma vie était un dormeur agité qui tombait du lit presque à chaque nuit. Croyant faire mon devoir, je l'aidais toujours à remonter dans le lit. Un soir, après avoir assisté aux réunions Al-Anon depuis un certain temps, j'ai enjambé son corps et je me suis couchée, le laissant par terre. La fois suivante où je suis allée à ma réunion Al-Anon, j'ai triomphalement annoncé aux membres: «J'ai finalement appris à me détacher!» «Eh bien, m'ont-ils répondu, ce n'est pas exactement ce que nous voulions dire. Nous parlions du détachement *avec amour.*»

Lorsque j'ai quitté cette réunion, j'avais une nouvelle compréhension du détachement que j'ai mis en pratique la fois suivante où mon chéri est tombé du lit. Quand je l'ai trouvé sur le plancher, je ne l'ai pas aidé à remonter dans le lit. Mais j'ai étendu une couverture sur lui avant d'enjamber son corps et de me coucher. C'était, pour moi, du détachement avec amour.

Pensée du jour

Avec l'aide de ma Puissance Supérieure, je me munirai d'une couverture de détachement avec amour. J'en recouvrirai les êtres qui me sont chers, qu'ils luttent ou non contre une maladie, gardant à l'esprit que lorsque j'ai affaire à d'autres êtres humains, j'ai affaire à des enfants de Dieu.

> «...le détachement n'implique pas l'isolement, pas plus qu'il ne devrait être appliqué pour éviter que ne se répète le comportement maladif du passé. Le détachement n'est pas un mur; c'est un pont que peut emprunter le membre Al-Anon pour amorcer une nouvelle approche de la vie et de la communication en général.»

Al-Anon, traitement familial
contre les conséquences de l'alcoolisme

Dans la Troisième Étape, «nous avons décidé de confier notre volonté et notre vie aux soins de Dieu *tel que nous Le concevions.*» Voilà une grande décision pour ceux d'entre nous qui avons de la difficulté à prendre ne serait-ce que de petites décisions. Jusqu'à ce que je connaisse Al-Anon, j'avais tendance à laisser les autres décider comment je devais vivre, où je devais aller, et ce que je devais faire. Le paradoxe, c'est que même si je prenais peu de responsabilité concernant ma propre vie, je me percevais comme un expert concernant la vie de tout le monde et je me sentais responsable de tout ce qui arrivait.

L'ordre dans lequel les trois premières Étapes sont écrites m'aide à vaincre ces problèmes d'attitude. D'abord, j'accepte mon incapacité de contrôler la maladie de l'alcoolisme et j'admets que ma vie est incontrôlable. Ensuite, j'en viens à croire qu'une Puissance supérieure à moi-même peut aider. Après avoir franchi ces deux Étapes, il me devient possible, désirable et même logique de prendre l'énorme décision de confier ma vie aux soins d'une Puissance Supérieure.

Pensée du jour

Au début de chaque journée, je peux prendre la décision de confier ma volonté et ma vie aux soins de Dieu. De cette façon, je commence ma journée en affirmant fermement que je choisis d'accepter la réalité de ma vie. J'avance dans une saine direction, je deviens de plus en plus capable de vivre une vie agréable et d'aimer ceux que je rencontre en cours de route.

«La décision est un risque qui prend racine dans le courage d'être libre.»

Paul Tillich

J'oserai être moi-même. Je suis peut-être tenté de m'accrocher un sourire aux lèvres même si je suis en colère, afin de plaire à une autre personne. Quand je décline une invitation, j'invente peut-être des excuses pour ne blesser personne. J'ai peut-être tendance à annuler des projets qui me tiennent à cœur, sans protester, parce que quelqu'un que j'aime préfère rester à la maison et que je ne veux pas créer d'agitation. Il peut s'agir là de choix parfaitement acceptables et je peux opter pour n'importe lequel de ces choix ou tous ces choix. Mais aujourd'hui, je serai honnête avec moi-même en faisant mes choix — je ne prétendrai pas ressentir ce que je ne ressens pas, ni vouloir ce que je ne veux pas.

Al-Anon ne me dicte pas mon comportement. Al-Anon ne statue pas ce qu'est un bon ou un mauvais choix. Mais Al-Anon m'encourage néanmoins à m'examiner sérieusement et courageusement, à scruter mes sentiments, mes motivations et mes actes. Je ne peux apprendre à m'aimer que si je suis disposé à apprendre qui je suis.

Pensée du jour

J'ai le droit de vouloir ce que je veux et de ressentir ce que je ressens. Je peux ne pas choisir d'agir selon ces sentiments ou ces désirs, mais je ne me les cacherai pas. Ils font partie de moi.

«Par-dessus tout, sois fidèle à toi-même.»

William Shakespeare

Avant que je ne découvre Al-Anon, je me servais souvent des problèmes des autres comme excuses pour éviter mes obligations. Je me délectais des situations dramatiques d'une autre personne et j'en parlais à chaque occasion. Ma vie personnelle semblait de plus en plus banale et mes problèmes paraissaient ridicules.

Par conséquent, il m'était très difficile de me concentrer sur moi à mes débuts dans Al-Anon. Quand j'assistais aux réunions, je voulais parler de l'alcoolique, mais personne ne semblait intéressé. Les membres me ramenaient toujours à moi — comment *je* me sentais, ce que *je* faisais, ce que *je* voulais.

J'ai découvert que je m'intéressais beaucoup trop aux autres parce que j'avais une très piètre opinion de moi-même. Ma marraine m'a aidée à voir que lorsque j'agissais comme si la vie d'une autre personne était plus importante que la mienne, je me faisais du tort. Il fallait que cela cesse si je voulais apprendre à apprécier ma propre expérience. J'ai commencé à développer mon estime personnelle quand je me suis concentrée sur moi. Il m'a fallu de la pratique, mais grâce au soutien que j'ai obtenu au cours des réunions, je me suis sentie plus à l'aise. J'ai appris à parler de moi-même et à considérer que mes sentiments, mes réalisations et mes préoccupations étaient valables et avaient de l'importance.

Pensée du jour

Aujourd'hui, si je suis tenté de commérer ou de créer un drame autour de la vie de quelqu'un d'autre, je me poserai la question suivante: «Que se passe-t-il dans ma vie?»

> «Nous parlons du rôle que nous avons joué dans nos problèmes et comment nous changeons d'attitude et de façon d'agir en appliquant le programme Al-Anon à notre vie.»
>
> *Ici, parlons Al-Anon*

J'avais lu la Douzième Étape nombre de fois avant de la comprendre. Mais *voilà,* on y disait: «Comme résultat de ces Étapes, nous avons connu un réveil spirituel...» Quelle promesse! Si je mettais ces Étapes en pratique, je connaîtrais un réveil spirituel! Il y avait de l'espoir, même pour moi!

Eh bien, ce n'est pas la raison pour laquelle je me suis joint à Al-Anon. Comme beaucoup d'autres, j'y suis venu pour trouver un moyen de faire cesser quelqu'un de boire. C'est beaucoup plus tard que j'ai constaté qu'il manquait à ma vie une orientation que seule une Puissance Supérieure pouvait donner.

Ces merveilleux mots de la Douzième Étape m'ont apporté l'encouragement dont j'avais besoin pour commencer par le début. Lentement, parfois péniblement, j'ai cheminé dans les Étapes. Avec le temps, une chose étonnante s'est produite. J'ai été rempli du sentiment de la présence de mon Dieu et de Son amour pour moi. Je me sentais une personne à part entière. Je savais que je ne serais plus jamais comme avant.

Pensée du jour

Les Étapes m'offrent un itinéraire à suivre dans ma vie, qui mène à un réveil spirituel et au-delà. Je ne peux pas faire un bond pour atteindre la fin de mon cheminement — qui peut parfois se révéler ardu — mais je peux mettre un pied devant l'autre et suivre les instructions qui m'ont été données, sachant que ceux qui m'ont précédé ont reçu en cours de route plus qu'ils n'avaient jamais rêvé.

«La première fois que j'ai entendu lire les Douze Étapes à une réunion, je suis restée figée sur place. J'avais l'impression de ne pas respirer... j'écoutais simplement de tout mon être....je savais en mon for intérieur que j'étais chez moi.»

Tel que nous Le concevions...

Je savais que j'étais en difficulté: J'étais prête à mettre à tout jamais hors de ma vie l'homme que j'aimais très profondément parce qu'il avait laissé de la vaisselle sale dans l'évier. De toute évidence j'avais une réaction exagérée et cependant, j'étais incapable de me calmer. J'ai décroché le téléphone et j'ai appelé une amie Al-Anon.

Après m'avoir écoutée, elle a mentionné que je semblais en colère pour beaucoup plus que de la vaisselle sale. C'était vraiment le cas. Pour moi, cette vaisselle était l'évidence de tout un scénario d'un manque de respect. Elle m'a dit qu'elle aussi devenait contrariée et jouait les martyrs quand elle se retrouvait devant une même situation à maintes reprises, mais lorsqu'elle essayait de régler tous les problèmes d'une relation en un seul jour, c'était l'échec — c'est tout simplement impossible. Elle essayait plutôt de régler une situation à la fois.

Je n'aime toujours pas la vaisselle sale, mais je n'ai pas à lui accorder un sens plus profond. J'apprends à voir les choses telles qu'elles sont. Il arrive parfois que la vaisselle sale ne soit que de la vaisselle sale.

Pensée du jour

Pourquoi est-ce que je me permets de souffrir, de grossir démesurément de petites choses? Je peux réduire une situation à une dimension plus contrôlable en la vivant «un jour à la fois».

«Le seul but d'Al-Anon est de nous aider à adoucir les aspérités de la vie et cela ne peut se faire qu'un jour à la fois.»

Al-Anon un jour à la fois

Les nouveaux venus sont souvent étonnés lorsqu'ils apprennent depuis combien d'années les membres de longue date assistent aux réunions Al-Anon. Ils sont peut-être encore plus étonnés d'apprendre que certains parmi nous connaissons la sobriété dans notre foyer, ou qu'il n'y a plus d'alcooliques dans notre vie. Pourquoi continuons-nous d'assister aux réunions? Pour plusieurs d'entre nous, la réponse est la «sérénité».

Il m'arrive parfois de devenir impatient, ou de me rebeller, ou d'être ennuyé. Je passe des périodes où je remarque peu de changement en moi et je commence à douter. Mais même après plusieurs années de rétablissement dans Al-Anon, si je manque trop de réunions, les choses semblent redevenir incontrôlables. J'ai été affecté par la consommation d'alcool d'une autre personne. Je ne veux pas sous-estimer l'impact durable que l'alcoolisme a eu sur moi. Alors je continue d'assister aux réunions.

J'ai adhéré à Al-Anon pour avoir un remède rapide à ma souffrance, mais j'y suis resté à cause de la cohérence, de la sécurité et de l'amitié que j'y trouve à chaque jour. Parce que je me suis engagé à assumer la responsabilité de ma croissance personnelle, je suis capable de m'occuper de situations très difficiles avec beaucoup de paix, et la joie dans ma vie continue à dépasser mes rêves les plus fous.

Pensée du jour

Je considère mon rétablissement comme un mode de vie sain que je peux partager de bon cœur. Aujourd'hui, je poursuis activement une vie meilleure parce que je travaille sur moi.

«Aujourd'hui seulement, j'aurai un programme. Je ne le suivrai peut-être pas à la lettre, mais je l'aurai.»

Aujourd'hui seulement

Beaucoup d'entre nous apprenons dans Al-Anon la valeur de nous exprimer librement. Nous découvrons ce que nous ressentons et nous bénéficions du fait de pouvoir exprimer ces sentiments quand cela semble approprié. Mais il y a une différence entre s'exprimer et parler pour contrôler les autres.

Parfois, la seule façon de déterminer si j'essaie de contrôler quelqu'un ou si j'exprime simplement mes sentiments, c'est de remarquer combien de fois je répète la même chose. Si je mentionne quelque chose qui me vient à l'esprit sans me préoccuper de ce que sera la réponse, je parle sincèrement. Si je fais constamment les mêmes suggestions ou si je pose les mêmes questions d'une façon harcelante, j'essaie probablement de contrôler. Si je suis satisfait seulement lorsque l'autre personne répond d'une façon que je juge souhaitable — qu'elle est d'accord avec ce que j'ai dit ou qu'elle suit mes conseils — alors je sais que j'ai perdu mon objectivité.

Pensée du jour

J'apprends à être honnête avec moi-même. Je ne me servirai pas de mon rétablissement comme une excuse pour justifier mes efforts pour changer la façon de penser des autres. Mes tentatives pour contrôler les autres ne font que m'occasionner des difficultés. J'admettrai plutôt promptement de telles erreurs et je remettrai mon énergie là où elle doit être en me concentrant sur moi.

«Nous pourrions jouir d'une grande paix, si nous voulions ne point nous occuper de ce que disent et font les autres...»

Thomas a Kempis

En vivant dans le contexte de l'alcoolisme, j'ai appris que les projets pouvaient changer à tout moment et que les règlements variaient au même rythme. J'ai développé une profonde méfiance envers tout et tout le monde, parce que je ne pouvais compter sur rien.

Comme résultat, je me suis souvent retrouvé à sauter sur n'importe quelle occasion sans y réfléchir. Mes actes masquaient un sentiment de désespoir: «Je serais mieux de saisir cette occasion maintenant — c'est peut-être ma seule chance.» Al-Anon me montre une approche différente: je peux vivre «un jour à la fois». Je peux baser mes choix sur ce que je crois bon pour moi aujourd'hui, plutôt que sur ce que j'ai peur de perdre un jour ou l'autre dans l'avenir. Je peux «penser» avant de réagir à mes peurs et me rappeler de «me hâter lentement».

Si aujourd'hui je me sens incapable de faire une certaine chose, j'ai confiance qu'une autre occasion se présentera si c'est une chose que je dois faire. Il n'est pas nécessaire que ce soit maintenant ou jamais, tout ou rien.

Pensée du jour

Aujourd'hui, je n'ai pas à être limité par mes anciennes peurs. Je peux faire plutôt ce qui me semble bien. Je ne suis pas obligé de suivre chaque suggestion ni d'accepter chaque offre que je reçois. Je peux étudier les options qui se présentent et prier pour être guidé afin de choisir ce qui est le mieux pour moi.

> «Nous pouvons tous être guidés, et en écoutant avec humilité, nous entendrons la parole qui nous convient... Placez-vous au centre de la source de force et de sagesse qui jaillit dans votre vie, et sans effort, vous serez inondé de vérité et de contentement.»
>
> Ralph Waldo Emerson

Après avoir, avec zèle, mis en pratique durant plus d'un an les Douze Étapes d'Al-Anon, j'étais découragé de mes continuelles rechutes dans l'apitoiement et le ressentiment devant l'incapacité de l'alcoolique de me donner le soutien émotif que je voulais. Un soir, durant une méditation sur les Sixième et Septième Étapes, trois mots ont semblé surgir dans mon esprit: Nous avons pleinement consenti à ce que *Dieu* élimine tous ces défauts de caractère et nous *Lui* avons *humblement* demandé de faire disparaître nos déficiences.

J'ai soudainement pris conscience qu'une grande partie de mon zèle à mettre le programme en pratique avait consisté à utiliser mon propre pouvoir limité. Avec une humilité nouvelle et sincère, j'ai demandé à Dieu de faire disparaître mes déficiences. Quand j'ai vu l'alcoolique le lendemain matin, ce fut comme si un voile avait été enlevé de devant mes yeux. J'ai vu sa souffrance, sa lutte pour rester sobre et j'ai eu aussi de la compassion pour ma propre lutte. Mon apitoiement et mon ressentiment avaient disparu.

Pensée du jour

Je veux être prêt à ce que mes déficiences soient éliminées et je ferai mon possible pour m'y préparer. Je peux acquérir une perception de moi-même dénuée de jugement, accepter ce que je découvre et consentir pleinement à changer. Mais je n'ai pas le pouvoir de me guérir. Seule ma Puissance Supérieure peut le faire.

> «J'accepte le fait que j'ai besoin d'aide pour recouvrer la raison et que je ne peux y parvenir sans aide.»
>
> *Un dilemme: le mariage avec un alcoolique*

Je pensais que si je cessais de secourir l'alcoolique dans ma vie, sa consommation d'alcool cesserait. Quand sa consommation d'alcool a semblé augmenter au lieu de diminuer, encore une fois j'ai pensé que j'avais fait quelque chose de mal. J'essayais encore de contrôler l'alcoolisme et ses symptômes. Al-Anon m'a aidé à apprendre que je suis impuissant. Je ne peux empêcher une personne alcoolique de boire. Si je choisis de cesser de contribuer au problème, je le fais parce qu'il semble que ce soit la bonne chose à faire, quelque chose qui m'aidera à me sentir mieux face à moi-même.

Quand je change mon comportement, le comportement de ceux qui m'entourent peut aussi changer, mais il n'y a aucune garantie que le changement sera à mon goût. Aujourd'hui, j'apprends à faire des choix parce qu'ils sont bons pour moi, non à cause des effets qu'ils peuvent avoir sur les autres.

Pensée du jour

Il m'est difficile de cesser d'agir comme je le faisais dans le passé. Mais avec le soutien d'Al-Anon, je peux être la personne qui brisera le scénario habituel. Je peux choisir de faire ce que je pense être bien — pour moi.

«Tu dois t'assurer de vivre chaque jour d'une façon qui, selon toi, te fera apprécier ta vie...»

Jane Seymour

Autrefois je vivais ma vie comme si j'étais sur une échelle. Tout le monde était soit au-dessus de moi — des gens à craindre et à envier — soit au-dessous de moi — des gens à plaindre. Dieu était loin, très loin là-haut, hors de ma vue. C'était une façon de vivre difficile et solitaire, parce qu'il est impossible à deux personnes d'occuper confortablement le même barreau très longtemps.

À mon arrivée à Al-Anon, j'ai trouvé beaucoup de personnes qui avaient décidé de descendre de leur échelle pour entrer dans le cercle de la fraternité. Dans ce cercle, nous étions tous égaux et Dieu était au centre, facilement accessible. Quand des nouveaux venus arrivaient, nous n'avions pas à nous préoccuper de réarranger la position de chacun, nous élargissions simplement le cercle.

Aujourd'hui, je ne vois plus les gens comme étant au-dessus et au-dessous de moi. Je peux regarder chacun franchement et droit dans les yeux. Aujourd'hui, être humble signifie descendre de l'échelle où je me jugeais et jugeais les autres, et prendre la place qui me revient dans un cercle mondial d'amour et de soutien.

Pensée du jour

Mes pensées sont mes professeurs. M'enseignent-elles à m'aimer et à m'apprécier, ainsi qu'à faire de même pour les autres, ou m'enseignent-elles à pratiquer l'isolement ? Aujourd'hui, je choisirai mes professeurs avec plus grand soin.

> « "Vivre et laisser vivre" nous libère de la tendance à critiquer, à juger, à condamner et à user de représailles... l'hostilité qui se cache dans ces armes peut nous faire beaucoup plus de tort qu'à ceux contre lesquels nous les dirigeons. Al-Anon nous apprend la tolérance issue de l'amour. »
>
> *Voici Al-Anon*

En tant que nouveau venu dans Al-Anon, j'ai entendu dire que les principes du programme pouvaient mener à la sérénité. J'aurais préféré entendre dire que le programme pouvait guérir l'alcoolique, réparer les dommages du passé, ou au moins payer la facture du gaz. L'idée que je me faisais de la sérénité, c'était de me retrouver assis au sommet d'une montagne, un sourire béat aux lèvres, me souciant fort peu de quoi que ce soit. J'étais davantage intéressé à vivre passionnément!

À la longue, j'ai pris conscience que la sérénité n'avait pas forcément à me dépouiller de toute émotion. Elle m'offrait plutôt un sentiment de sécurité intérieure qui me libérait afin que je vive ma vie aussi pleinement et aussi passionnément que je le voulais, parce qu'elle puisait à une source inépuisable d'énergie et de sagesse: une Puissance Supérieure. Je pouvais faire des choix courageux et prendre des risques parce qu'avec cette aide, j'étais plus en mesure de faire face à tout ce qui arrivait.

Rien ne peut se comparer à la spectaculaire exploration de tout mon potentiel en tant qu'être humain. Après avoir goûté à la vie enrichissante qui pouvait être mienne avec l'aide d'Al-Anon et de ma Puissance Supérieure, j'ai découvert que la sérénité était un merveilleux trésor.

Pensée du jour

Aujourd'hui je recherche la sérénité, sachant que lorsque j'ai de la sérénité, je suis capable de devenir plus pleinement et plus passionnément moi-même.

«...sans le programme, je n'aurais pas pu apprécier à quel point ma vie peut être vraiment merveilleuse malgré les situations difficiles.»

...dans tous les domaines de notre vie

Parfois, quand je suis malheureux de ma situation, j'ai l'impression que Dieu me punit. Encore une fois j'ai perdu mon image d'un Dieu d'amour et j'ai besoin de la retrouver.

Il est bon d'appeler mon parrain, qui me rappelle que Dieu n'est pas un terroriste. Je lis de la documentation Al-Anon et j'assiste plus souvent aux réunions. Surtout, je marche le long de la rivière et je dis à Dieu à quel point j'ai peur. Je regarde l'eau et je remercie Dieu des bonnes choses dans ma vie: mon rétablissement dans Al-Anon, le cadeau des Douze Étapes, ma créativité et la joie que j'éprouve en l'exprimant, ma famille aimante Al-Anon. Après avoir dit tout ce que j'avais à dire, je m'assois et j'attends jusqu'à ce que je sente la présence apaisante de Dieu qui me rassure, qui sèche mes larmes.

Chose curieuse, après que j'ai traversé ces moments difficiles, je ne me souviens jamais vraiment de ma souffrance. Ce dont je me souviens, c'est le scintillement du soleil sur l'eau, la paix du moment, l'amour de ma Puissance Supérieure qui m'enveloppe aussi tangiblement que le soleil. Ma souffrance est partie, mais ma confiance accrue en ma Puissance Supérieure demeure.

Pensée du jour

Quand je suis confronté à des situations difficiles ou pénibles, je peux me rappeler qu'un Dieu d'amour est toujours là pour moi, toujours disponible comme source de réconfort, d'orientation et de paix.

«Personne n'est seul s'il en vient à croire en une Puissance supérieure à lui-même.»

Le parrainage — et tout ce qu'il comporte

Les Bouddhistes zen disent: «Lorsque l'élève est prêt, le maître apparaît.» Ou, comme le disait un conférencier Al-Anon: «Chacun de nous arrive ici au moment opportun.» Selon moi, voilà une raison importante d'avoir une politique en relations publiques basée sur l'attrait plutôt que sur la réclame, comme le suggère la Onzième Tradition.

Ma propre arrivée dans Al-Anon s'est faite juste au moment opportun. J'ai d'abord entendu parler du programme durant mon adolescence; j'ai assisté à ma première réunion vingt ans plus tard. Je ne regrette pas ce laps de temps, parce que je ne crois pas que j'aurais été prêt à adhérer à Al-Anon plus tôt — j'ai passé ces vingt années à m'offusquer de toute insinuation des membres bien intentionnés de ma famille voulant que j'avais été affecté par l'alcoolisme. Ce n'est qu'après avoir vécu les conséquences de cette maladie durant de nombreuses années que j'ai vraiment été prêt à recevoir de l'aide. Peu importe le nombre de remarques qu'on me faisait, rien n'aurait pu m'amener à adhérer à Al-Anon plus tôt.

Pensée du jour

Il n'y a pas de baguette magique qui peut convaincre qui que ce soit de se joindre à Al-Anon. Et il est présomptueux de supposer que j'ai une meilleure idée qu'eux de la voie qu'ils doivent suivre. Fasse que j'aide ceux qui veulent de l'aide. Quand ma vie s'améliore comme résultat de ma pratique du programme, je fais plus pour transmettre le message que je ne pourrais jamais accomplir en forçant les autres à adopter le programme.

> «Que je ne diminue pas l'efficacité de l'aide que je peux donner en permettant qu'elle prenne forme de conseil. Je sais que je n'aurai jamais une compréhension assez profonde de la vie d'un autre pour lui dire ce qu'il y a de mieux à faire.»
>
> *Un dilemme: le mariage avec un alcoolique*

Au moment où je me suis jointe à Al-Anon, je voulais désespérément faire quelque chose concernant ma relation avec un alcoolique. J'espérais que vous me diriez de «flanquer ce bon à rien à la porte», alors j'ai été atterrée quand un membre m'a suggéré de ne faire aucun changement majeur durant mes six premiers mois dans Al-Anon. Après ces six mois, ma façon de penser avait changé d'une manière spectaculaire et j'étais reconnaissante d'avoir attendu.

À ce moment-là, quelque chose à l'intérieur de moi m'a dit de continuer à attendre, à apprendre, à me rétablir avant de prendre une décision concernant cette relation. Mais je déteste attendre. J'ai lutté, j'ai prié pour être guidée, j'ai pesé le pour et le contre. La réponse était toujours la même: «Attends. Ne fais rien pour l'instant. Le temps viendra.» Ce n'était pas la réponse que je cherchais. Je l'ai donc ignorée. J'ai imposé une «solution» et je suis partie.

J'ai immédiatement été rongée par la culpabilité et j'ai douté de moi. Avais-je commis la pire erreur de ma vie? J'aimais encore tellement cette personne, et même si j'étais profondément bouleversée, je n'étais pas convaincue que mon départ était la solution. J'ai dû admettre que j'avais agi prématurément. C'est seulement en attendant encore un peu que j'ai finalement été capable d'en venir à une décision avec laquelle je savais pouvoir vivre.

Pensée du jour

Quand ma façon de penser est déformée par mes tentatives pour imposer des solutions, je n'obtiendrai probablement pas les résultats escomptés. Comme dit le proverbe: «Dans le doute, abstiens-toi.»

«Guide-moi dans tout ce que je fais pour que je me rappelle que l'attente est la réponse à certaines de mes prières...»

Tel que nous Le concevions...

Aujourd'hui, j'ai la possibilité de contribuer à mon sentiment de bien-être. Je peux poser certains petits gestes qui renforceront une relation, je peux poursuivre un but, ou je peux m'aider à me sentir mieux. Je ne m'attends pas à modifier ma vie de façon spectaculaire. Mon but est simplement d'avancer dans une direction positive, sachant que de grands progrès commencent souvent par de très petits efforts.

Je demanderai peut-être à quelqu'un de devenir ma marraine, je tendrai la main à un nouveau venu, ou j'essaierai un autre groupe Al-Anon. Je pourrais faire un peu d'exercice, prendre un rendez-vous pour un examen médical, écouter de la musique, ou nettoyer un placard. Je pourrais écrire une lettre à une amie que j'ai négligée ou passer un peu de temps seule à profiter de quelques minutes de paix et de calme. Je ferai peut-être quelque chose que j'ai peur de faire, simplement pour me discipliner. Je pourrais aller à l'épicerie pour une amie malade, réparer une table branlante, lire un livre pour stimuler mon esprit. Peut-être que je méditerai sur une des Douze Étapes ou que je partagerai mon expérience, ma force et mon espoir avec quelqu'un qui désire m'entendre.

Pensée du jour

Il y a tellement de façons d'améliorer la qualité de ma vie. Au lieu de me tourmenter à propos de ce que je ne peux avoir ou ne peux faire, aujourd'hui je passerai à l'action pour créer quelque chose de positif dans ma vie.

« Tirer parti du précieux moment où se présente une occasion et saisir le bien qui est à notre portée, c'est là le grand art de la vie. »

Samuel Johnson

J'aime les gens et il fut un temps où je voulais l'amitié de tout le monde. Avec les meilleures intentions, j'ai essayé de développer des amitiés avec certaines personnes, même si mes tentatives ont été discrètement repoussées à maintes reprises.

Les mots que j'entendais à la fin de chaque réunion Al-Anon me réconfortaient: «...vous éprouverez pour nous un attachement très spécial — même si tous ne peuvent pas vous plaire également — et vous nous aimerez comme déjà nous vous aimons.» Ce fut très important pour moi d'apprendre que même si je ne peux pas obtenir l'amitié de tout le monde, je peux offrir et recevoir du respect, du soutien et de la compréhension. La patience et l'humilité ont apaisé mon orgueil blessé.

Pensée du jour

Ce n'est pas réaliste de m'attendre à ce que tout le monde m'aime. Avec de telles attentes, je m'attire des échecs et je me donne des excuses pour en rejeter le blâme sur les autres. Je ne peux changer les autres, mais je peux changer ma propre attitude. Je peux laisser tomber mes normes concernant ce que les autres devraient éprouver à mon égard. Quand je suis déçu de la réaction d'une autre personne, je peux faire un effort supplémentaire pour être bon, chaleureux et aimant envers moi-même. Je suis digne d'amour tel que je suis.

«S'aimer soi-même est le début d'une histoire d'amour qui durera toute une vie.»

Oscar Wilde

Avant mon arrivée à Al-Anon, il n'y avait rien de simple concernant ma vie. Mon travail était extrêmement stressant, je manquais toujours de temps et mon attention était intensément centrée sur la personne alcoolique, mais je ne me rendais pas compte que j'étais sous tension. À mes débuts dans Al-Anon, j'ai reporté toute mon attention sur le programme. Quand ma négation s'est effritée, j'ai pris conscience que j'étais constamment épuisée. Le thème d'une réunion Al-Anon, «Ne pas compliquer les choses», était exactement ce que j'avais besoin d'entendre!

J'ai décidé que ce qui était prioritaire dans ma vie incontrôlable, c'était de me rétablir des conséquences de l'alcoolisme. J'avais des responsabilités et je ne pouvais pas éliminer toute la tension de ma vie, mais j'ai essayé de simplifier ma vie quand c'était possible. Pour moi, cela signifiait de laisser tomber certaines activités sociales, de me tourner temporairement vers un travail moins bien rémunéré mais moins stressant, et de laisser en plan certaines corvées domestiques. Ce n'était pas un changement permanent, c'était seulement un moyen de m'accorder le temps dont j'avais besoin pour améliorer ma santé émotionnelle et spirituelle.

Quel soulagement! Quand j'ai repris mon emploi de temps ordinaire, je comprenais mieux comment «ne pas compliquer les choses»; par conséquent, j'ai été capable de gérer mon temps plus sereinement.

Pensée du jour

Si je suis débordé, c'est peut-être que j'essaie d'en faire trop. Aujourd'hui, j'essaierai de «ne pas compliquer les choses».

«La capacité de simplifier signifie d'éliminer l'inutile afin que le nécessaire puisse se révéler.»

Hans Hofmann

Une des conséquences de l'alcoolisme, c'est que plusieurs d'entre nous avons nié ou sous-estimé nos talents, nos sentiments, nos réalisations et nos désirs. Dans Al-Anon, nous apprenons à connaître, à apprécier et à exprimer notre véritable personnalité. La créativité est un moyen puissant de faire valoir la personne que nous sommes. Elle constitue l'énergie spirituelle qui nourrit notre vitalité. C'est un moyen de remplacer notre façon de penser négative par une action positive.

Chacun de nous déborde d'imagination, mais il faut souvent de la pratique pour la découvrir et la mettre à l'œuvre. Néanmoins, tout ce que nous faisons différemment peut être de la créativité — construire une bibliothèque, essayer un nouvel assaisonnement sur un légume, adopter une approche différente en ce qui a trait à notre budget, peindre avec les doigts, trouver la solution de divers problèmes, tambouriner sur le bord d'une table le rythme d'une mélodie. L'énergie créatrice réside à l'intérieur de nous et tout autour de nous, qu'il s'agisse de composer un chef-d'œuvre ou de plier du linge.

Tout acte original affirme notre engagement face à la vie. Notre programme nous encourage à reconnaître nos réalisations et à vivre chaque jour pleinement. Quand nous créons, nous nous enracinons fermement dans le présent et nous nous démontrons que ce que nous faisons est important.

Pensée du jour

Aujourd'hui, je me servirai du don précieux de l'imagination. Ainsi, je me détournerai de la négativité, de la peur et des doutes sur moi-même et je célébrerai plutôt la vie.

« Faites ce que vous pouvez, avec ce que vous avez, là où vous êtes. »

Theodore Roosevelt

La Cinquième Tradition m'aide à me fixer trois buts: mettre les Étapes en pratique pour moi, avoir de la compassion pour les personnes alcooliques et avoir de la compassion pour ceux qui adhèrent à Al-Anon. Ce qui me frappe, c'est la somme d'amour que l'on trouve dans ces trois buts. Premièrement, je m'aime suffisamment pour essayer de me rétablir et de croître en mettant les Douze Étapes en pratique. Ensuite, je fais appel à cette force pour aimer ces personnes que j'ai déjà considérées comme étant mes ennemies, reconnaissant qu'elles aussi luttent pour faire face à cette terrible maladie. Finalement, je puise à même ces expériences et j'étends mon amour à ceux qui suivent un cheminement semblable au mien — les familles et les amis des alcooliques.

Je sais que j'ai été tiré du désespoir par l'amour d'étrangers qui sont rapidement devenus des amis. Maintenant, j'ai assez d'amour et d'unité en moi pour partager cet amour avec d'autres personnes qui souffrent des conséquences de l'alcoolisme.

Pensée du jour

J'avais besoin d'amour avant même de savoir ce que c'était. Maintenant que j'y comprends quelque chose, j'en ai encore davantage besoin. En m'aimant, non seulement je réponds à mes propres besoins, mais j'établis une base pour aimer les autres. En aimant les autres, j'apprends à bien me traiter.

> «Chaque groupe Al-Anon n'a qu'un but: aider les familles des alcooliques. Nous y parvenons en pratiquant *nous-mêmes* les Douze Étapes d'AA, en encourageant et comprenant nos parents alcooliques, et en accueillant et réconfortant les familles des alcooliques.»

Cinquième Tradition

Pour moi, le détachement est relativement facile avec des amis occasionnels, avec qui je ne suis pas très impliqué sur le plan émotif. J'ai remarqué que lorsque je suis détaché, je peux écouter d'autres gens critiquer ou être de mauvaise humeur sans en être affecté. Mais si les membres de ma famille agissent de la même façon, souvent je calque leur disposition d'esprit négative. Mon propre comportement me démontre que j'ai un choix à faire concernant ma réaction face à l'humeur et l'attitude des autres.

Ce que j'ai appris en comparant ces deux situations, c'est que le détachement implique que je prête attention à ma propre humeur pour ne pas risquer d'adopter celle de quelqu'un d'autre. Alors, je peux simplement voir et entendre la négativité ou la colère, sans devenir moi-même négatif ou en colère. Je ne suis pas obligé de passer une mauvaise journée uniquement parce qu'une personne que j'aime a de la difficulté à vivre. Cette connaissance me permet de laisser tous les gens, y compris moi-même, éprouver quoi que ce soit qu'ils éprouvent, sans interférence.

Pensée du jour

Si je m'arrête un moment avant de me concentrer sur l'humeur d'une autre personne, je découvrirai peut-être que j'ai moi-même des sentiments qui méritent mon attention. Je serai à l'affût de ces moments pour voir où j'en suis aujourd'hui.

> «Nous cessons d'être obsédés par le comportement d'une autre personne et commençons à mener une vie plus heureuse et plus contrôlable, une vie remplie de dignité et comportant des droits, une vie guidée par une Puissance supérieure à nous-mêmes.»
>
> *Le détachement*

Chaque flocon de neige est différent. Chaque empreinte digitale est différente. Chaque membre Al-Anon est différent en dépit du problème commun qui nous unit.

Me comparer aux autres a été un défaut de caractère qui m'a tourmenté toute ma vie et même durant mes premières années dans Al-Anon. Je me concentrais sur le fait que les autres membres semblaient saisir le programme plus rapidement que moi, qu'ils savaient dire «le mot juste» quand ils donnaient leur témoignage, qu'ils semblaient plus populaires que moi. Je ne m'aimais pas parce que je n'étais pas à la hauteur de ce que je croyais que les autres étaient.

Aujourd'hui, tout comme le flocon de neige et l'empreinte digitale, je constate que moi aussi j'ai des qualités uniques. Je sais que ma croissance dans Al-Anon ne peut se comparer à celle de qui que ce soit. J'ai appris que je ne peux juger ce qui est en moi en comparant avec ce que je vois des autres. Nous faisons tous notre possible. Comme chacun des membres de la fraternité, j'apporte une importante contribution aux groupes familiaux Al-Anon simplement par ma participation et en étant moi-même.

Pensée du jour

Un parrain ou un ami Al-Anon digne de confiance peut m'aider à voir que j'ai de la valeur, simplement tel que je suis.

«Le point suprême du bonheur, c'est qu'un homme veuille bien être ce qu'il est.»

Érasme

La confusion peut se révéler un bienfait de Dieu. En revoyant des périodes de mon passé où je voulais désespérément une solution immédiate, je constate que souvent je n'étais pas prêt à agir. Quand j'étais vraiment prêt, le renseignement dont j'avais besoin était là, à ma portée.

Lorsque j'ai trop de choix avant que le temps ne soit venu d'agir, j'ai tendance à me servir de ces options uniquement pour me torturer. C'est pourquoi aujourd'hui, quand je suis confus, j'essaie de considérer cela comme une grâce. Ce n'est peut-être pas encore le temps d'agir.

Je pense que faire face à la confusion peut ressembler au fait de cuisiner. Si le pain n'est pas cuit, je ne le sors pas du four et ne soutiens pas qu'il est temps de le manger. Je le laisse finir de cuire. Si je n'ai pas encore vu de solution claire à un problème, je peux avoir confiance qu'elle apparaîtra quand le temps sera venu.

Pensée du jour

Je remercierai ma Puissance Supérieure pour l'expérience que je vis aujourd'hui, quelle qu'elle soit, et même si je me sens troublé ou confus. Je sais que chaque expérience peut recéler un cadeau. Tout ce que j'ai à faire, c'est d'être disposé à regarder ma situation à la lumière de la gratitude.

> «Toute chose a ses merveilles, même la noirceur et le silence, et j'apprends à y trouver du contentement, quel que soit l'état dans lequel je me trouve.»
>
> Helen Keller

Nous parlons beaucoup de *travailler* le programme. À vrai dire, nous ne faisons que pratiquer ce que nous apprenons. C'est comme l'étude d'une langue seconde. L'élève lit des livres et assiste à des cours, mais cela ne lui donne qu'une connaissance technique. Pour être capable d'*utiliser* cette langue, il doit côtoyer des personnes qui la parlent et la comprennent. Il se pratique en écoutant et en parlant tout en continuant à lire. S'il est persévérant, avec le temps cela deviendra une connaissance qu'il possédera toute sa vie.

Il en est de même pour plusieurs d'entre nous. Nous commençons en ayant peu de connaissances et de nombreuses idées fausses. Nous assistons aux réunions, nous apprenons ce qu'est l'alcoolisme et nous étudions la documentation Al-Anon. Mais en fait, être capable d'utiliser cette connaissance prend du temps, de la patience et des efforts. Nous fréquentons des personnes qui parlent le langage Al-Anon, surtout celles qui s'engagent fermement dans la mise en pratique des principes Al-Anon dans leur propre vie. Nous continuons à écouter, à lire, à apprendre. De cette façon, le mode de vie Al-Anon s'infiltre en nous jusqu'à ce qu'il devienne une seconde nature. Puis, parce que nous changeons constamment, nous avons l'occasion d'apprendre et de pratiquer davantage.

Pensée du jour

Si je veux devenir habile dans l'application du programme Al-Anon dans ma vie, je dois faire plus qu'aller à une réunion de temps à autre. Je dois m'engager et pratiquer, pratiquer, pratiquer.

> «Nous sommes ce que nous faisons à maintes reprises. L'excellence, alors, n'est pas un acte, mais une habitude.»
>
> Aristote

Lors d'une tornade, nous ne devons pas uniquement surveiller les vents violents, mais aussi tout ce que le vent soulève et projette dans notre direction. Tout comme une tornade, l'alcoolisme amène souvent des problèmes additionnels, incluant les abus verbaux, physiques et sexuels, la maladie, l'endettement, la prison, l'infidélité et même la mort. Certains de ces problèmes peuvent nous causer un tel embarras que nous n'osons même pas en parler. Mais dans Al-Anon, nous apprenons que nous sommes malades dans la mesure des secrets que nous gardons. Aussi longtemps que nous les tenons cachés, ils nous tiennent prisonniers.

La plupart d'entre nous trouvons qu'il vaut mieux partager nos secrets avec quelqu'un en qui nous avons confiance, quelqu'un qui comprend la maladie de l'alcoolisme. Peu importe à quel point nous pouvons nous sentir désespérés, différents ou honteux, il y a des membres Al-Anon qui ont traversé des situations de crise semblables et qui sont disposés à nous écouter et à nous aider.

Pensée du jour

Les moments où je veux le plus me cacher avec mes secrets sont probablement les moments où j'ai le plus besoin d'être aidé et de me confier à quelqu'un d'autre. Quand je fais face à une situation difficile, je dois me rappeler que ma Puissance Supérieure parle par l'entremise d'autres êtres humains. Je n'ai pas à y faire face seul.

> «Nous cessons d'être à la merci de tout problème qui se présente pour en arriver à la certitude intérieure que peu importe ce qui se produira dans notre vie, nous serons en mesure d'y faire face, de nous en occuper et d'en tirer une leçon avec l'aide de notre Puissance Supérieure.»
>
> *...dans tous les domaines de notre vie*

Ma vision des choses peut être tellement limitée. Je pense souvent que la seule issue possible est celle que je peux imaginer. Heureusement, ma Puissance Supérieure n'est pas restreinte par une telle logique. En fait, quelques-uns des événements les plus merveilleux surviennent à partir de ce qui semble être des désastres.

Mais la foi demande de la pratique. Mes peurs peuvent être au premier plan dans mon esprit et ma façon de penser limitée peut me rendre perplexe. Quand je ne vois aucune issue et que je doute que même une Puissance Supérieure puisse m'aider, c'est alors que j'ai le plus besoin de prier. Quand je prie, mes actes démontrent ma bonne volonté d'être aidé. Et chaque fois, je reçois l'aide dont j'ai besoin.

Aujourd'hui, je sais que même lorsque ma situation semble sombre et que je ne vois aucune issue, des miracles peuvent se produire si je remets ma volonté et ma vie à Dieu.

Pensée du jour

J'ai un rôle important à jouer dans ma relation avec ma Puissance Supérieure — je dois être disposé à recevoir de l'aide et je dois la demander. Si je prends l'habitude de me tourner vers ma Puissance Supérieure pour obtenir de l'aide dans les petites choses de la vie quotidienne, je saurai quoi faire quand je me retrouverai devant des situations plus difficiles.

«Ne perdez pas espoir à l'heure de l'adversité, car des sombres nuages tombe la pluie cristalline.»

Poème persan

La pratique quotidienne du programme Al-Anon m'aide à avoir plus de tolérance envers les autres. Par exemple, quand je dresse mon propre inventaire et que j'examine mes motivations, je reconnais en moi les mêmes déficiences que je me suis déjà empressé de souligner chez les autres. Il m'est plus facile d'accepter les limites des autres quand je reconnais les miennes.

Je constate maintenant que ma façon de penser a souvent été faussée et mon comportement, incohérent. Si ma perception de moi-même a été si erronée, à quel point puis-je me fier à la perception que j'ai des autres ? Je ne sais vraiment pas ce que quelqu'un d'autre devrait penser, ressentir ou faire. Par conséquent, je ne peux plus justifier mon intolérance.

Une pratique régulière, consciencieuse des principes du programme m'aide à me sentir bien face à moi-même. Cela me permet d'avoir de plus en plus l'esprit ouvert et d'être de plus en plus attentionné envers toute personne qui fait partie de ma vie.

Pensée du jour

Les réunions, la camaraderie, les Étapes, les Traditions et la documentation Al-Anon, tout cela m'aide à améliorer ma capacité de m'identifier aux autres. Aujourd'hui, je renouvellerai mon engagement face à mon rétablissement.

« Une étude en profondeur, sérieuse et appliquée du programme Al-Anon nous aidera à devenir plus tolérants, confiants et aimants en nous apprenant à accepter les défauts des autres tout en cherchant à corriger les nôtres. »

Un dilemme : le mariage avec un alcoolique

Quand j'ai écrit mon inventaire lors de ma Quatrième Étape, mon calepin ne m'a pas quitté, ni de jour ni de nuit. Je ne voulais rien laisser de côté. J'ai découvert mon premier défaut — l'obsession. Quinze minutes avant de faire ma Cinquième Étape, j'étais encore en train d'écrire.

Lorsque j'ai fait cette Étape et que j'ai lu mon texte à haute voix, certaines de mes habitudes me sont apparues clairement pour la première fois. Mon comportement ressemblait à celui de l'alcoolique. La seule différence, c'est que j'étais sobre — déraisonnable, mais sobre. J'ai vu à quel point je blâmais les autres pour les événements qui s'étaient produits dans ma vie, à quel point j'étais susceptible et comment mes réactions face à l'alcoolique étaient basées sur mes peurs.

Je m'attendais à me sentir différemment le lendemain, mais il ne s'est pas produit grand-chose, sauf que j'ai ressenti beaucoup de fatigue et un peu d'instabilité. Mais le changement s'était amorcé. Le temps a passé et quand je me suis retrouvé dans des situations semblables à celles que j'avais décrites dans ma Quatrième Étape, j'ai remarqué que mes réactions étaient moins excessives. Certaines choses qui m'avaient terriblement ennuyé n'avaient plus d'importance. C'est alors que j'ai su que j'avais commencé à changer.

Pensée du jour

Grâce aux Douze Étapes, j'apprends à connaître «ma véritable nature». J'ai confiance que je découvrirai ce que j'ai besoin de savoir maintenant et que je découvrirai le reste en temps et lieu. Je vaux la peine de me connaître.

«Quand nous faisons la Cinquième Étape... nous faisons preuve d'un désir de changer.»

...dans tous les domaines de notre vie

Une des premières choses que j'ai entendues dans Al-Anon, c'est que nous n'étions pas tenus d'accepter un comportement inacceptable. Cette idée m'a aidée à voir que je ne suis pas obligée de tolérer la violence ou l'abus, et que j'avais des choix dont j'ignorais même l'existence autrefois. J'ai établi certaines limites, non pour contrôler les autres, mais pour me fixer des points de repère afin de savoir ce qui était acceptable et ce qui ne l'était pas, et comment agir dans ces situations.

Quelques années plus tard, je me félicitais de ne plus avoir de tels problèmes quand soudainement, j'ai constaté qu'il y avait encore une personne de qui j'acceptais régulièrement un comportement inacceptable — moi ! Je me dénigrais constamment et je me blâmais quand les choses allaient mal. Je ne m'accordais jamais aucun crédit pour mes efforts. Je me disais que j'étais sans charme, irréfléchie, paresseuse, stupide. Je n'aurais jamais dit ces choses à une amie. J'ai pris conscience que tant que je ne commencerais pas à me traiter comme une amie précieuse, je nuirais à mon propre rétablissement.

Pensée du jour

J'ai été affecté par une maladie des attitudes. Quand je me témoigne de l'amour et de l'approbation, je sais que je suis en voie de rétablissement.

« Gardons par conséquent notre esprit pur, car tel un homme pense, tel il devient. »

Les Oupanichads

Grâce aux Traditions d'Al-Anon, je peux avoir un parrain dont les opinions politiques sont opposées aux miennes. Même si nous sommes en complet désaccord sur d'autres sujets, cette personne m'aide à apprendre de précieuses leçons de sérénité, de courage et de sagesse. Si j'avais insisté pour avoir un parrain dont les opinions politiques concordaient exactement aux miennes, je me serais privé d'une relation extrêmement riche et bénéfique.

Je crois que c'est l'esprit de la Dixième Tradition qui rend cela possible. Elle stipule: «Les Groupes familiaux Al-Anon n'ont aucune opinion sur les questions étrangères à la fraternité; par conséquent, notre nom ne devrait jamais être mêlé à des controverses publiques.» Au niveau du groupe, cela signifie que je peux assister à une réunion et savoir que je ne serai pas sollicité pour aucune cause en particulier. En tant que groupe, nous n'avons qu'un seul but — nous entraider tout en nous rétablissant des conséquences de l'alcoolisme. Mais sur le plan personnel, cette Tradition me permet d'établir une précieuse relation avec une personne que, dans un contexte autre que l'entraide, j'aurais peut-être eu beaucoup de difficulté à traiter avec courtoisie.

Pensée du jour

Aujourd'hui, je peux faire preuve de plus de tolérance devant d'autres points de vue à mesure que j'apprends à prendre ce qui me plaît et à laisser le reste. Je ne dois pas permettre que des questions étrangères à la fraternité me détournent de mon but spirituel premier. Je garderai l'esprit ouvert, car je ne sais jamais où je pourrais trouver de l'aide.

«...à l'intérieur de la fraternité, la seule chose qui nous a réunis doit demeurer notre unique sujet d'intérêt.»

Les Douze Étapes & les Douze Traditions d'Al-Anon

J'avais de la difficulté à prendre des décisions parce que mes normes étaient impossibles à atteindre. Je voulais prendre des décisions qui me donneraient exactement ce que je voulais, ou je ne voulais pas en prendre du tout. Dans Al-Anon, j'ai appris que personne ne connaît à l'avance toutes les conséquences de quelque décision que ce soit. Nous pouvons seulement prendre les renseignements qui sont à notre portée et faire notre possible pour exercer un choix judicieux.

Je ne suis pas obligé de prendre mes décisions tout seul. Je peux me tourner vers Dieu et demander de l'aide. Avec le temps, j'en suis venu à constater que cette aide prend différentes formes — un thème de réunion qui m'a offert une nouvelle perspective, un serrement de cœur, une «coïncidence». Et parfois, Dieu parle par l'entremise des autres. Quand les membres partagent leur expérience, leur force et leur espoir, j'écoute attentivement comment ils ont fait face à des situations semblables.

Dans le grand ordre de l'univers, pas une seule décision n'est vraiment tellement importante. Je peux faire mon possible pour prendre de sages décisions, mais les résultats sont entre les mains d'une Puissance Supérieure.

Pensée du jour

Avec l'aide d'une Puissance Supérieure, prendre une décision peut se révéler une des grandes aventures de la vie. Chaque croisement de chemins offre un nouveau défi et je suis capable de faire face à tout ce qui se présente sur ma route.

> «Quand je faisais des demandes spécifiques (à Dieu), j'étais tellement occupé à attendre qu'elles soient exaucées que je ne me rendais pas compte que les réponses me crevaient les yeux.»
>
> *Tel que nous Le concevions...*

Même quand j'étais enfant, j'avais des responsabilités d'adulte, de sorte qu'il n'est pas surprenant que je sois devenue la personne qui prend soin de tout. Cela me semblait tellement réconfortant, tellement automatique de penser d'abord aux autres et de me consacrer entièrement à n'importe quelle situation de crise qui survenait sans la moindre pensée pour moi. Lorsque j'ai pris conscience que ce n'était pas un de mes traits de caractère les plus admirables, mais plutôt une forme d'autodestruction, j'ai été horrifiée. J'ai entrepris de faire disparaître tous ces comportements et toutes ces attitudes. J'étais déterminée à ne m'occuper que de moi et à me soucier des autres le moins possible.

Heureusement, je n'ai pas réussi à faire un changement aussi radical. Aujourd'hui, des années plus tard, je prends encore soin de tout le monde et je le ferai probablement toute ma vie. Mais maintenant, je considère cela comme un trait distinctif précieux de ma personnalité, un cadeau de mon éducation qui peut merveilleusement rehausser ma vie *si je ne pousse pas cette caractéristique à l'extrême*. Même si je ne fais plus pour les autres ce qu'ils pourraient faire eux-mêmes, j'essaie encore de prendre soin d'eux en même temps que de moi. Al-Anon m'aide à trouver un certain équilibre.

Pensée du jour

Aujourd'hui, j'essaierai de ne pas condamner certaines facettes de moi-même alors que j'en accepterai d'autres. Je suis un amalgame et je fais davantage preuve d'amour envers moi-même quand j'englobe dans cet amour tout ce que je suis.

«Mes défauts et mes échecs sont tout autant des bénédictions de Dieu que mes succès et mes talents, et je les dépose tous à Ses pieds.»

Mahatma Gandhi

N'est-il pas exaspérant d'aller à l'épicerie pour acheter un article et de trouver la tablette vide? Heureusement, les épiciers peuvent corriger cette situation en faisant un inventaire pour savoir quelles tablettes ont besoin d'être regarnies.

Il en est de même pour moi. Un inventaire tel que suggéré dans la Quatrième Étape fait la lumière sur mes propres espaces vides, mes défauts. Nul besoin que ce soit une expérience pénible ou effrayante. Je n'ai pas à porter un jugement sur une tablette vide; mais à moins que je ne prenne le temps d'en devenir consciente, je ne ferai rien pour la regarnir et le problème continuera. En faisant mon inventaire, mes espaces vides peuvent être remplis avec l'aide des autres Étapes. Je fais l'expérience du pouvoir de guérison de ces Étapes chaque fois que d'anciennes circonstances pénibles reviennent sans que ne revienne la souffrance que je ressentais autrefois.

Pensée du jour

Quand je suis incapable de trouver une solution à un problème, quand je suis continuellement assailli de doutes, de peurs ou de frustrations, quand je me sens perdu ou confus, un inventaire moral, sérieux et courageux de moi-même peut faire une énorme différence. Chaque fois que je mets les Étapes en pratique, je dis à ma Puissance Supérieure que je suis disposé à me rétablir, à trouver une solution, à me sentir mieux. L'énergie qui aurait été gaspillée en inquiétude, en larmes et en obsession peut être transformée en action positive.

> «Nous désirons tous que de bonnes choses nous arrivent, mais il ne suffit pas de prier et d'attendre que des miracles se produisent. Nous devons joindre l'action à nos prières.»
>
> *Message d'espoir*

L'alcoolisme au sein d'une famille tend à promouvoir la négligence de soi. Par conséquent, je n'ai jamais appris à prendre soin de moi quand je ne me sentais pas bien. Même quand j'avais une forte fièvre, je vaquais à mes occupations comme je le faisais tous les jours. Me comporter autrement me semblait de la complaisance et de la faiblesse.

Dans Al-Anon, j'ai eu la chance de découvrir une façon différente de prendre soin de moi. Je vois les autres membres s'accorder une attention spéciale quand ils sont malades. Ils se reposent quand ils se sentent fatigués. Ils prennent parfois une journée de congé. Ils ont une alimentation équilibrée. Ils consultent un médecin quand cela semble approprié.

En suivant l'exemple d'autres membres Al-Anon, j'apprends à accepter que je ne peux pas toujours me sentir en excellente forme physique, j'apprends à réagir avec plus d'amour. Ce n'est qu'un domaine de plus où je laisse aller mes attentes dénuées de réalisme. Peut-être que la maladie est un moyen que ma Puissance Supérieure utilise pour me dire d'être bon pour moi.

Pensée du jour

Je ne suis pas un robot. Il m'arrive parfois de tomber malade, ou d'être fatigué ou préoccupé. Je ferai un effort pour apprendre ce que je peux faire pour m'aider à me sentir mieux.

> «...il est crucial de s'appliquer à prendre soin de nous-mêmes, particulièrement durant les périodes de tension.»

...dans tous les domaines de notre vie

Nous faisons tous des erreurs. Mais nous espérons qu'à mesure que nous appliquerons le programme Al-Anon et continuerons à prendre de plus en plus conscience de nous-mêmes, nous apprendrons de ces erreurs. Nous pouvons faire amende honorable pour tout préjudice que nous avons causé et nous pouvons changer notre comportement et nos attitudes afin de ne pas répéter les mêmes erreurs. Ainsi, même les expériences pénibles du passé peuvent nous aider à apprendre à créer un lendemain meilleur.

Le plus grand obstacle à ce processus d'apprentissage est la honte. La honte est une excuse pour nous détester aujourd'hui pour quelque chose que nous avons fait ou n'avons pas fait autrefois. Dans un esprit rempli de honte, il n'est pas question de penser que nous avons fait notre possible à l'époque, il n'est pas question d'accepter qu'en tant qu'êtres humains, nous ferons sûrement des erreurs.

Si j'ai honte, je dois vérifier ce qu'est la réalité parce que mon jugement est probablement faussé. Même si cela peut demander un grand courage, si je partage mes sentiments avec un ami Al-Anon, je mettrai un frein aux pensées destructrices et je ferai de la place pour un point de vue plus aimant et plus enrichissant. Avec un peu d'aide, je découvrirai peut-être que même les moments les plus embarrassants peuvent être un bienfait dans ma vie en m'apprenant à emprunter une direction plus positive.

Pensée du jour

Aujourd'hui, je m'aimerai suffisamment pour reconnaître que la honte est une erreur de jugement.

«L'ultime leçon qu'on devrait tous apprendre, c'est *l'amour inconditionnel*, non seulement à l'égard des autres mais aussi à l'égard de soi.»

Elisabeth Kübler-Ross

Il n'est pas nécessaire que je trace un plan détaillé de mon rétablissement — ma Puissance Supérieure l'a déjà fait. Il est seulement nécessaire que je demande humblement à Dieu de me guider et de me donner la bonne volonté de suivre Ses directives aujourd'hui. Je sais que je ne suis pas seul : je recevrai toute l'aide dont j'ai besoin en cours de route. Après avoir prié pour mon rétablissement, je peux lâcher prise, sachant que je marcherai sereinement dans la bonne direction.

Mais je peux faire certains choix qui m'aideront à accélérer mon évolution. Je peux prendre soin de moi avec plus de constance. Je peux assister aux réunions Al-Anon, téléphoner à mon parrain, essayer une nouvelle forme de service. Je peux me détendre, méditer, faire de l'exercice, lire de la documentation Al-Anon, me distraire, manger sainement. Je constate que lorsque je fournis l'effort de faire chaque jour ce que je peux, j'acquiers graduellement plus de force.

Pensée du jour

Je ne peux pas contrôler mon rétablissement. Je ne peux pas me forcer à lâcher prise plus rapidement, ni exiger la sérénité. Mais je peux poser de petits gestes pour me rappeler que je participe de mon plein gré à ce processus. J'ai toutes les raisons d'espérer, car chaque étape que je franchis est une étape qui m'amène à vivre ma vie plus pleinement. Aujourd'hui je ferai quelque chose d'agréable pour moi-même, quelque chose que je n'ai pas trouvé le temps de faire jusqu'à maintenant.

> « Si quelqu'un avance avec confiance dans la direction de ses rêves et qu'il s'efforce de vivre la vie qu'il a imaginée, il réussira au-delà de ce à quoi il pouvait s'attendre. »
>
> Henry David Thoreau

Confier ma volonté et ma vie aux soins d'une Puissance Supérieure (Troisième Étape) est une démarche continue. Au début, je ne Lui abandonnais que les gros problèmes. Je sentais que je n'avais pas le choix — il était clair que j'étais impuissant et que mes plus grands efforts m'avaient déçu. Il n'y avait plus rien ni personne vers qui me tourner, sinon vers une Puissance supérieure à moi-même Qui pouvait accomplir ce dont j'étais incapable.

À mesure que mon rétablissement s'est poursuivi, j'en suis venu à faire confiance à cette Puissance Supérieure. Aujourd'hui, l'amélioration de mon contact conscient avec ma Puissance Supérieure rend cette relation plus profonde. Quand je dois prendre une décision, que ce soit au sujet d'une personne alcoolique, de l'acceptation d'une offre d'emploi ou de la planification de la soirée, je demande d'être guidé. Quand je prends le téléphone pour parler à un ami Al-Anon, je demande de pouvoir servir d'intermédiaire pour ma Puissance Supérieure. Je ne peux pas toujours connaître la volonté de ma Puissance Supérieure, mais je peux rechercher chaque jour une plus grande perception spirituelle en consentant à être guidé.

Pensée du jour

La foi demande de la pratique. Aujourd'hui, j'inclurai davantage ma Puissance Supérieure dans mes actions et mes décisions.

«La Troisième Étape me suggère d'apprendre, à partir de maintenant, à être réceptif et ouvert à l'aide de ma Puissance Supérieure...»

Les Douze Étapes & les Douze Traditions d'Al-Anon

On me dit que le pilote automatique d'un avion n'a pas pour fonction d'emprunter une voie à laquelle il ne déroge pas. Au contraire, il ramène constamment l'avion dans le parcours désigné et effectue les corrections nécessaires quand il détecte que l'appareil a dévié.

En réalité, le pilote automatique suit sa trajectoire seulement de 5 à 10 pour cent du temps. Les autres 90 à 95 pour cent du temps, il est hors de sa voie et corrige ses propres déviations.

Moi aussi, je dois continuellement faire des mises au point. Je suis beaucoup plus disposé à le faire aujourd'hui parce que j'ai cessé de m'attendre à suivre parfaitement la bonne voie. Je ferai sûrement beaucoup d'erreurs, mais avec l'aide du programme Al-Anon, j'apprends à accepter les erreurs comme étant une partie inévitable de l'aventure de la vie.

Pensée du jour

Je peux apprendre à suivre la voie fixée par ma Puissance Supérieure en me fiant à un processus d'essais et d'erreurs qui inclut la volonté d'effectuer sans cesse des mises au point.

«Celui qui ne fait rien ne se trompe jamais.»

L'alcoolisme, un mal familial

Parfois la connaissance n'est pas aussi sensationnelle qu'on le prétend. Naturellement, il peut être utile d'analyser nos expériences passées pour y trouver des renseignements sur nous-mêmes et sur nos relations. Il y a beaucoup à apprendre des inventaires, des souvenirs, et en analysant les choses avec quelqu'un d'autre. Mais attendre de tout comprendre peut devenir une excuse pour éviter de passer à l'action.

Par exemple, certains parmi nous tombent dans le piège d'essayer d'analyser l'alcoolisme. Nous ne voulons pas accepter la réalité de notre situation parce que nous n'arrivons pas encore à en comprendre le sens. Le fait est que l'alcoolisme est une maladie illogique que nous ne comprendrons peut-être jamais complètement. Néanmoins, nous avons envers nous-mêmes l'obligation d'accepter la réalité dans laquelle nous vivons et d'agir en conséquence.

D'autres veulent ignorer la nature spirituelle du programme Al-Anon, attendant une compréhension claire et acceptable d'une Puissance Supérieure. Plusieurs parmi nous n'y parvenons jamais et pourtant, nous réussissons à développer une relation enrichissante avec une Puissance supérieure à nous-mêmes en passant à l'action et en priant.

Pensée du jour

Toute information peut nous éclairer de façon merveilleuse, mais ce n'est pas la réponse à tous les problèmes. Aujourd'hui, je serai honnête concernant mes motivations.

«Que vous le compreniez ou non, les choses ne sont que ce qu'elles sont.»

Proverbe zen

La documentation approuvée par la Conférence (DAC) s'est avérée l'un des outils les plus utiles que j'ai trouvés dans Al-Anon. Il m'a fallu beaucoup de temps avant d'être prêt à me confier à d'autres membres, mais dès ma première réunion, cette merveilleuse documentation m'a aidé à apprendre à remplacer une façon de penser négative installée depuis longtemps par une nouvelle approche plus saine, plus positive de la vie et de l'amour.

Au début, je m'en servais uniquement pour dissiper la tension. Maintenant, je commence chaque journée sur une note positive en lisant une pièce de DAC durant mon petit déjeuner.

Il m'a été particulièrement bénéfique de «penser» à ce que je lisais et de le résumer dans une ou deux phrases. J'écris ce texte sur une petite carte et je la garde sur moi toute la journée. Lorsque j'y pense, je sors ma carte et je la lis. Vous ne sauriez croire le nombre de fois où cela a ramené une situation difficile dans sa juste perspective, ou m'a fait aborder différemment un projet ou une conversation.

Pensée du jour

J'ai, à ma portée, une source inépuisable de renseignements qui peuvent m'aider à me libérer des conséquences de l'alcoolisme sur ma façon de penser. Aujourd'hui, je ferai en sorte que la documentation Al-Anon devienne une routine en écoutant une cassette, ou en lisant un dépliant ou un chapitre d'un livre.

> «La lecture quotidienne des livres et publications Al-Anon a ouvert notre esprit à la certitude qu'il y a un mode de vie meilleur et plus enrichissant.»
>
> *Voici Al-Anon*

Un récent inventaire moral, sérieux et courageux de moi-même (Quatrième Étape) m'a donné un message clair: Une grande partie de mon comportement manquait énormément de maturité. Mais qu'est-ce qu'un comportement dénotant de la maturité ? La réponse est évidemment différente pour chacun de nous, mais l'étude de la question peut m'aider à identifier mes buts et à mettre le programme Al-Anon en pratique pendant que j'essaie de changer ce comportement. Selon moi, la maturité comprend:

Me connaître.

Demander de l'aide quand j'en ai besoin et agir par moi-même dans la mesure du possible.

Admettre mes torts s'il y a lieu et faire amende honorable.

Accepter l'amour des autres, même si j'ai de la difficulté à m'aimer.

Reconnaître que j'ai toujours le choix et endosser la responsabilité des choix que je fais.

Considérer la vie comme un bienfait.

Avoir une opinion sans insister pour que les autres la partagent.

Pardonner tant à moi-même qu'aux autres.

Reconnaître mes points faibles et mes points forts.

Avoir le courage de vivre un jour à la fois.

Reconnaître que je suis responsable de combler mes besoins.

M'occuper des autres sans m'en préoccuper.

Accepter que je n'aurai jamais terminé — il y aura toujours place pour de l'amélioration.

Le slogan «penser» m'a toujours intrigué. N'était-ce pas ma «façon de penser malsaine» qui m'attirait des ennuis ? La signification de ce slogan m'a toujours échappé jusqu'à ce que j'entende l'enfant d'un voisin répéter des règles de sécurité apprises à l'école : arrêter, regarder, écouter.

Avant de m'attirer des ennuis, de réagir en paroles, ou avant de me perdre dans une analyse obsessionnelle du comportement d'une autre personne, ou avant de m'inquiéter de l'avenir, je peux «arrêter». Puis, je peux «regarder» ce qui se passe et voir quel est mon rôle. Ensuite, je peux «écouter» pour obtenir une directive spirituelle qui me rappellera les choix que j'ai et m'aidera à parler et à agir sainement.

Par conséquent, quand on me dit des choses désagréables, je ne suis pas automatiquement obligé de me lancer dans une dispute orageuse et malveillante. Je peux au contraire prendre un instant pour «penser». Je peux arrêter, regarder, écouter. Alors, je serai peut-être capable de m'engager calmement dans une discussion ou simplement de me retirer. Si je choisis vraiment de m'engager dans une discussion, au moins je prends maintenant cette décision consciemment plutôt que de laisser la vie décider à ma place.

Pensée du jour

La journée présente est un magnifique espace de temps qui n'a jamais été vécu auparavant. Fasse que j'en savoure les secondes, les minutes et les heures que j'y passe. Aide-moi à «penser» avant de parler et à prier avant d'agir.

> «Le programme m'aide à acquérir la liberté de faire des choix sensés qui sont bons pour moi. Aujourd'hui, je choisis de mettre cette liberté à l'œuvre dans ma vie.»
>
> *Alateen — un jour à la fois*

Quand j'ai commencé à mettre les Étapes en pratique, l'idée que mes défauts de caractère soient éliminés me rendait très nerveux. Je pensais que je finirais comme un morceau de fromage suisse, plein de trous. Mais je voulais me sentir mieux et on m'assurait constamment que les Étapes étaient la clé de mon rétablissement; alors je suis allé de l'avant en dépit de mes peurs. J'ai dû prendre un risque et agir avec confiance avant de pouvoir recevoir les dons que ma Puissance Supérieure me réservait.

Nulle part entre la Quatrième et la Septième Étape, nous demandons à Dieu d'ajouter quoi que ce soit, mais plutôt d'éliminer les choses dont nous n'avons pas besoin. J'ai découvert que chacun des défauts qui ont été éliminés cachait une qualité. Je n'ai absolument rien perdu de moi-même. Au contraire, quand j'ai laissé aller les choses dont je n'avais pas besoin, j'ai fait de la place pour que mes forces, mes talents et mes sentiments deviennent davantage partie intégrante de ma vie. J'y trouve du réconfort, parce que cela me rappelle que tout ce dont j'ai besoin est déjà là. Mais je ne pouvais pas en être certain tant que je n'avais pas mis les Étapes en pratique et que je n'avais pas été quelque peu libéré de mes défauts.

Pensée du jour

Dieu sait exactement ce dont j'ai besoin et me l'a déjà donné. Mon rôle consiste à «ne pas compliquer les choses» et à demander l'aide de Dieu pour me débarrasser du superflu — des déficiences qui m'enchaînent.

«Pour que le soleil entre par la fenêtre, il faut tirer les rideaux.»

Proverbe américain

Al-Anon m'a aidé à constater que personne ne sait vraiment ce que j'ai dans le cœur, dans l'esprit et dans l'âme. Je ne peux m'attendre à ce que mes besoins soient comblés à moins que je ne fasse d'abord connaître ces besoins. Pas plus que je ne peux m'attendre à ce qu'une seule personne comble tous ces besoins, même si je les exprime clairement. Si la première personne à qui je demande de l'aide est incapable de le faire, je peux demander à quelqu'un d'autre. Cela enlève de la pression sur nous tous.

Avant de commencer mon rétablissement dans Al-Anon, je m'attendais à ce que ceux avec qui j'avais des liens étroits sachent ce que je ressentais sans le leur dire. Quand j'étais en colère et que je voulais discuter, je rageais en silence. Quand j'étais blessé et que je voulais du réconfort, je boudais. Quand je désirais de l'attention, je n'arrêtais pas de parler. Je ne pouvais pas comprendre pourquoi j'obtenais rarement les réactions que j'attendais!

Je ne m'attends plus à ce que quiconque lise dans mes pensées. J'accepte aussi que je ne peux pas lire dans les pensées d'un être aimé. Aujourd'hui, je traite les gens qui m'entourent avec plus de respect parce que j'apprends à demander ce dont j'ai besoin et à inciter les autres à faire de même.

Pensée du jour

Aide, réconfort et soutien sont à ma portée. Aujourd'hui, je suis disposé à tendre la main pour demander ce dont j'ai besoin.

«...je ne peux pas m'attendre à ce que quelqu'un m'aide tant que je ne consens pas à dire que j'ai *besoin* d'aide.»

... dans tous les domaines de notre vie

Dans Al-Anon, j'ai découvert que je devais effectuer des changements en moi. Après avoir vécu toute ma vie dans le contexte d'une maladie des attitudes — l'alcoolisme — je n'avais pas une très haute opinion de moi-même et par conséquent, j'avais très peu confiance que mes efforts puissent apporter quelque chose de bon.

J'ai appris davantage en observant les vers à soie de mon fils. Les vers à soie sont des créatures dodues, gloutonnes; toutefois, à même leur propre substance, ils créent quelque chose de magnifique. Ils n'ont pas le choix en cette matière. Ils sont nés pour créer cette beauté.

Moi aussi, je peux transformer quelque chose de négatif en quelque chose de positif; en changeant mes attitudes défaitistes, je deviens un plus bel être humain. Je suis né avec cette beauté en moi et si seulement je me le permets, je peux l'exprimer librement. Al-Anon m'aide à apprendre à placer l'amour au premier plan dans ma vie. Et la gratitude, la pierre angulaire de mon rétablissement dans Al-Anon, met clairement en évidence une beauté cachée jusque-là.

Pensée du jour

Aujourd'hui, je peux filer un peu de soie et la laisser embellir tout ce que je touche. Je ne suis pas obligé de regarder la laideur du passé, sauf si j'en apprends quelque chose pour rehausser le présent et pour libérer toute beauté prisonnière derrière les anciens secrets et les attitudes défaitistes. Un jour à la fois, je peux m'émerveiller de la splendide personne que je deviens.

«Il est parfois nécessaire de réapprendre sa beauté à une chose... jusqu'à ce qu'elle refleurisse de l'intérieur...»

Galway Kinnell

Un des merveilleux bienfaits que je retire de l'assistance aux réunions Al-Anon, c'est de trouver de nouvelles façons de mettre mon programme en pratique. Le président d'une réunion d'un de mes groupes préférés a fait circuler un panier rempli de petits papiers sur lesquels étaient inscrits les slogans d'Al-Anon et nous a suggéré d'en piger un et d'essayer d'appliquer ce slogan à la présente journée. Fait remarquable, plusieurs d'entre nous semblaient avoir pigé le slogan lui convenant le mieux !

Dès le lendemain, je me suis retrouvé dans une situation difficile. Je m'efforçais de régler un problème épineux, et j'étais de plus en plus frustré et bouleversé, mais je n'étais toujours pas près d'une solution. J'ai demandé de l'aide à ma Puissance Supérieure et je me suis soudainement souvenu de ce panier. Dans mon esprit, je me suis vu piger encore une fois dans le panier rempli de slogans. De nouveau, j'ai obtenu exactement ce dont j'avais besoin: Le bout de papier que j'ai imaginé me rappelait de «me hâter lentement». J'ai cessé d'essayer d'imposer une solution et j'ai attendu jusqu'à ce que je puisse aborder le problème plus calmement. Je me sentais beaucoup mieux, mes pensées étaient plus claires et avec le temps, une solution s'est présentée.

Pensée du jour

Il n'est pas toujours facile de savoir quel outil d'Al-Anon utiliser, particulièrement au milieu d'une situation de crise. Je suis reconnaissant d'avoir une Puissance Supérieure Qui connaît mes besoins et d'avoir les réunions qui m'aident à trouver de nouvelles façons de mettre ces outils à l'œuvre dans ma vie.

«À mesure que nous apprenons à compter sur notre Puissance Supérieure en appliquant le programme Al-Anon dans notre vie, nos craintes et nos incertitudes font place à la foi et à la confiance.»

Al-Anon un jour à la fois

J'ai souvent beaucoup de mal à savoir quelle est ma volonté et quelle est celle de Dieu. Je sens que la sérénité m'échappe alors qu'une guerre se déroule dans mon esprit et que de fortes voix me pressent de prendre une direction ou une autre.

Le doute est un compagnon inévitable de la recherche spirituelle. Je ne possède pas de livre d'instructions, alors je dois continuer d'explorer et de mettre en question mes perceptions. Je sais que lorsque je ressens un besoin désespéré d'agir, c'est habituellement ma volonté qui fait pression, et lorsque je ressens une calme certitude, c'est habituellement celle de Dieu qui se manifeste. Mais la plupart du temps, je n'ai pas d'indication aussi claire. Qu'arrive-t-il alors ? J'attends parfois que la clarté se fasse ou j'essaie d'écouter plus attentivement afin d'être guidé ; je peux parler de ma confusion et avoir recours à la sagesse des autres ; ou je peux simplement faire un choix, passer à l'action et voir ce qui arrive. Plus de choses me seront révélées le temps venu, peu importe mon choix. Étant donné que j'ai remis ma volonté et ma vie à Dieu, tout choix que je fais peut servir à exécuter Sa volonté.

Pensée du jour

Aujourd'hui, je me rappellerai que l'incertitude n'est pas un défaut mais une occasion de progresser. Tout ce que je fais, tout ce qui croise mon chemin — gens, situations, idées — a le potentiel de contribuer à ma croissance et à ma compréhension. Aujourd'hui seulement, je ne suis pas obligé de connaître la nature de cette contribution.

« Il y a plus de foi dans un doute honnête, croyez-moi, que dans la moitié de toutes les professions de foi. »

Lord Alfred Tennyson

Une partie de mon rétablissement a consisté à changer certaines anciennes façons de penser. J'avais l'habitude d'éviter les situations et les émotions pénibles, d'opter pour la sécurité et de m'éloigner de tout risque. Mais la vie n'est qu'une suite de risques et certaines souffrances sont inévitables. Al-Anon m'aide à accepter la réalité.

Au lieu de fuir, j'apprends à regarder la source de ma détresse. Comme résultat, je trouve que la souffrance passe beaucoup plus rapidement et je suis libéré de la peur. Al-Anon me donne des outils tels que l'inventaire suggéré dans la Quatrième Étape, avec lequel je peux jeter un regard honnête sur moi-même et ma situation. Le soutien d'un parrain, ma Puissance Supérieure, la Prière de Sérénité et de nombreuses réunions Al-Anon m'aident à trouver le courage de composer avec la peur, la souffrance et le risque.

Quand j'évitais de prendre des risques, la peur m'accompagnait toujours. Maintenant je la surmonte et souvent, j'en ressors sain et sauf. Je n'ai plus à être constamment sur mes gardes contre les dangers possibles. Je peux plutôt me consacrer à vivre.

Pensée du jour

Des choses merveilleuses peuvent se produire aujourd'hui parce que j'accepte le sentiment fantastique de participer à ma propre vie.

«À long terme, il n'est pas plus sûr d'éviter le danger que de s'y exposer ouvertement. Ou bien la vie est une audacieuse aventure ou elle n'est rien du tout.»

Helen Keller

«J'ai choisi mon épitaphe, me dit un ami Al-Anon. Je veux qu'elle se lise comme suit: "Il se mêle enfin de ses affaires".»

Nous rions, profitant d'un peu de répit pour considérer le côté humoristique d'un sujet sérieux, ces défauts de caractère qui semblent si difficiles à déloger. Le rire rend nos faiblesses plus faciles à supporter et nous pouvons nous pardonner nos imperfections. Quel changement comparé au temps où nous cachions avec honte nos défauts, ou lorsque nous nous en servions pour nous taper sur la tête!

Nous prenons la résolution, mon ami et moi, qu'à l'avenir nous essaierons moins, nous accepterons davantage et nous cesserons de nous impatienter, de nous critiquer et de nous détester. Nous prenons une profonde respiration et disons: «Aide-moi, mon Dieu. Aide-moi à me rappeler que le but des erreurs, c'est de me préparer à l'idée que j'en ferai encore d'autres; aide-moi à me rappeler que lorsque je ne ferai plus d'erreurs, je ne serai plus de ce monde.»

Pensée du jour

D'une certaine façon, je serai toujours un débutant. J'aurai toujours un nouveau défi à relever, parce que la vie est en perpétuel changement et moi aussi. À cause de ce changement constant, chaque petit geste que je pose implique le risque de faire une erreur. Il faut du courage pour participer à la vie. Aujourd'hui, je peux me féliciter d'essayer. Je fais un travail formidable.

> «... ma Puissance Supérieure, c'est la confiance que je ressens en mon for intérieur et qui m'enlève la peur, même celle de faire des erreurs.»
>
> *Tel que nous Le concevions...*

Qu'est-ce que l'humeur d'une autre personne, son ton de voix ou son état d'ébriété ont à voir avec ma façon d'agir? Rien, à moins que je n'en décide autrement.

Par exemple, j'ai appris que me disputer avec une personne ivre équivaut à me frapper la tête contre un mur de briques. Néanmoins, jusqu'à tout récemment, je replongeais toujours tête première dans les disputes, parce que c'était ce que semblait vouloir l'autre personne. Dans Al-Anon, j'ai découvert que je n'ai pas à réagir uniquement parce que j'ai été provoqué et que je n'ai pas à prendre à cœur des paroles blessantes. Je peux me rappeler qu'elles sont dites par une personne qui souffre probablement et je peux essayer de faire preuve d'un peu de compassion. Je ne suis certainement pas obligé de permettre à ces paroles de m'inciter à faire quelque chose que je ne veux pas faire.

Pensée du jour

Le détachement avec amour signifie que je cesse de dépendre de ce que les autres font, disent ou ressentent pour déterminer mon propre bien-être ou pour prendre mes décisions. Quand je suis confronté à l'attitude et au comportement destructeurs des autres, je peux aimer ce qu'ils ont de meilleur et ne jamais craindre ce qu'ils ont de pire.

> «...le détachement ne signifie pas de m'occuper moins de l'alcoolique, mais de m'occuper plus de ma propre sérénité.»
>
> *...dans tous les domaines de notre vie*

«Nous lui avons humblement demandé de faire disparaître nos déficiences.» Je suis porté à penser à cette Septième Étape comme étant une Étape à faire en pleurant et à genoux. J'ai vécu cette expérience, mais je veux considérer la possibilité que cette Septième Étape pourrait être faite dans la joie — et même avec humour.

Parfois, l'indice montrant que j'ai acquis assez d'humilité pour demander à ma Puissance Supérieure de faire disparaître une déficience, c'est que je peux en rire. Soudainement, un geste que j'ai posé ou une décision que j'ai prise dans le passé semble ridicule et je peux cesser de me prendre autant au sérieux. Quand cela se produit, je me rends compte que ma Puissance Supérieure a diminué l'impact d'une autre déficience. Le vrai changement s'annonce souvent sous forme d'un grand éclat de rire.

Alors, la prochaine fois où je voudrai m'arracher les cheveux parce que je n'ai pas réussi à me débarrasser d'une déficience tenace, j'essaierai de me détendre et de voir à quel point il est ridicule d'y mettre autant d'ardeur. Quand je consens à prendre du recul et à voir de l'humour même dans les situations qui ne correspondent pas à mes attentes, je cède la place à ma Puissance Supérieure pour qu'Elle fasse Son œuvre.

Pensée du jour

Le désespoir et la souffrance peuvent certainement m'amener à l'humilité, mais dans Al-Anon, je développe une volonté nouvelle et pressante de me laisser guider par ma Puissance Supérieure. Étant consentant, je suis davantage libre d'apprendre de toutes les leçons de la vie, non seulement de celles qui blessent.

«"Humblement"... signifie me voir dans ma véritable relation avec Dieu et mes semblables.»

Lois et son histoire

Par une journée magnifique, un homme s'assit sous un arbre, ne remarquant pas qu'il abritait beaucoup de pigeons. Peu de temps après, les pigeons firent ce que les pigeons font le mieux. L'homme se mit à crier après les pigeons alors qu'il quittait précipitamment sa place, pestant contre ces oiseaux et leurs matières offensantes. Mais ensuite il prit conscience que les pigeons ne faisaient que ce que font les pigeons, simplement parce qu'ils sont des pigeons et non parce qu'il était là. L'homme apprit à vérifier si les arbres abritaient des pigeons avant de s'asseoir dessous.

Les personnes alcooliques en phase active sont des gens qui boivent. Elles ne boivent pas à cause de vous ou de moi, mais parce qu'elles sont alcooliques. Peu importe ce que je fais, je ne changerai rien à cela, ni en me culpabilisant, ni en criant, suppliant, détournant son attention, cachant l'argent, les bouteilles ou les clés, mentant, menaçant ou raisonnant. Je n'ai pas causé la maladie de l'alcoolisme. Je ne peux pas la contrôler et je n'en connais pas la cure. Je peux continuer à lutter et perdre. Ou je peux accepter que je suis impuissant devant l'alcool et l'alcoolisme, et laisser Al-Anon m'aider à réorienter l'énergie que j'ai dépensée à combattre cette maladie, afin de me rétablir de ses conséquences.

Pensée du jour

Ce n'est pas facile de regarder une personne que j'aime continuer à boire, mais je ne peux rien faire pour l'arrêter. Si je me rends compte à quel point ma vie est devenue incontrôlable, je peux admettre que je suis impuissant devant cette maladie. Je pourrai ensuite commencer vraiment à améliorer ma vie.

«...il est raisonnable de croire qu'une amélioration de notre comportement sera une influence bienfaisante qui aidera la famille tout entière.»

Comment puis-je aider mes enfants ?

Avant de connaître Al-Anon, selon moi pardon signifiait pouvoir. Je pouvais juger l'offenseur — la personne qui ne faisait pas ce que je voulais — pour ensuite exercer mon pouvoir en montrant que je pouvais m'élever au-dessus de l'offense et accorder magnanimement mon pardon. Mais je n'oubliais jamais ce qui avait été fait.

Aujourd'hui, je sais que le pardon n'a rien à voir avec le pouvoir. Il ne me donne pas le contrôle. Le pardon me rappelle simplement que je suis sur un pied d'égalité avec tous les autres enfants de Dieu. Nous faisons tous parfois des choses bonnes et nobles; en d'autres occasions, nous pouvons offenser. Je n'ai aucun droit de juger, punir ou absoudre qui que ce soit. Quand je fais preuve de suffisance, je suis la personne qui souffre — je m'isole de mes semblables, je me concentre sur les autres et j'entretiens des pensées haineuses et négatives. En adoptant cette attitude, je me reconnais comme une victime, alors je demeure une victime. Le plus grand pardon que je peux accorder, c'est de me rappeler que mon rôle n'est pas de juger les autres, mais de penser et de me comporter de façon à me sentir bien.

Pensée du jour

Je ne connais ni les motivations ni les circonstances à l'origine du comportement d'une autre personne. Je sais par contre que lorsque je persiste dans le ressentiment et le blâme, je remplis mon esprit d'amertume. Aujourd'hui, je trouverai une façon plus enrichissante de remplir mon esprit.

« Vous ne pouvez maintenir quelqu'un à terre sans y rester avec lui. »

Booker T. Washington

Il peut s'avérer difficile de reconnaître le progrès, particulièrement si nos attentes sont grandes et dénuées de réalisme. Si nous nous attendons à ce que notre attitude négative ou notre comportement malsain changent rapidement et complètement, il est probable que nous serons déçus — le progrès est difficile à voir quand nous nous mesurons à des critères idéalisés. Il serait peut-être préférable de comparer notre situation actuelle uniquement à celle que nous vivions dans le passé.

Par exemple, l'inventaire suggéré dans la Quatrième Étape m'a amené à constater que j'entretiens de la rancune et qu'elle me blesse. J'essaie de me défaire de mes ressentiments et je désespère quand cette attitude persiste. Heureusement, Al-Anon m'a enseigné à me concentrer sur le progrès, non sur la perfection. Même si je m'accroche parfois à mes ressentiments, je sais que je progresse parce que cela m'arrive moins souvent et moins longtemps qu'autrefois.

Aujourd'hui, je ne cherche plus la perfection; la seule chose qui compte, c'est la direction que je prends.

Pensée du jour

Comme résultat de mes efforts dans Al-Anon et de mon consentement à changer, je suis dans la bonne direction. Aujourd'hui je célébrerai mes progrès. Je sais que le processus de rétablissement continuera à m'aider dans mon cheminement vers une meilleure façon de vivre.

«Continuez d'amasser petit à petit et vous aurez bientôt un trésor.»

Proverbe latin

Aucun problème n'est éternel. Peu importe à quel point un problème peut sembler permanent au cœur de notre vie, tout ce que nous expérimentons dans ce monde en perpétuel changement passera sûrement. Même la souffrance.

Les situations difficiles font souvent émerger en nous des qualités qui, autrement, n'auraient peut-être pas remonté à la surface, comme le courage, la foi, et le besoin que nous avons les uns des autres. Toutes nos expériences peuvent nous aider à progresser.

Mais nous pouvons avoir besoin de patience. Certaines blessures ne peuvent guérir rapidement. Il faut leur donner du temps. En attendant, nous pouvons apprécier les nouvelles aptitudes que nous développons, comme la capacité de pleurer et la volonté d'accepter. Partageons les uns avec les autres les pertes que nous subissons et les victoires que nous remportons, car c'est ainsi que nous acquérons du courage.

Pensée du jour

Il me sera plus facile de traverser une journée difficile si je me rappelle que cela aussi passera. Je serai très bon avec moi-même durant cette journée. M'entourer davantage de soins affectueux et d'attentions peut me rendre les choses un peu plus faciles.

> «Je suis apte à faire face à ce que la vie me présente quand je me sers des Douze Étapes et des Douze Traditions, des slogans, de la documentation, du parrainage, des congrès et par-dessus tout, des réunions.»
>
> *...dans tous les domaines de notre vie*

Notre Huitième Tradition suggère que notre travail de Douzième Étape devrait toujours demeurer non professionnel. Cela signifie qu'en tant que membres Al-Anon, notre expérience personnelle, notre force et notre espoir sont tout ce dont nous avons besoin pour nous aider les uns les autres à nous rétablir de l'impact dévastateur de l'alcoolisme. Si notre programme était dirigé par des professionnels, je n'aurais pas été libre de transmettre le message Al-Anon à autant d'autres personnes.

Cette Tradition m'encourage à aider ceux qui veulent vraiment être aidés. J'ai consacré tellement de temps et d'énergie à essayer d'aider des personnes qui *ne voulaient pas* d'aide, que l'occasion de contribuer au bien-être de quelqu'un qui y consent m'est très précieuse. Aujourd'hui, à cause de mon expérience face à l'alcoolisme, je suis plus en mesure de comprendre les autres et d'avoir de l'empathie. Je suis reconnaissant que quelque chose de positif soit ressorti des périodes les plus difficiles de ma vie.

J'apprends à donner et à recevoir sans culpabilité. Je n'ai pas à me sentir redevable envers les membres qui m'ont aidé, sauf que je me dois de transmettre aux autres ce qui m'a si bien servi. Et en donnant, je reçois.

Pensée du jour

Je constate que partager mon expérience, ma force et mon espoir avec d'autres, sur un pied d'égalité, est un des plus grands cadeaux d'Al-Anon.

«Les seules personnes parmi vous qui seront vraiment heureuses sont celles qui auront cherché et trouvé une façon de servir.»

Albert Schweitzer

Je suis arrivé à Al-Anon avec la compulsion de me concentrer sur les autres. Je savais clairement la façon dont les autres devaient se comporter dans toutes les situations et j'éprouvais un très grand sentiment de suffisance quand ils ne suivaient pas mes règles de conduite. Lorsque j'ai constaté que ma propre vie avait été négligée parce que toute mon attention était dirigée ailleurs, j'ai dû effectuer quelques changements majeurs.

Aujourd'hui, je dois encore faire preuve de vigilance afin de me mêler de mes affaires. Je sais que lorsque mes pensées commencent par «il devrait» ou «elle ne devrait pas», j'ai probablement des problèmes. Je ne détiens pas les réponses en ce qui concerne les autres. Ce n'est pas moi qui fixe les règles d'un comportement approprié, de la bonne gestion des affaires, de la courtoisie au volant, ou du bon sens. Je ne sais pas ce qui est le mieux pour les autres parce que je ne sais pas quels sont les enseignements que leur Puissance Supérieure veut leur donner. Je sais seulement que si je suis aux prises avec l'idée de ce qu'ils devraient ou ne devraient pas faire, j'ai perdu mon humilité. J'ai aussi cessé de m'occuper de moi. Neuf fois sur dix, je me concentre sur quelqu'un d'autre pour éviter de regarder quelque chose dans ma propre vie.

Pensée du jour

J'améliore ma capacité d'établir des rapports avec les autres quand je leur permets d'être exactement ce qu'ils sont. Le plus grand cadeau que je peux m'offrir, c'est de m'occuper de moi.

«Nettoie ton doigt avant de pointer les taches sur moi.»

Benjamin Franklin

L'estime de soi est un des sujets traités dans notre guide de la Quatrième Étape, *Plan pour notre progrès*. En mettant cette Étape en pratique, en faisant un inventaire moral, sérieux et courageux de moi-même, j'ai découvert que j'ai toujours jugé ma valeur en fonction de mes réalisations, ou de ce que les autres disaient de moi. Cela voulait dire que je devais travailler tout le temps, ou que je devais être constamment le centre d'attention. Au mieux, mon sentiment de satisfaction était passager.

Dans la Quatrième Étape, j'ai constaté qu'une partie de mon estime personnelle peut être basée sur ma capacité d'aimer les autres. Dire un bon mot, écrire une note d'appréciation, ou simplement prendre quelques minutes où je laisse de côté mes pensées habituelles pour apprécier un autre être humain enrichit toute ma journée. Peu importent mes réalisations, j'ai le pouvoir de me sentir bien avec moi-même, que les autres reconnaissent ou non ma valeur.

Pensée du jour

Il n'en tient qu'à moi de rechercher les occasions appropriées de partager mon amour avec ceux qui m'entourent. De cette façon, je souligne un de mes traits de caractère les plus positifs sans rien attendre en retour. Faire un compliment à quelqu'un du fond du cœur, ou remercier sincèrement pour une gentillesse, peut être la plus belle chose qu'il m'est possible de faire pour moi aujourd'hui.

> «Il est difficile de rendre un homme misérable alors qu'il a le sentiment de sa valeur personnelle et qu'il se réclame d'une affinité avec le Dieu merveilleux Qui l'a créé.»
>
> Abraham Lincoln

Un coureur arrivait à la fin de sa course. À sa gauche, des dunes de sable l'empêchaient de voir la plage. Traverser les dunes aurait exigé un effort supplémentaire après cette séance d'entraînement longue et épuisante. Il pouvait plutôt choisir de rester sur le terrain plat qui tournait sur sa droite. Même si le panorama était moins attirant, la route la plus facile était alléchante. Son expérience antérieure lui avait appris à éviter de dépasser ses limites. Néanmoins il aimait la vue de l'océan.

Le coureur hésita. Une impulsion l'incitait à aller vers les dunes et il choisit d'y obéir. À l'approche de la plage, un spectaculaire coucher de soleil surplombait les vagues fracassantes. Un sentiment d'humilité envahit le coureur quand il se rendit compte que lors de son moment d'hésitation, il avait écouté une Puissance supérieure à lui-même, une Puissance Qui pouvait voir au-delà du visible.

Pensée du jour

La logique peut me dicter une certaine façon d'agir alors que ma voix intérieure me pousse dans une autre direction. Il peut m'être plus facile de suivre la voix de la logique, de la commodité ou de l'expérience antérieure, mais est-ce que je me prive de quelque chose de meilleur? Aujourd'hui, je m'arrêterai à la croisée des chemins et j'écouterai la voix de ma Puissance Supérieure.

> «L'intelligence a peu à faire sur le chemin de la découverte. Il se produit un sursaut de conscience, appelez cela intuition ou ce que vous voulez, et la solution se présente à vous sans que vous en sachiez le pourquoi ou le comment.»
>
> Albert Einstein

Afin de survivre dans le monde contradictoire et explosif de l'alcoolisme, plusieurs parmi nous avons appris à ignorer nos sentiments. Sans même nous en rendre compte, nous avons perdu contact avec nous-mêmes.

Par exemple, bien que je pointais un doigt accusateur vers les personnes alcooliques dans ma vie parce qu'elles m'abandonnaient dans les moments difficiles, je n'étais pas un très bon ami pour moi-même. Dans ma peur et ma confusion, je me suis éloigné du petit enfant en moi qui vivait tout simplement, qui a pleuré à la mort de son chat et a ensuite lâché prise, qui pouvait apprécier un coucher de soleil sans vouloir se l'approprier et qui vivait un jour à la fois.

Le rétablissement ne signifie pas que je dois devenir une personne différente. Il signifie que j'ai besoin de recommencer à être moi-même. Les leçons que j'apprends dans Al-Anon sont des leçons que je sais déjà. J'ai seulement besoin de m'en souvenir.

Pensée du jour

Il y a en moi une innocence qui sait déjà comment faire confiance à ma Puissance Supérieure, chérir la vie sans s'y agripper, vivre pleinement et simplement le moment présent. Je permettrai à cette partie de moi-même de passer au premier plan et je la laisserai me nourrir alors que je poursuivrai ce voyage.

«Il faut beaucoup de temps pour devenir jeune.»

Pablo Picasso

L'alcoolisme a contribué à de nombreux espoirs déçus, à des rêves brisés et à bien des souffrances dans ma vie. Je ne souhaite pas revenir sans cesse sur ces sentiments, mais je ne souhaite pas non plus leur tourner le dos. Al-Anon m'aide à faire face même aux aspects les plus désagréables de mon passé. En saisissant les mains tendues des membres de la fraternité, je peux ressentir ma souffrance et pleurer mes pertes, et ensuite aller de l'avant.

Ces sentiments font profondément partie de moi; quand ils se présentent à ma conscience, je souhaite leur ouvrir la porte et les laisser entrer. Je dois me traiter avec la même sollicitude et le même respect que j'accorderais à un membre Al-Anon qui me confierait sa souffrance, sa confusion et son tourment lors d'une réunion. C'est uniquement de cette façon que je peux devenir un être humain à part entière et être en paix.

Pensée du jour

On dit que la souffrance est inévitable mais que souffrir est facultatif. Si j'apprends à accepter que la souffrance fait partie de la vie, je serai plus en mesure de supporter les périodes difficiles pour ensuite aller de l'avant et laisser la souffrance derrière moi.

> «...quand nous aspirons à une vie sans... difficultés, rappelons-nous que le chêne devient fort lorsqu'il est exposé à des vents contraires et que les diamants se forment sous l'effet de la pression.»
>
> Peter Marshall

J'ai eu beaucoup de difficulté à croire que l'alcoolisme était une maladie. J'étais convaincu que s'ils le voulaient vraiment, les alcooliques pouvaient cesser de boire. Après tout, j'avais cessé de fumer. N'était-ce pas la même chose ?

Puis un jour, un membre Al-Anon a comparé l'alcoolisme en phase active à la maladie d'Alzheimer. Nous voyons les êtres qui nous sont chers glisser doucement dans leur maladie sans être conscients de ce qui leur arrive ni être capables d'y mettre un frein. Ils semblent parfaitement normaux extérieurement, mais la maladie progresse et ils deviennent de plus en plus irrationnels et difficiles à vivre. Quand ils ont des moments de lucidité et qu'ils semblent redevenir eux-mêmes, nous voulons croire qu'ils sont bien, mais ces moments passent et nous désespérons. Bientôt nous en venons à détester ces personnes mêmes que nous avons déjà aimées.

Je serai toujours reconnaissant envers mon ami parce que son explication m'a aidé à accepter la réalité de ma situation. Une fois la situation acceptée, il m'a été beaucoup plus facile de séparer la maladie de la personne.

Pensée du jour

Quand j'accepte que l'alcoolisme est une maladie, je suis forcé d'envisager le fait que je suis impuissant devant cette maladie. Ce n'est qu'ensuite que j'acquiers la liberté de me concentrer sur ma propre croissance spirituelle.

> «Le membre de la famille n'a pas plus le droit de dire “si tu m'aimais, tu ne boirais pas” qu'il n'a le droit de dire “si tu m'aimais, tu n'aurais pas la tuberculose”... La maladie est un état, non une action.»
>
> *Un guide pour la famille de l'alcoolique*

À mon arrivée à Al-Anon, j'étais perplexe quant à ce qui relevait ou ne relevait pas de ma responsabilité. Aujourd'hui, après avoir beaucoup travaillé les Étapes, je crois que je suis responsable de ce qui suit: être fidèle à mes valeurs, me faire plaisir en premier lieu, garder l'esprit ouvert, me détacher avec amour, me débarrasser de la colère et du ressentiment, exprimer mes idées et mes sentiments au lieu de les refouler, assister aux réunions Al-Anon et rester en contact avec mes amis de la fraternité, avoir des attentes réalistes, faire des choix sains, et être reconnaissant des bienfaits reçus.

J'ai aussi certaines responsabilités envers les autres: réserver un accueil chaleureux aux nouveaux venus, participer au travail de service, reconnaître que les autres ont le droit de vivre leur propre vie, écouter non seulement avec mes oreilles mais aussi avec mon cœur, et partager mes joies tout autant que mes peines.

Je *ne* suis *pas* responsable de la consommation d'alcool, de la sobriété, de l'emploi, de la propreté, du régime alimentaire, de l'hygiène dentaire ni des autres choix de l'alcoolique que j'aime. J'ai la responsabilité de traiter cette personne avec courtoisie, bonté et amour. De cette façon, nous pouvons progresser tous les deux.

Pensée du jour

Aujourd'hui, si je suis tenté d'intervenir dans des affaires qui ne me regardent pas, je peux plutôt tourner mon attention vers des façons de prendre soin de moi.

> «...j'ai une responsabilité primordiale envers moi-même: celle de faire de moi la meilleure personne qu'il m'est possible d'être. Alors, et seulement alors, j'aurai quelque chose de valable à partager.»
>
> *La sobriété: un nouveau départ*

«Tout ce qui mérite d'être fait mérite d'être bien fait.» Et voici une version un peu biaisée de ce vieux dicton: «Tout ce qui mérite d'être fait mérite d'être mal fait.» Le perfectionnisme, la procrastination et l'inertie sont trois des pires conséquences de l'alcoolisme dans ma vie.

J'ai tendance à passer ma vie à attendre que le passé change. Je voudrais passer les cent premières années de ma vie à aplanir les faux plis et les cent années suivantes à vivre vraiment. Une telle tendance à éviter de prendre des risques, à éviter de commettre des erreurs m'a empêché de faire certaines des choses que j'aime le plus, et cela m'a tenu à l'écart d'activités normales qui amènent le progrès.

Si je ne consens pas à mal accomplir une tâche, je ne peux pas m'attendre à faire des progrès dans mon apprentissage pour bien l'exécuter. La seule tâche que je peux prétendre faire à la perfection, c'est celle que j'ai laissé entièrement de côté.

Pensée du jour

Al-Anon m'encourage à prendre des risques et à penser à la vie, non en tant qu'une représentation de gala, mais en tant qu'une série continuelle d'expériences qui m'en apprennent davantage sur la vie.

«Les plus beaux sentiments du monde ne valent pas une seule bonne action.»

James Russell Lowell

Autrefois je pensais que vivre signifiait survivre de crise en crise. J'ai continué à vivre ainsi en tant qu'adulte parce que c'était la seule façon que je connaissais.

Depuis ce temps, la fraternité Al-Anon est devenue comme une famille pour moi. Nos Douze Traditions m'aident à apprendre comment un groupe familial sain fonctionne. Aujourd'hui, quand un problème concernant d'autres personnes se présente, je me tourne vers les Traditions pour être guidé.

Les Traditions m'ont permis de faire partie d'un groupe qui favorise ma croissance. Elles m'ont amené à apprendre à me détacher, à respecter la vie privée des autres et à trouver un peu de répit dans mon besoin de dominer et de contrôler. Grâce aux Douze Traditions, j'ai découvert que je suis un membre important de n'importe quel groupe auquel j'appartiens. Je connais ma propre valeur aussi bien que mes limites. Comme résultat, j'acquiers «la sagesse de connaître la différence» entre ce que je peux changer et ce que je dois accepter.

Pensée du jour

Parce que les Traditions sont basées sur des principes spirituels, elles s'appliquent souvent aux affaires personnelles aussi bien qu'aux affaires de groupes. Quand je m'empêtre dans les problèmes des autres, les Traditions peuvent me guider et me donner une perspective.

> «Les Douze Étapes et les Douze Traditions mettent en application des principes qui mènent au rétablissement et à la croissance personnelle, aidant chacun de nous à découvrir et à devenir la personne que nous voulons être.»
>
> *Ici, parlons Al-Anon*

Qu'arrive-t-il quand je m'agrippe fermement à quelque chose? Je détourne la tête. Je ferme les yeux très fort. Je serre tellement les poings que j'en ai mal aux jointures. Mes ongles s'enfoncent dans mes paumes. Je m'épuise. Je souffre!

D'un autre côté, quand j'ai confiance que Dieu me donnera ce dont j'ai besoin, je lâche prise. Je regarde en avant. J'ai les mains libres pour des activités saines, agréables et bénéfiques. Je trouve des réserves d'énergie insoupçonnées. Mes yeux s'ouvrent sur de nouvelles possibilités dont plusieurs ont toujours été là.

Avant de me plaindre que je souffre, je ferais peut-être bien de m'examiner. Je serai peut-être surpris de la somme de souffrance dont je peux m'exempter simplement en lâchant prise.

Pensée du jour

Qu'est-ce que Dieu peut me donner si je ne suis pas disposé à recevoir? Quand je m'agrippe à un problème, à une peur ou à un ressentiment, je me ferme à l'aide qui est à ma disposition. Aujourd'hui je relâcherai mon emprise sur quelque chose. Aujourd'hui je «lâcherai prise et m'en remettrai à Dieu».

> «Tout ce qu'il me fallait, c'était un soupçon de bonne volonté pour ouvrir un tant soit peu mon poing crispé, et les miracles se produisaient. Voilà Dieu tel que je Le conçois aujourd'hui.»
>
> *Tel que nous Le concevions...*

Il est temps que je commence à me témoigner plus de bonté. Les voix en moi qui m'affirment que je n'en vaux pas la peine ne disent pas la vérité ; elles reflètent seulement mon estime personnelle meurtrie résultant de la vie dans le contexte de l'alcoolisme. Quand je reconnais ce fait, je peux leur dire de se taire ! Je ne les écouterai plus !

Le rétablissement dans Al-Anon m'a donné des pensées empreintes de plus de bonté et d'amour. Elles me rappellent que je suis digne d'amour et que je peux apprendre à m'aimer. Quand j'ouvre suffisamment mon esprit pour entendre ce message, je commence à entendre tous les autres merveilleux sons de la vie, et les pensées peu élogieuses à mon endroit disparaissent.

Pensée du jour

Me traiter avec bonté et respect m'aide à mettre en question mon autocritique. Aujourd'hui je porterai une attention particulière à toute voix qui parle avec amour.

> « Nous devons apprendre à vivre, à nous concentrer sur quelque chose de bon ou de profitable à notre vie et laisser le reste du monde s'occuper de ses affaires. »
>
> *Comment puis-je aider mes enfants ?*

Quand j'ai entendu dire qu'Al-Anon était un programme où nous apprenons à nous concentrer sur nous-mêmes, je me suis demandé ce que les gens penseraient de moi si j'agissais selon ce principe. Ils penseraient sûrement que je manque d'égards, que je suis peu soucieux des autres et indifférent. C'était ce que je reprochais aux alcooliques dans ma vie! Je ne voulais pas être ainsi. J'essayais plutôt de faire pour les autres des choses qui semblaient empreintes d'amour et de générosité, même quand je n'en avais pas le goût. Je ne comprenais pas pourquoi je faisais si souvent du ressentiment après avoir posé de tels gestes.

Mes efforts pour être désintéressé en essayant de faire plaisir à tout le monde, sauf à moi-même, étaient inefficaces. Je me concentrais sur leur réaction plutôt que sur ce qu'il me semblait bon de faire. Il n'y avait rien d'inconditionnel dans cette façon de donner. Mon parrain m'a aidé à voir que si je prêtais davantage attention à moi-même et à faire ce que je pensais être le mieux, je serais libre de donner sans condition. Alors je pourrais être vraiment généreux.

Pensée du jour

Le programme Al-Anon est efficace quand je me concentre sur moi, que j'assiste à de nombreuses réunions Al-Anon et que j'accorde la priorité à mon rétablissement. À mesure que je deviens de plus en plus moi-même, je suis plus apte à traiter les autres avec amour et respect.

«Nous sommes plus aptes à aider les autres lorsque nous avons nous-mêmes appris comment parvenir à la sérénité.»

Les Douze Étapes et les Douze Traditions

Al-Anon est l'endroit où plusieurs d'entre nous, qui avons vécu dans le contexte de l'alcoolisme, commençons pour la première fois à acquérir de la maturité. Nous apprenons à faire face au monde tel qu'il est vraiment et à endosser la responsabilité de nos actes. Nous faisons face à nos sentiments et nous partageons honnêtement nos expériences. Nous apprenons à nous connaître et nous contribuons à notre croissance spirituelle ainsi qu'à notre bien-être physique et mental. Nous devenons des adultes responsables.

Une partie importante de cette entreprise sérieuse qu'est notre rétablissement implique de reconnaître notre besoin d'avoir du plaisir — d'entreprendre un voyage, de faire voler un cerf-volant, d'assister à un concert, de faire du bruit, de courir dans la rue, ou de faire des bulles. La légèreté de cœur peut replacer les situations difficiles dans leur juste perspective. Cela nous rappelle qu'il y a plus dans la vie que le problème actuel.

Nous prendre trop au sérieux ne résoudra pas un problème plus rapidement. En fait, se changer les idées peut aider davantage que de continuer à lutter — même la gelée de fruits doit reposer pour qu'elle prenne la consistance voulue. Un bon rire peut se révéler le meilleur outil à notre portée pour nous aider à lâcher prise et, détendus, nous reviendrons à notre tâche.

Pensée du jour

Un sens de l'humour bien développé m'aide à me détacher de mes luttes personnelles et de mes victoires. Aujourd'hui, j'éviterai de me prendre trop au sérieux.

«Une once de joie peut venir à bout d'une tonne de tristesse, car le rire est le propre de l'homme.»

François Rabelais

J'ai entendu mentionner au cours des réunions que l'acceptation faisait partie d'un trio: «avoir conscience, accepter, agir». Cependant je suis enclin à passer de la prise de conscience à l'action sans même m'arrêter à l'acceptation. Voici le cheminement de ma pensée: «Quelque chose ne va pas! Vite, que je règle la question avant de ressentir quelque malaise que ce soit.»

Le problème, c'est que tant que je n'accepte pas la situation, le défaut ou le souvenir dont j'ai pris conscience, je peux rarement agir de façon efficace ou en vivre sereinement les conséquences. L'action ne porte pas fruit ou aggrave les choses, et je me sens démuni et désespéré. Même si l'action est efficace, habituellement je doute trop de moi-même pour m'en rendre compte. La plupart du temps, je dois encore revenir en arrière, me calmer, ressentir mes sentiments et en arriver à une certaine acceptation. Cela m'aide de me rappeler que ma Puissance Supérieure m'accepte déjà ainsi que ma situation — et m'aime dans les mauvaises journées aussi bien que dans les bonnes.

Pensée du jour

Aller de la conscience à l'acceptation puis à l'action demande du temps, mais les bienfaits qu'on en retire valent l'attente. À mesure que j'apprends à accepter mes défauts, les circonstances de ma vie et mes sentiments, j'apprends que tel que je suis, je suis un être humain qui a de la valeur. Avec ce genre d'acceptation de soi, je commence à voir les choix que je peux faire et lentement, je peux commencer à agir, à changer.

> «...quelqu'un m'a suggéré de cesser de me concentrer sur mon évolution et de penser d'abord à m'accepter. Cela m'a donné le coup de pouce dont j'avais besoin.»
>
> *Alateen — un jour à la fois*

J'ai entendu dire que le temps où je dois être particulièrement bon envers moi-même, ce n'est pas lorsque je vais bien, mais lorsque je me sens misérable. Il se peut que je sois capable de m'en demander beaucoup quand les choses vont à mon goût, mais je m'attire des ennuis si j'agis ainsi quand je me débats déjà pour accomplir les activités de base de ma vie. Autrefois, je craignais qu'en ne me demandant pas le maximum en tout temps, je sombrerais dans la paresse et que rien ne se ferait. Mais l'inventaire que j'ai fait dans ma Quatrième Étape m'a démontré la véracité du contraire. J'ai tendance à être très sévère avec moi-même, tellement sévère parfois que je rends ma propre vie incontrôlable. Comme résultat, j'accomplis souvent moins que je ne le ferais si j'avais une approche plus conciliante. Pour moi, le meilleur antidote est le slogan «se hâter lentement».

Quand je me rends compte que j'assume mal ma journée, j'essaie de ralentir. Et au lieu de présumer automatiquement que j'ai tort, j'essaie de considérer la possibilité que je pourrais en être là où je dois être.

Pensée du jour

«Se hâter lentement» me suggère non seulement d'apprendre à ralentir, mais aussi d'apprendre à me détendre. Aujourd'hui, je m'efforcerai d'adopter à mon égard une attitude de plus grande acceptation et de profiter de ma journée, peu importe ce que j'accomplirai.

«L'amélioration de notre attitude et de notre état d'esprit prend du temps. La hâte et l'impatience ne peuvent que faire échec aux buts que nous nous proposons.»

Voici Al-Anon

Plusieurs parmi nous avons résisté à l'idée d'adhérer à Al-Anon parce que nous ne voulions pas que personne soit au courant de nos problèmes. Nous avions peur que notre patron ou nos amis apprennent notre appartenance à la fraternité, ou que cela ne parvienne aux oreilles de l'alcoolique.

Ces craintes m'accompagnaient à ma première réunion Al-Anon. Ô horreur, juste comme je m'assoyais, un de mes voisins est entré dans la pièce et est venu s'asseoir en face de moi. Que pouvais-je faire maintenant? Fuir?

Au milieu de ma panique, j'ai remarqué une pancarte sur la table disant: «Ce que vous voyez ici, ce que vous entendez ici, quand vous partez d'ici, laissez-le ici.» Et sur le mur, j'ai vu une bannière sur laquelle étaient inscrites les Traditions, dont l'une disait que l'anonymat est la base spirituelle d'Al-Anon! Je suis resté à la réunion, mais j'étais quand même inquiet.

Mon voisin n'en a jamais dit mot à personne. Avec le temps, j'ai commencé à croire que c'était sans danger d'aller chercher l'aide dont j'avais si désespérément besoin, parce que la seule personne qui pourrait éventuellement mentionner mon appartenance à Al-Anon, c'était moi. Jusqu'à aujourd'hui, j'ai confiance que mon anonymat a été et sera toujours protégé et j'en éprouve une gratitude incommensurable.

Pensée du jour

À moins que je ne protège l'anonymat de tous les membres, Al-Anon ne sera un endroit sûr pour aucun de nous.

> «La possibilité de nous exprimer librement — si importante à notre rétablissement — repose sur notre sentiment de sécurité, sachant que ce que nous partageons à nos réunions revêtira un caractère strictement confidentiel.»
>
> *Ici, parlons Al-Anon*

Autrefois j'adorais le calme des petits matins; mais après avoir vécu des années auprès d'une personne alcoolique, j'ai cessé d'y porter attention. Je m'éveillais plutôt comme je m'étais endormie — inquiète. Avant même que je ne sorte du lit, il y avait une longue liste de crises qui requéraient mon attention. Par conséquent, peu importe l'heure où je me levais, j'étais déjà en retard. Il m'arrivait parfois d'être tellement accablée que je ne pouvais pas me lever du tout.

Ma vie a changé. J'ai entendu des membres Al-Anon affirmer que lorsqu'ils ouvrent les yeux le matin, ils ouvrent également leurs oreilles. Maintenant, quand je m'éveille, j'écoute les oiseaux. Je décide de ne pas passer mes projets du jour en revue avant d'avoir déjeuné. Je préfère prendre le temps d'apprécier mon moment préféré de la journée.

Al-Anon m'aide à débarrasser mon esprit de mes fardeaux afin de pouvoir apprécier les merveilles du moment. Je commence à éprouver l'émerveillement de l'enfance devant la splendeur de la nature, à voir la beauté qui m'entoure, à laisser un grand sourire spontané traverser mon visage, à rire, à aimer, à revivre. Aujourd'hui je peux dire: «Bonjour mon Dieu», au lieu de: «Mon Dieu, il fait déjà jour».

Pensée du jour

Aujourd'hui, je serai très conscient de ce que je ressens. Je penserai à ce que je vis en ce moment. Je ne laisserai pas passer la beauté de cette journée sans la remarquer.

«La véritable générosité envers l'avenir consiste à tout consacrer au présent.»

Albert Camus

Même s'il est absolument merveilleux de voir un être aimé trouver la sobriété, celle-ci présente une toute nouvelle série de défis. Après toutes ces années d'attente, plusieurs parmi nous sommes consternés lorsque la sobriété n'apporte pas la fin heureuse que nous en attendions. Autrefois nous savions exactement à quoi nous en tenir et maintenant, tout semble soudainement différent. Le casanier n'est jamais à la maison; le boute-en-train dort continuellement; tout change: la communication, l'intimité, la sexualité, les responsabilités et la prise de décision. En même temps, les problèmes que nous avons toujours attribués à la consommation d'alcool peuvent persister même si cette consommation a cessé. Pour plusieurs d'entre nous, cela suscite des sentiments très intenses.

Même des membres Al-Anon de longue date peuvent trouver plus important que jamais de retourner à la base de notre programme et de réapprendre à se concentrer sur eux-mêmes. Il est normal de nous sentir déçus, sceptiques, rancuniers, joyeux, emballés ou bouleversés devant les changements qui se produisent dans notre situation. Le fait d'accepter tous nos sentiments et d'en parler avec d'autres membres Al-Anon nous rend plus aptes à nous occuper de nous-mêmes.

Pensée du jour

Je m'accorderai la dignité de découvrir la nature exacte de mes sentiments devant les changements qui se produisent aujourd'hui et j'en parlerai avec un ami Al-Anon.

«Al-Anon m'a fait prendre conscience que ce que je ressentais était important.»

...dans tous les domaines de notre vie

Tout comme le rhume ordinaire a des symptômes tels que le nez qui coule et les éternuements, l'alcoolisme a aussi des symptômes tels que les trous de mémoire et l'humeur changeante. Je dois accepter que moi aussi, je présente des symptômes semblables à ceux de l'alcoolique, dont l'obsession, l'anxiété, la colère, la négation et des sentiments de culpabilité. Ces réactions devant l'alcoolisme affectent mes relations avec les autres et la qualité de ma vie, mais à mesure que j'apprends à les reconnaître et à accepter que j'ai été affecté par une maladie, je commence à me rétablir. Avec le temps, je découvre des sentiments d'estime personnelle, d'amour, et un contact spirituel qui m'aident à neutraliser mes anciennes réactions. Peu importe à quel point j'ai été affecté, Al-Anon peut m'aider à recouvrer la raison.

L'alcoolisme est plus fort que les bonnes intentions ou les désirs sincères. Je n'ai pas choisi ce mal familial; l'alcoolique non plus. Donc, j'essaie d'agir avec compassion envers nous deux.

Pensée du jour

Mon acceptation de ce mal familial me permet de cesser de gaspiller mon énergie à mener une lutte perdue d'avance, et de me tourner plutôt vers les véritables sources d'aide et d'espoir — Al-Anon et ma Puissance Supérieure.

> «Dès que vous aurez accepté l'idée que l'alcoolisme est une maladie et que le buveur impulsif et ceux qui l'aiment *peuvent* trouver du soulagement, vous n'aurez plus aucune raison d'avoir honte de l'alcoolisme — aucune raison d'en avoir peur.»
>
> *Alors vous aimez un alcoolique*

Se pourrait-il que Dieu ait le sens de l'humour? Récemment, je suis allé dans un nouveau groupe où on m'avait demandé de donner mon témoignage. Je m'étais imaginé qu'il s'agirait d'un gros groupe composé de membres Al-Anon sérieux, assis bien sagement pendant le déroulement parfait de la réunion alors que je débiterais un flot impressionnant de paroles sages.

J'ai plutôt trouvé un petit groupe installé dans une salle de réunion temporaire et un secrétaire suppléant qui avait égaré la procédure officielle parfaite. Tout ce qui pouvait aller de travers est allé de travers.

Bref, je me suis tout de suite senti chez moi. Ma Puissance Supérieure avait introduit assez d'éléments familiers, qui arrivaient spontanément, pour que je puisse me sentir complètement à l'aise.

L'idée que je m'étais faite de cette réunion «importante» et des paroles «importantes» que je prononcerais et entendrais avait rapidement disparue. Nous étions simplement un groupe de membres de la fraternité, faisant de notre mieux pour nous en sortir et nous tendre mutuellement une main secourable.

Pensée du jour

Je remercie ma Puissance Supérieure de trouver des façons d'amoindrir mes prétentions. Quand je peux rire un peu, j'ai moins peur.

> «Je veux me rappeler, chaque fois que je serai tenté de voir les événements d'un œil pessimiste, que les choses ne sont peut-être pas si terribles après tout... Je cultiverai le don de déceler le comique d'une situation et d'en profiter.»
>
> *Al-Anon un jour à la fois*

Il peut être d'une grande valeur d'examiner le passé. Cet examen peut nous fournir de l'information concernant le présent, ainsi que des indices qui pourraient nous aider à effectuer des changements en vue d'un avenir meilleur. Pour ceux d'entre nous qui avons nié, déformé ou perdu tout contact avec des souvenirs pénibles, faire face à la réalité de notre passé peut s'avérer une partie cruciale de notre rétablissement dans Al-Anon. Nous devons également reconnaître nos bons souvenirs si nous espérons jeter un regard réaliste sur notre passé.

Il est quand même important de nous rappeler que le passé est révolu. Nous sommes impuissants devant ce qui est arrivé autrefois. Même si nous pouvons prendre des mesures pour réparer nos torts, nous ne pouvons pas changer le fait que nous avons lésé d'autres personnes. Et nous ne pouvons pas changer le fait que d'autres nous ont lésés. Nous n'avons le pouvoir que de changer la présente journée.

Le meilleur usage que nous puissions faire du passé, c'est de l'affronter pour ensuite aller de l'avant. Nous pouvons certainement apprendre de toutes les expériences que nous avons vécues, mais nous ne devons pas faire en sorte qu'elles nous empêchent de vivre le moment présent.

Pensée du jour

Je ne m'enliserai pas en faisant face aux anciennes blessures au point d'en oublier ma nouvelle croissance.

«Le passé n'est que le commencement d'un commencement.»

H.G. Wells

Après avoir nié mes sentiments pendant des années dans le but de me protéger, le détachement (me séparer sur le plan émotif de la maladie de l'alcoolisme) a été assez facile pour moi. Mais je le faisais avec indifférence. Il était hors de question de me détacher avec amour!

Un important changement d'attitude s'est amorcé quand ma marraine m'a répété une réplique d'une pièce de théâtre qui l'avait aidée à comprendre la nécessité de l'amour dans le détachement: «Le pire péché envers nos semblables n'est pas de les haïr, mais de leur témoigner de l'indifférence.» J'ai pris conscience qu'en me détachant avec indifférence, j'empruntais peut-être la voie facile pour m'en sortir.

Dans Al-Anon, j'en suis venue à me sentir suffisamment en sécurité pour ressentir mes sentiments. Je n'ai plus besoin d'exclure l'amour que j'éprouve envers moi ou envers l'alcoolique qui fait partie de ma vie. Je peux me percevoir comme étant plus que mes sentiments, et je peux percevoir l'alcoolique comme étant plus que sa maladie.

Pensée du jour

L'amour inconditionnel que je reçois dans Al-Anon m'aide à redécouvrir ce qu'est l'amour. À mesure que j'apprends que je suis constamment digne d'amour, peu importent mes forces ou mes limites, je commence à voir quelque chose de constamment digne d'amour chez les autres, même chez ceux qui souffrent d'une maladie désagréable.

> «En changeant d'attitude... les actes du passé peuvent être remis dans leur véritable perspective; l'amour et le respect peuvent devenir partie intégrante de la vie familiale.»
>
> *L'adolescent et le parent alcoolique*

Ayant vécu dans le contexte de l'alcoolisme, plusieurs d'entre nous en sommes venus à nous considérer comme d'innocentes victimes d'abus de la part d'autres personnes. Il peut être bouleversant de découvrir que nous aussi avons fait du tort à d'autres. Dresser une liste de ceux que nous avons lésés (Huitième Étape) devient un processus de découverte dans lequel un sens plus réaliste des responsabilités peut commencer à se développer.

Dans mon cas, cependant, le problème ne consistait pas à reconnaître le tort que j'avais fait, mais à renoncer à mon sens exagéré des responsabilités. Je pensais que tous les gens que j'avais connus devaient se retrouver sur ma liste, surtout ceux que j'avais déçus. Par exemple, mes parents sont mécontents du partenaire que j'ai choisi. Ma sœur veut que je règle ses dettes. Mes enfants souhaiteraient que je les laisse sortir toute la nuit sans me téléphoner. En réfléchissant à cette Étape, j'ai constaté que je ne suis pas responsable de leurs désirs insatisfaits. Donc, quand j'ai révisé ma liste faite dans ma Huitième Étape, j'ai dû rayer des noms.

Pensée du jour

Il est certain que je fais des choix qui causent des préjudices à d'autres personnes et qui demandent des amendes honorables. Mais parfois, un choix qui est judicieux pour moi peut s'avérer désagréable ou même inacceptable pour d'autres. Je ne suis pas responsable des attentes des autres à moins que je n'aie contribué à les créer. Je peux me rappeler que les désaccords font partie de la vie.

> «Par cette Étape, nous clarifions le rôle que nous avons joué, nous endossons la responsabilité de nos actes, mais nous nous libérons également... du fardeau des responsabilités que nous nous étions faussement appropriées.»
>
> *...dans tous les domaines de notre vie*

Pourquoi persévérer dans Al-Anon? Parce que sans aide spirituelle, le fait de vivre ou d'avoir vécu auprès d'une personne alcoolique est trop difficile pour moi. J'ai souvent besoin d'aide pour garder une perspective rationnelle. J'aspire à une relation plus intime avec ma Puissance Supérieure. Les membres des groupes que je fréquente sont si chaleureux et remplis d'amour que je me sentirais privé s'ils ne faisaient pas régulièrement partie de ma vie. Les Étapes, les Traditions et les Concepts contribuent tous à établir une structure et des buts dans ma vie. Al-Anon est la lumière qui m'aide à trouver mon chemin dans l'obscurité.

En tant que membre de longue date, je connais très bien le programme Al-Anon, mais je ne suis pas plus une autorité que n'importe quel autre membre. J'essaie de ne pas me présenter comme un modèle de sagesse Al-Anon et j'incite les nouveaux membres à ne pas me mettre sur un piédestal d'où je suis susceptible de tomber.

Je garde le droit d'avoir des problèmes, de pleurer, de faire des erreurs, de ne pas connaître toutes les réponses. J'ai encore un parrain et j'y ai encore recours. Je continue à servir dans Al-Anon, mais je n'ai pas à être en charge.

Pensée du jour

Le nombre d'années que j'ai passées dans Al-Anon est moins important que ce que je fais aujourd'hui de cette expérience.

> «Je n'ai pas recours à Al-Anon seulement pour apprendre à vivre avec le problème d'alcoolisme actif. C'est pour moi un mode de vie de plus en plus enrichissant, et qui porte en soi sa récompense à mesure que j'apprends à mieux utiliser le programme.»

Al-Anon un jour à la fois

Il est seulement normal de vouloir un arrangement rapide ou une solution immédiate à une situation difficile. Comme le disait ironiquement un membre: «Seigneur, donne-moi de la patience — et fais vite!» Ce sont exactement mes sentiments! Ai-je un certain malaise ou un problème dans ma vie? Réglons la situation ou débarrassons-nous-en tout de suite. S'agit-il d'une situation que je vis depuis vingt ans? D'accord, prenons quinze minutes. Peut-être a-t-elle duré toute ma vie — alors, prenons une heure, peut-être même deux. Est-elle reliée à l'alcoolisme ? Ses racines plongent-elles réellement au plus profond de mon être? Dans ce cas, téléphonons à quelques membres de la fraternité et parlons-en au cours d'une réunion.

Est-ce que le problème persiste? Très bien, lançons une importante campagne d'autocritique. Qu'est-ce qui va *mal* en moi? Pourquoi est-ce que j'éprouve tous ces sentiments concernant quelque chose qui n'est pas important? Je suis sûr que j'y suis pour quelque chose; d'une certaine façon, je suis à blâmer.

Dieu me garde d'abandonner la partie, d'accepter mon malaise et de prier pour être guidé!

Pensée du jour

Ma seule force de volonté ne peut en un jour éliminer les difficultés qui ont pris racine dans ma vie et s'y sont développées pendant des décennies. Il faut du temps.

«On ne peut créer une statue en brisant le marbre avec un marteau et on ne peut user de force pour libérer l'esprit ou l'âme de l'homme.»

Confucius

Si aujourd'hui je ne sais pas comment réagir à une situation, pourquoi ne pas essayer d'y réagir avec bonté? Que j'accepte ou refuse une demande, que je sois d'accord ou non avec le point de vue d'une autre personne, je peux quand même la traiter avec respect et courtoisie. Je peux dire «non» avec autant de bonté et d'amour que si je dis «oui».

Aujourd'hui, je peux respecter mes décisions sans être sur la défensive parce que je respecte mon droit de prendre les meilleures décisions que je peux. Même si les autres ne sont pas heureux de ces décisions, je peux me comporter de façon à me sentir bien avec moi-même. Les autres ont le droit d'être en désaccord avec moi, d'avoir des sentiments différents des miens, d'être déçus. Je peux respecter ce droit et rester fidèle à mes principes.

Les relations humaines sont compliquées parce que les gens sont compliqués. Nous avons tous nos propres idées, valeurs et espoirs et ils ne peuvent pas toujours coïncider avec les désirs de ceux que nous aimons. Les désaccords peuvent être sains et révélateurs si nous les percevons comme une façon susceptible de développer et d'approfondir nos relations avec les autres. La bonté et le respect envers toutes les personnes concernées contribueront beaucoup à rendre cela possible.

Pensée du jour

Aujourd'hui, j'essaierai de voir chaque conflit comme une occasion de me rétablir. Je me respecterai en réagissant avec courtoisie.

«La bonté est la forme la plus élevée de la sagesse.»

Le Talmud

Plusieurs parmi nous développons une conscience plus aiguë de nos pensées à mesure que nous nous rétablissons dans Al-Anon. Après un certain temps, nous sommes capables de remarquer le changement quand notre façon de penser devient faussée. Mais si nous désirons mettre un terme aux pensées négatives, la prise de conscience n'est que le début.

Quand des «pensées pessimistes» s'emparent de moi, je dois faire plus que seulement chasser le négatif. Je dois remplacer ces pensées par quelque chose de positif, ou il est probable que je retomberai dans ma façon de penser négative.

Notre groupe a commandé une série de cassettes approuvées par la Conférence que j'ai pris l'habitude d'écouter dans ma voiture quand je me promène en ville. Même si j'avais déjà lu ces publications plusieurs fois auparavant, les entendre lire à haute voix est une expérience différente et très efficace. Si mon attitude n'est pas bonne, la modifier en écoutant la sagesse d'Al-Anon sur une cassette, lors d'une réunion, ou en tête-à-tête avec un membre peut me ramener dans la bonne voie.

Pensée du jour

Aujourd'hui, je porterai une attention soutenue à ce que je pense. Si nécessaire, je m'arrêterai au milieu de mes pensées, je recommencerai et remplacerai les illusions négatives par des vérités positives.

«Nous sommes responsables de ce que nos pensées et nos attitudes nous enseignent.»

...dans tous les domaines de notre vie

Plusieurs d'entre nous venons à Al-Anon dans l'espoir de trouver des réponses aux questions qui nous tourmentent. Devrais-je quitter l'alcoolique? Comment régler les problèmes financiers, sexuels, médicaux, juridiques et émotifs? Comment puis-je mettre un terme à un comportement abusif? Il y a autant d'options légitimes qu'il y a de membres et selon Al-Anon, chacun de nous doit trouver les réponses qui lui conviennent.

Les situations de violence ou mettant des vies en danger sont les seules exceptions. Dans ces cas, Al-Anon suggère de faire «l'essentiel d'abord»: assurer notre sécurité et celle de nos enfants. Cela peut vouloir dire de laisser de l'argent et des clés dans un endroit sûr afin que nous puissions quitter la maison en cas d'urgence, ou appeler la police, ou prendre des dispositions pour rester chez une amie, ne serait-ce qu'une journée. Nous apprenons que nous méritons d'être en sécurité.

Pensée du jour

Dans Al-Anon, nous ne faisons aucun choix pour les autres, mais les conseils que nous offrons sont d'un tout autre ordre. Nous suggérons d'assister aux réunions Al-Anon, de se trouver une marraine ou un parrain et de téléphoner à des membres. Nous suggérons aux membres de mettre en pratique les Étapes, les slogans et les Traditions et d'intégrer ces principes dans tous les domaines de leur vie. Ce genre de conseils nous aide à trouver des réponses avec lesquelles nous pouvons vivre.

«Quand je me concentre sur mon progrès personnel, les difficultés sur lesquelles je n'ai aucun contrôle s'aplanissent d'elles-mêmes.»

Un dilemme: le mariage avec un alcoolique

Je souffrais tellement quand j'ai adhéré à Al-Anon que j'ai rapidement ouvert mon cœur et mes bras pour accueillir tout ce que le programme et ses membres étaient prêts à m'offrir. J'ai découvert que ce que je traverse dans la vie n'est pas aussi important que la manière dont j'interprète l'expérience. En d'autres mots, j'ai le choix de mon attitude.

Par exemple, je me suis toujours attendu à ce que mon bonheur me vienne des autres, particulièrement de mes parents alcooliques. J'ai passé la majeure partie de ma vie à attendre qu'ils me démontrent leur amour et leur approbation d'une façon que je pouvais comprendre. Ils ne l'ont pas fait et par conséquent, je me sentais dépossédé et indigne d'amour.

Al-Anon m'a aidé à interpréter ma situation différemment. Par la mise en pratique des Étapes, j'ai appris que je suis digne d'amour, indépendamment de ce que pense un parent ou quiconque d'autre. Je peux ou bien m'apitoyer sur mon sort à cause de ce que je n'ai pas eu, ou bien être reconnaissant de la chance que j'ai d'apprendre à m'aimer et à m'apprécier. Je fais un peu les deux, mais aujourd'hui je sais que j'ai le choix.

Pensée du jour

Il est temps que je cesse d'attendre que les autres s'occupent de moi. La seule personne qui peut m'aimer comme j'aimerais être aimé, c'est moi.

«Graduellement, j'ai accepté le fait que mes désirs exprimés par des "si seulement" n'étaient pas près de se réaliser. Mais j'ai aussi appris que je peux être heureux même s'ils ne se réalisaient pas.»

Al-Anon face à l'alcoolisme

Plusieurs parmi nous avons éprouvé des moments d'anxiété au travail et dans notre famille quand il s'est agi de prendre des décisions affectant les autres en tant que groupe. L'inquiétude nous faisait dire: «Est-ce que tout le monde sera heureux de cette décision?» Sûrement qu'il y avait une façon parfaite de faire les choses et que c'était notre responsabilité de la trouver.

Le programme Al-Anon m'a aidé à développer une politique simple concernant les décisions de groupe, telle que le suggère la Première Tradition d'Al-Anon: «Notre bien commun devrait venir en premier lieu...» Cette Tradition s'applique à la ligne de conduite de nos groupes Al-Anon, mais je la trouve également utile dans d'autres situations. Si les projets du groupe semblent profiter à la majorité, je peux habituellement les appuyer. Cela ne signifie pas que j'ignore mes propres besoins et sentiments — je les exprime. Mais les autres ont aussi des besoins et je dois les respecter. De tels choix n'apportent peut-être pas un bonheur immédiat ni à moi ni aux autres, mais en fin de compte nous en bénéficierons tous. Comme le dit la Première Tradition: «...le progrès personnel de la majorité repose sur l'unité.»

Pensée du jour

Est-ce que j'essaie d'imposer ma volonté aux autres dans des situations impliquant le groupe, ou est-ce que j'apprends à respecter les droits des autres aussi bien que les miens? Je peux me sentir sans inquiétude au sujet de mes opinions si je prends à cœur le meilleur intérêt du groupe.

> «L'unité crée non seulement le climat nécessaire à la croissance d'Al-Anon dans son ensemble, mais aussi l'atmosphère permettant à chaque membre du groupe d'acquérir la tranquillité d'esprit.»
>
> *Les Douze Étapes et les Douze Traditions*

J'avais passé beaucoup de temps à désirer des choses que je n'obtenais pas de l'alcoolique dans ma vie. Comme partie de mon rétablissement dans Al-Anon, on m'a encouragée à écrire mes besoins. La courtoisie, le respect, l'attention, l'affection, la communication — la liste des domaines où je me sentais déçue par l'être aimé s'allongeait à n'en plus finir.

Ma marraine a approuvé mon honnêteté et m'a ensuite suggéré que *je* pouvais introduire dans ma vie tout ce qu'il y avait sur ma liste. Le point à retenir: Il fallait que je donne ce que je voulais recevoir et devenir ce que je voulais m'attirer. Est-ce que j'étais un frappant exemple de courtoisie et de tout le reste? Sinon, j'avais déjà sur papier une merveilleuse liste de buts à atteindre.

J'ai souvent entendu dire que nous recevons ce que nous donnons et maintenant, je sais que c'est vrai. À mesure que j'ai témoigné plus de bonté et plus d'amour, les autres m'ont rendu la pareille. Je me suis aussi sentie beaucoup mieux avec moi-même. Aujourd'hui, je peux honnêtement dire que toutes les qualités inscrites sur ma liste sont présentes dans ma vie, au moins de temps en temps. Je ne m'attendais pas à ces résultats — ni à aucun autre d'ailleurs. J'étais tellement occupée à me concentrer sur moi. Je crois que c'est la raison pour laquelle cela a été efficace.

Pensée du jour

Aujourd'hui je peux jouer un rôle actif pour combler mes besoins. Je peux choisir de devenir quelqu'un que j'aimerais avoir dans ma vie.

> «Plusieurs d'entre nous trouvons qu'à mesure que nous nous efforçons de traiter les autres équitablement, avec amour et respect, nous devenons nous-mêmes des aimants attirant l'amour et le respect.»
>
> *...dans tous les domaines de notre vie*

Apprendre ce qu'était l'alcoolisme m'a aidé à trouver la sérénité après des années de lutte. Je constate maintenant que les alcooliques souffrent d'une maladie: Ils sont malades et non méchants. En assistant régulièrement aux réunions Al-Anon, en lisant de la documentation approuvée par la Conférence et en assistant à des réunions ouvertes AA, j'ai obtenu un aperçu de ce qui est et n'est pas raisonnable de s'attendre quand on a à transiger avec une personne alcoolique.

J'ai appris que j'ai la capacité de rectifier mes attentes afin de ne plus me mettre en position d'être constamment déçu. Par exemple, j'ai cessé de m'attendre à ce qu'une personne alcoolique en phase active tienne ses promesses. Cela rend ma vie plus contrôlable.

Les connaissances que j'ai acquises dans Al-Anon ont dissipé plusieurs de mes peurs et ont fait de la place pour une toute nouvelle compassion. Je vois que je ne suis pas seul à avoir de bonnes idées, des critiques bien fondées et de nobles intentions.

Pensée du jour

Me renseigner sur la maladie de l'alcoolisme peut m'aider à devenir plus réaliste quant à la maladie d'un être aimé — et ainsi faire de meilleurs choix pour moi-même.

> «J'ai appris des techniques pour transiger avec l'alcoolique de sorte que, au-delà de la maladie, je peux établir une relation avec la personne.»
>
> *Al-Anon face à l'alcoolisme*

Dans Al-Anon, j'apprends que je ne cours aucun risque en étant moi-même. Aujourd'hui, je confie à des amis Al-Anon des secrets embarrassants que j'aurais autrefois enfouis au plus profond de moi-même. Parfois je suis obligé de lutter contre mon ancienne impulsion de me taire à tout prix, mais j'ai découvert que partager mon vécu est la clé de mon rétablissement.

Par exemple, mon apparence physique me gênait, surtout mon sourire. Des années de critiques humiliantes de la part de parents alcooliques m'avaient laissé un sentiment de grande insécurité. Il me semblait préférable de révéler le moins de choses possible sur moi-même et somme toute, d'éviter de sourire. Malheureusement, j'ai continué à croire les critiques, donc j'avais une très piètre opinion de moi-même.

En parlant en toute honnêteté à des gens à qui je peux faire confiance, je remets en question mes anciennes idées négatives. Mes amis Al-Anon m'assurent que ces critiques étaient exagérées. Personne ne semble trouver que je ne vaux rien à cause de mon sourire. Avec Al-Anon, je peux sortir de ma cachette. Je suis même libre d'arborer un large sourire.

Pensée du jour

Même quand j'ai honte, quelqu'un dans la fraternité peut m'aider à voir ma situation dans une perspective différente. Avec l'aide des membres, la vérité me libérera, si je suis disposé à le permettre.

> «Nous en arrivons à un point où nos démons terrifiants deviennent de plus en plus petits et nous, de plus en plus grands.»
>
> August Wilson

Notre unité dans la diversité est quelque chose que j'en suis venu à apprécier dans Al-Anon. La Quatrième Tradition stipule que chaque groupe est autonome, libre de tenir ses réunions de la façon qui convient à ses membres tant et aussi longtemps que les Traditions sont respectées et que cela ne nuit pas à l'unité d'Al-Anon dans son ensemble. Certains groupes s'en tiennent à la formule type suggérée pour les réunions; d'autres se servent d'une formule légèrement différente.

Pourquoi serais-je contrarié parce qu'un autre groupe Al-Anon choisit d'adopter une formule de réunion différente de celle qui m'est familière? Pourquoi devrais-je présumer que *ma* manière est la *bonne*? Quand je me rappelle de «garder l'esprit ouvert», je constate que les principes du programme Al-Anon demeurent exactement les mêmes, peu importe quel groupe ou quelle ville je visite.

Chacun de nous joue un rôle essentiel dans notre remarquable fraternité, nous soutenant mutuellement à mesure que nous nous rétablissons des conséquences de l'alcoolisme. Grâce à cette solide base d'amour et de soutien, nos différences individuelles ne peuvent que nous enrichir, dans l'ensemble.

Pensée du jour

Dans l'ordre parfait du monde de ma Puissance Supérieure, toute chose est merveilleuse. Je prierai pour abandonner mon inflexibilité afin que je puisse voir la beauté de l'unité dans la diversité.

«Une bête uniformité est la lubie des esprits étroits.»

Ralph Waldo Emerson

De prime abord, l'idée de chercher mes défauts de caractère, mes torts, mes déficiences et le mal que j'ai fait, peut sembler simplement comme une autre excuse pour être sévère envers moi-même. C'est pourquoi il est si important de me concentrer assez longtemps sur les trois premières Étapes pour développer une solide base spirituelle.

Dans ces trois premières Étapes, nous reconnaissons dans quels domaines nous sommes impuissants — comme devant l'alcoolisme et devant d'autres personnes — et nous apprenons qu'une Puissance supérieure à nous-mêmes n'a pas de telles limites. Nous décidons de confier notre volonté et notre vie aux soins de cette Puissance Supérieure. Nous déposons les fardeaux qui n'ont jamais été les nôtres. Et nous commençons à nous traiter avec plus de bonté et plus de réalisme.

Quand nous passons aux Étapes suivantes, nous le faisons pour notre bien-être. Nous amorçons un processus qui est extrêmement enrichissant et nous allons de l'avant, guidés par une Puissance Supérieure. Cela nous permet d'être beaucoup moins exigeants face à notre rétablissement.

Pensée du jour

Les trois premières Étapes constituent la pierre angulaire sur laquelle repose mon évolution. Peu importe depuis combien de temps je fais partie de la fraternité, je n'hésiterai pas à me tenir en contact avec la base même de ma santé spirituelle.

> «J'ai maintenant un but que je peux voir clairement, de même que le programme avec lequel je peux travailler pour l'atteindre. C'est mon guide pour mon amélioration personnelle, mon réconfort et une meilleure façon de vivre.»
>
> *Un dilemme: le mariage avec un alcoolique*

À mon arrivée à Al-Anon, je n'éprouvais aucun sentiment. Quand j'ai perdu mon emploi, j'ai dit: «Pas de problème, je peux l'encaisser.» Quand nous avons eu un enfant, j'ai dit: «Il n'y a pas de quoi faire toute une histoire, c'est un jour comme un autre.» Rien ne m'émouvait. C'était comme si j'étais mort.

Mes amis Al-Anon m'ont assuré que j'avais des sentiments, mais que j'avais perdu contact avec eux au cours des années vécues dans le contexte de l'alcoolisme et que je niais tout soupçon de colère, de joie ou de chagrin. À mesure que je me suis rétabli, j'ai commencé à éprouver des sentiments et c'était très troublant. Durant un certain temps, j'ai pensé que je devenais plus malade que jamais, parce que mes sentiments étaient tellement désagréables; mais mes amis Al-Anon m'ont assuré que cela faisait simplement partie du processus. J'étais prêt à ressentir mes sentiments et le malaise a effectivement passé. Lentement, je suis devenu un être humain plus complet.

Tant que je les gardais prisonniers en moi, mes sentiments étaient des secrets pénibles et nocifs. Quand je les ai libérés, ils sont devenus l'expression de ma vitalité.

Pensée du jour

Aujourd'hui, je ferai une pause de temps en temps pour constater ce que je ressens. Ma journée m'apportera peut-être de la joie ou peut-être de la tristesse, mais l'une ou l'autre me rappellera que je suis bien vivant.

> «Je n'échangerais pas la joie de mon cœur contre la fortune de la multitude; pas plus que je ne me satisferais de la conversion de mes larmes... en calme. J'espère avec ferveur que toute ma vie sur cette terre sera à jamais faite de larmes et de rires.»
>
> Kahlil Gibran

Quand les choses ne vont pas comme je crois qu'elles le devraient, je peux penser au slogan «se hâter lentement». Au lieu de redoubler d'effort, je peux ralentir et réexaminer la situation. La réponse que je cherche peut me crever les yeux, mais parfois je dois abandonner ce que je suis en train de faire avant de la voir.

J'essayais de réinsérer dans mon manteau une doublure détachable, mais je n'y arrivais pas. Je tirais le plus fort possible pour faire glisser la fermeture éclair, mais elle ne bougeait pas. J'ai fini par m'apercevoir que j'essayais d'enfiler la fermeture de la doublure dans celle du devant du manteau. Pas surprenant que cela ne fonctionnait pas!

Combien de fois dans ma vie ai-je agi de la sorte: ai-je imposé une solution? J'ai tenté de «m'attacher» à des gens et à des situations qui n'étaient pas ce qui «me convenait», et je suis devenue frustrée et découragée en cours de route. Mais j'ai appris à «me hâter lentement». Je peux prendre le temps de voir si ce que je pense vouloir «me convient» avant de m'engager et de commencer à «m'attacher». Ma vie est plus sereine parce que je ne cherche plus à m'imposer là où je n'ai pas ma place.

Pensée du jour

Si aujourd'hui mes projets rencontrent un obstacle, je prendrai du recul durant un moment et je regarderai la situation calmement avant de continuer.

> «Se hâter lentement... Penses-y quand tu te sens bousculé pour faire quelque chose et que tout semble aller mal... Tu seras surpris de constater tout ce qu'un seul petit slogan peut faire pour toi.»
>
> *L'adolescent et le parent alcoolique*

Plusieurs parmi nous avons découvert que le téléphone peut se révéler une bouée de sauvetage entre les réunions. Il se peut qu'au début, nous soyons réticents à téléphoner à quelqu'un que nous connaissons à peine, mais la plupart des membres sont reconnaissants de recevoir ces appels parce que les deux personnes en cause en bénéficient. Il est souvent tout aussi profitable pour un membre de longue date de revoir les «bases» d'Al-Anon que cela l'est pour le nouveau venu d'en entendre parler. Notre force réside dans le fait que nous apprenons les uns des autres.

Il est particulièrement opportun de téléphoner à un membre Al-Anon lorsque nous nous apprêtons à faire quelque chose de nouveau ou qui nous fait peur. Plusieurs parmi nous agissons ainsi: Nous téléphonons à un membre Al-Anon avant de passer à l'action et nous faisons suivre l'action d'un second appel. Pour ceux parmi nous qui avons toujours agi seuls, c'est un moyen de parler des risques que nous encourons et de partager notre courage avec d'autres personnes qui nous aimeront et nous appuieront, peu importe ce qui arrivera. Quand nous parlons de ce que nous faisons et de ce que nous ressentons avant de franchir une étape difficile, il devient possible d'agir avec confiance et sérénité.

Pensée du jour

Aujourd'hui je tendrai la main à un autre membre Al-Anon. Si cette personne est occupée ou qu'il m'est impossible de la rejoindre, j'appellerai quelqu'un d'autre.

> «Nous devons apprendre à compter sur les autres et accepter parfois que les autres comptent sur nous... Nous ne pouvons pas y arriver seuls.»
>
> *Alateen — un espoir pour les enfants des alcooliques*

Les paroles les plus importantes que plusieurs d'entre nous entendons lors de notre première réunion Al-Anon, ce sont: «Prenez ce qui vous plaît et laissez le reste.» Tout dans notre programme n'est que suggéré, jamais exigé. Cela nous donne la liberté de prendre notre temps pour choisir. Si nous ne sommes pas d'accord avec quelque chose, nous ne sommes pas obligés de l'utiliser. Si nous ne sommes pas prêts à nous servir d'une Étape, d'un slogan ou d'un outil du programme, nous sommes libres d'attendre.

Plusieurs d'entre nous avons besoin de temps pour aborder la nature spirituelle du programme Al-Anon. Si nous avions été obligés de croire en une Puissance Supérieure pour adhérer à Al-Anon, nous n'aurions peut-être jamais continué d'assister aux réunions. Finalement, plusieurs parmi nous en venons à croire en une Puissance Supérieure parce que nous sommes libres de créer notre propre conception de cette Puissance quand bon nous semble. De cette façon, tout ce que nous apprenons aura une signification pour nous.

Quand nous prenons ce qui nous plaît et laissons le reste, nous nous accordons la permission de mettre en question de nouvelles idées, de prendre nos propres décisions et même de changer d'avis.

Pensée du jour

Parce que je peux utiliser tout ce que je trouve utile et laisser le reste, je peux profiter de l'expérience, de la force et de l'espoir des autres membres et continuer à suivre la voie de mon cœur.

«Avec l'aide du programme et de ma Puissance Supérieure, je me charge de façonner, de former, de choisir le genre de vie que j'aurai.»

...dans tous les domaines de notre vie

Mon estime personnelle grandit quand je m'aime et m'accepte tel que je suis. Je fais obstacle à mon propre bien-être chaque fois que je base ma valeur personnelle sur ce que je fais ou sur ce que les autres pensent de moi. Si je pouvais plaire à tout le monde, si je pouvais «redresser» tous et chacun et remédier à toutes les difficultés auxquelles ils font face, si je pouvais faire en sorte que le monde soit un endroit parfait — même alors, je ne me sentirais probablement pas bien face à moi-même. En fait, j'aurais eu à renoncer à ma personnalité tout entière pour accomplir cette tâche impossible.

Je ne peux pas être parfait. Je ne peux pas rendre les autres parfaits. Je suis cependant digne d'amour, de respect et de joie. Fasse que je me rappelle chaque jour que je suis l'enfant d'une Puissance Supérieure parfaite. Cela, en soi, commande le respect — mon respect — pour le merveilleux «moi» qui m'a été donné. Tant que je garderai cela présent dans mon esprit, je n'abandonnerai pas mon «moi» pour m'efforcer d'être quoi que ce soit d'autre.

Pensée du jour

Aujourd'hui, quand j'aurai des choix à faire, j'opterai pour la voie qui rehaussera mon estime personnelle.

«...j'apprends à vivre une vie remplie, une vie où je m'aime et m'occupe de la personne que je suis.»

Al-Anon face à l'alcoolisme

Parfois, ce que nous considérons comme nos plus grandes faiblesses s'avère nos plus grandes forces. Elles nous procurent des occasions de croissance que nous n'aurions jamais eues autrement. Toute ma vie, j'ai prié pour avoir du courage, mais c'est à cause de ma timidité que j'ai appris que le courage était déjà là, à ma disposition.

J'hésitais à parler durant les réunions, de peur d'être ridiculisé. Je m'assoyais en arrière et je gardais mes secrets. Néanmoins, j'entendais ma propre histoire tellement souvent que j'ai commencé à perdre ma peur. Faisant appel à une réserve de courage dont j'ignorais l'existence, je me suis arrangé pour aborder certains membres qui semblaient vivre des expériences semblables aux miennes. Avec le temps, j'avais parlé à tellement de personnes en tête-à-tête qu'il m'est devenu possible, facile même, de parler devant tout le groupe.

Si ma peur avait été simplement éliminée, je n'aurais peut-être jamais su que je suis capable d'agir par moi-même. Je n'avais pas besoin d'avoir assez de force pour me lever devant une salle pleine d'étrangers, j'avais seulement besoin d'en avoir assez pour continuer à faire de petits pas. J'avais exactement assez de force et de courage pour atteindre mon but.

Pensée du jour

Absolument tout en moi peut contribuer à mon bien. Aujourd'hui, si je manque de sécurité ou si j'ai peur, je me rappellerai que ma peur me signale que j'ai quelque chose à apprendre.

«Ce n'est peut-être pas la réponse que *je veux*, mais je dois me rappeler que c'est peut-être celle dont *j'ai besoin.*»

Tel que nous Le concevions...

J'ai grandi dans la culpabilité et le blâme, au milieu de critiques acerbes et d'une peur constante. Même aujourd'hui, après des années de rétablissement dans Al-Anon, quand je me rappelle mes erreurs passées, j'ai tendance à me sentir coupable, à exagérer l'importance de mes erreurs et à avoir une très piètre opinion de moi-même.

Dans Al-Anon, j'apprends à me voir avec plus de réalisme. Bien sûr, j'ai lutté contre l'alcoolisme et je suis tombé une ou deux fois. J'ai fait beaucoup d'erreurs qui n'avaient rien à voir avec l'alcoolisme. Mais je ne suis pas méchant. Il est temps que je cesse de me traiter comme si je l'étais.

Il fut un temps où le seul pouvoir que je pensais détenir était celui de tout gâcher. Aujourd'hui, parce que j'apprends à croire en moi et en ma capacité d'apporter une contribution positive à ma propre vie, je suis libre de regarder mes erreurs sans les grossir hors de toute proportion. Je peux apprendre à ne plus répéter ces erreurs et je peux réparer le tort que j'ai causé.

Pensée du jour

Je ne m'enchaînerai pas au passé par une culpabilité défaitiste ou en gonflant l'importance de mes erreurs. Je ferai plutôt face à mon passé et guérirai mes anciennes blessures afin qu'aujourd'hui, je puisse aller de l'avant vers une vie plus riche, plus remplie et plus joyeuse.

«Il n'est pas nécessaire de vivre constamment dans le chaos pour progresser.»

John C. Lilly

Je ne sais absolument pas pourquoi le robinet de ma salle de bain s'est mis à dégoutter. Abordant la situation avec beaucoup de patience, je l'ai regardé dégoutter. Goutte après goutte. J'essayais parfois d'ajuster la poignée, mais à vrai dire je m'attendais à ce que le robinet cesse de dégoutter par lui-même. Naturellement, ce n'est pas ce qui s'est passé. Le problème s'est aggravé et à la longue, les dégâts ont été importants. Finalement j'ai dû demander de l'aide.

Je ne peux vous dire le nombre de problèmes que j'ai affrontés de cette façon, sans plus de succès d'ailleurs. Grâce à Al-Anon, je n'ai plus à attendre qu'une situation explose avant d'y faire face. Un des outils les plus utiles du programme a été de partager mes sentiments durant les réunions et avec des membres de la fraternité. Quand je mets des mots sur mes expériences, elles semblent plus réelles et j'ai moins tendance à les ignorer. Comme résultat, je peux souvent affronter des problèmes lorsqu'ils ne sont encore que de légères irritations et les résoudre avant qu'ils ne grossissent et ne prennent le dessus. Aujourd'hui, les grands drames ne m'intéressent plus autant; je préfère vivre ma vraie vie.

Pensée du jour

Aujourd'hui, je parlerai honnêtement des choses qui m'agacent. Ma vie mérite mon attention.

« Un des aspects les plus utiles de la fraternité Al-Anon/Alateen est l'occasion qui nous est offerte d'exposer notre dilemme, avec l'assurance que nous ne serons pas jugés pour avoir parlé ouvertement. »

La sobriété : un nouveau départ

Lors d'une récente réunion Al-Anon, on nous a demandé de compléter la déclaration suivante: «Si seulement ___________ se produisait, je serais heureux.» Plusieurs d'entre nous avons été tentés de répondre que nous serions heureux si les êtres qui nous sont chers devenaient sobres ou s'ils vivaient leur sobriété différemment. Mais il y avait aussi d'autres «si seulement» qui maintenaient en nous un sentiment de privation: Si seulement mon patron, ma famille, mon travail, le gouvernement, les finances changeaient dans le sens que je veux, je serais heureux. Il est devenu évident que plusieurs d'entre nous avions mis notre bonheur en attente à cause de choses hors de notre contrôle.

Nous avons donc appliqué la Première Étape et admis que nous étions impuissants devant ces personnes, ces endroits et ces choses. Ces «si seulement» rendaient notre vie incontrôlable, mais une Puissance supérieure à nous-mêmes pouvait nous rendre la raison. Plusieurs parmi nous avons décidé d'abandonner nos «si seulement» à une Puissance Supérieure. Quand nous l'avons fait, nous avons cessé de nous comporter comme des victimes, d'attendre que les choses changent. Nous avons choisi de prendre en ce moment même une part plus active dans notre recherche du bonheur.

Pensée du jour

Il y a plusieurs domaines de ma vie que je ne peux changer. Ce que je peux changer, c'est mon attitude. Aujourd'hui, je suis capable d'accepter ma vie telle qu'elle est. En ce moment même, je peux être reconnaissant et heureux de ce que j'ai.

> «Il y a dans la vie tellement, tellement de choses susceptibles de nous rendre toujours heureux. La plupart des gens posent des conditions au bonheur. On peut être heureux seulement si on ne pose aucune condition.»

Arthur Rubinstein

Parfois je suis si occupé à regarder fixement mes problèmes que je ne vois pas les directives qui me sont données. Quand je suis disposé à ne plus vouloir à tout prix me débrouiller seul, je peux écouter les autres et être guidé par ma Puissance Supérieure. Je deviens plus apte à aller au-delà de mes problèmes et à commencer à les résoudre.

Cela est devenu clair pour moi quand j'ai été soudainement pris dans une tempête de neige aveuglante. La visibilité était si mauvaise que j'étais incapable de voir les côtés de la route; je ne pouvais dire où commençait et où finissait ma voie. Je me suis efforcé de trouver mon chemin, mais j'ai finalement abandonné et j'ai commencé à me ranger sur l'accotement pour attendre la fin de la tempête. Puis je me suis rendu compte que je pouvais me rendre à la maison si je me servais des arbres qui bordaient la route pour m'indiquer ma position.

Quand j'accepte que l'aide arrive souvent sous des formes inattendues, je peux relâcher mon emprise sur le problème et être disposé à recevoir de l'aide.

Pensée du jour

Je dois faire une foule de choses moi-même, mais je ne suis pas libre de toute dépendance. J'ai besoin d'être aidé, soutenu et guidé par ma Puissance Supérieure et mes amis Al-Anon. Aujourd'hui, quand je m'apercevrai que je lutte contre un problème, je lâcherai prise assez longtemps pour tendre la main afin d'obtenir de l'aide.

> «...dès que nous aurons appris à nous détacher du problème, l'aide et la sollicitude affectueuses des autres membres nous apporteront un soutien solide pour nous aider à comprendre ce que le programme Al-Anon peut faire pour nous.»
>
> *Voici Al-Anon*

Le détachement. De prime abord, le détachement peut sembler de la froideur et du rejet; il peut sembler complètement dénué d'amour. Mais j'en suis venu à croire que le détachement est vraiment un cadeau merveilleux: j'accorde aux êtres qui me sont chers le privilège et la possibilité d'être eux-mêmes.

Je ne veux pas compromettre leurs chances de découvrir la joie et la confiance en soi qui accompagnent les réalisations personnelles. Si j'interviens constamment pour leur épargner des expériences pénibles, je leur rends aussi un très mauvais service. Comme le disait Mark Twain: «Quiconque traîne un chat par la queue apprend quelque chose qu'il ne peut apprendre d'aucune autre façon.»

Je trouve pénible de regarder une autre personne souffrir ou s'engager dans une voie qui, je crois, la mènera à la souffrance. Plusieurs de mes tentatives pour secourir les autres ont été motivées par mon désir de leur éviter cette souffrance. Aujourd'hui, j'apprends à vivre ma peur, ma peine et mon angoisse. Cela m'aide à croire au même processus de croissance chez les autres, parce que je connais par expérience les bienfaits qui en découlent.

Pensée du jour

Parfois nous faisons preuve de plus d'amour en permettant à quelqu'un de subir les conséquences normales de ses actes, même si c'est pénible pour nous deux. À la longue, nous en bénéficierons tous les deux. Aujourd'hui, je ferai de l'amour une priorité dans ma vie.

«Tout ce que j'ai à faire, c'est de ne pas intervenir et de laisser parler mon cœur.»

...dans tous les domaines de notre vie

Qui suis-je? À mon arrivée à Al-Anon, je pensais connaître la réponse à cette question, mais j'ai découvert que toutes mes réponses étaient périmées parce que j'avais cessé depuis longtemps de me demander qui j'étais. J'aurais pu vous parler des alcooliques et de toutes les autres personnes dans ma vie — de leurs goûts et aversions, de leurs opinions, de leurs sentiments — mais je ne savais rien de tout cela en ce qui me concernait.

Al-Anon m'a donné Douze Étapes avec lesquelles je peux me redécouvrir. Il m'a été particulièrement bénéfique de procéder à un inventaire moral, sérieux et courageux de moi-même et d'en parler avec un ami en qui j'avais confiance (Quatrième et Cinquième Étapes). C'était la première fois depuis longtemps que je ne m'étais accordé autant d'attention! J'ai aussi appris des choses sur moi-même en écoutant aux réunions — quand je me suis identifiée à d'autres membres, j'ai vu plus clair dans mes propres pensées et sentiments.

Je sais aujourd'hui que je suis une personne passionnée, généreuse, catégorique, d'humeur changeante, honnête, pleine de tact, entêtée. Je sais ce que je pense et ce que je ressens concernant une foule de sujets et je suis consciente lorsque ces pensées et ces sentiments changent. Al-Anon m'a redonné la seule chose qui m'a toujours vraiment appartenu: moi-même.

Pensée du jour

Rétablissement, voilà un mot merveilleux. Il signifie retrouver quelque chose. Aujourd'hui, j'essaierai de me rappeler que ce quelque chose, c'est moi.

«Si quelqu'un arrive à se retrouver... il possédera un château qu'il pourra habiter avec dignité tous les jours de sa vie.»

James Michener

L'humilité a été pour moi un concept difficile à saisir. Parce qu'on m'avait enseigné dans mon enfance à toujours placer les désirs et les besoins des autres avant les miens, je croyais qu'humilité égalait prendre soin des autres et ignorer mes propres sentiments et besoins. Dans Al-Anon, j'ai appris que l'humilité véritable n'est pas avilissante; elle ne demande pas que je néglige mes propres besoins. En fait, l'humilité ne se mesure pas à ce que je fais pour les autres, mais à ma volonté de faire ma part dans ma relation avec Dieu tel que je Le conçois.

Je commence à apprendre ce qu'est l'humilité quand je fais ma Première Étape. En admettant mon impuissance, je laisse de la place à la possibilité qu'une Puissance supérieure à moi-même puisse faire toutes ces choses qui me dépassent. En d'autres mots, je commence à apprendre ce qui est et n'est pas ma responsabilité. Quand tout cela devient clair, je suis plus apte à faire ma part, pour moi-même et pour les autres, et à demander à Dieu de faire le reste.

Pensée du jour

Une partie de mon apprentissage de l'humilité consiste à apprendre à contribuer à mon propre bien-être. Aujourd'hui, je poserai un geste d'amour à mon égard, comme je le ferais normalement pour quelqu'un d'autre.

> «Nous sommes incapables de dire ce qui peut nous arriver dans l'étrange méli-mélo de la vie. Mais nous pouvons décider de ce qui arrive en nous — comment nous pouvons le vivre, ce que nous en ferons — et en fin de compte, c'est ce qui importe vraiment.»
>
> Joseph Fort Newton

La Cinquième Étape me faisait peur parce qu'elle me demandait de révéler mes plus sombres secrets à une autre personne. Craignant d'être rejeté parce que je n'étais pas parfait, j'ai consacré tant d'énergie à cacher la vérité que même si personne ne me rejetait, j'étais aussi isolé et seul que si on m'avait rejeté.

Quand j'ai constaté à quel point il m'était pénible de continuer à vivre ainsi, je me suis trouvé un parrain et j'ai demandé de l'aide. Au cours de ma Cinquième Étape, j'ai révélé quelques-uns de mes traits de caractère et quelques-unes de mes attitudes dont j'avais particulièrement honte. Mon parrain s'est mis à rire. «Tu vois, m'a-t il expliqué rapidement, je ris parce qu'il y a cinq ans, j'ai dit les mêmes choses à mon parrain, presque mot pour mot!»

Je n'aurais jamais imaginé que mes expériences soient à ce point universelles. Je n'aurais jamais deviné qu'en révélant les choses qui, je croyais, me rendaient différent des autres, je découvrirais à quel point nous sommes vraiment tous semblables.

Pensée du jour

Beaucoup de membres ont connu la honte et la peur et beaucoup ont connu la joie. Aujourd'hui, partager les miennes avec les autres rendra mon cheminement dans la vie plus paisible.

> «En mon for intérieur, je savais incessamment que je ne trouverais pas de véritable soulagement tant que je n'exposerais pas mon problème au grand jour et que je n'en parlerais pas à quelqu'un d'autre...»
>
> *Tel que nous Le concevions...*

Pourquoi ai-je tant de difficulté à accepter que l'alcoolisme est une maladie ? Est-ce que je blâmerais un diabétique ou un cancéreux pour les symptômes de leur maladie ? Non, bien sûr. Je sais que la volonté seule ne suffit pas pour vaincre une maladie. Si les alcooliques pouvaient simplement cesser de boire quand ils le veulent, plusieurs auraient cessé il y a longtemps. Cela ne me servirait à rien de supplier, réprimander ou raisonner s'il s'agissait de tuberculose ; je ne perdrai pas mon temps à supplier, réprimander ou raisonner lorsqu'il s'agit d'alcoolisme.

Je prends donc la résolution de cesser de blâmer l'alcoolique pour ce qui est hors de son contrôle — y compris la compulsion de boire. Je dirigerai plutôt mes efforts là où ils peuvent faire un peu de bien : Je me consacrerai à mon propre rétablissement. Je sais que l'amélioration de la santé d'un membre de la famille peut avoir un effet profond sur le reste de la famille. De cette façon, je peux apporter une contribution beaucoup plus grande au bien-être de ceux que j'aime que je ne pourrais jamais le faire en essayant de combattre une maladie incontrôlable.

Pensée du jour

Quand j'accepte le fait que l'alcoolisme est une maladie, il m'est plus facile d'admettre que moi aussi, j'ai été affecté par quelque chose dont je n'ai pas le contrôle, et que je peux commencer à me rétablir de ces conséquences.

«Que l'alcoolique devienne sobre ou non, c'est dès maintenant que les membres de la famille doivent travailler à leur propre rétablissement émotif.»

Un guide pour la famille de l'alcoolique

«Oui, mais...» Ces deux mots sont devenus pour moi un signal m'avertissant que je refuse d'accepter une chose devant laquelle je suis impuissante. Mon univers est riche de cadeaux merveilleux: la beauté, une fraternité remplie d'amour et des défis qui me renforcent et me préparent à une vie meilleure. Est-ce que cela vaut la peine de nier ces cadeaux en désirant que les choses soient différentes? Est-ce que cela les changera? Non! Je préfère les accepter avec joie, en profiter pleinement et admettre humblement, sans aucun «oui, mais», la réalité que m'offre ma Puissance Supérieure.

Le ton cassant, le mot blessant, l'indifférence apparente d'une autre personne ne dure habituellement que quelques minutes. À quel prix vais-je m'accrocher à ces quelques minutes? Je ne suis pas obligée d'aimer la réalité, je dois seulement l'accepter pour ce qu'elle est. Cette journée est trop précieuse pour la gaspiller en faisant du ressentiment pour des choses que je ne peux changer. Quand j'accepte toute chose telle qu'elle est, je suis plus portée à être raisonnablement sereine. Quand je passe mon temps à espérer que les choses soient différentes, je sais que la sérénité n'est plus une priorité.

Pensée du jour

Bien que je sois responsable de changer ce que je peux, je dois lâcher prise sur tout le reste si je veux la tranquillité d'esprit. Aujourd'hui seulement, je m'aimerai suffisamment pour cesser de lutter contre quelque chose qui ne m'appartient pas.

«Le fait de céder vous concédera peut-être la victoire.»

Ovide

Un soir, j'ai été prise par surprise lorsqu'un autre membre m'a fait un compliment. Ce geste de bonté m'a rendue très mal à l'aise parce que j'avais l'impression de ne pas le mériter. Quand j'ai essayé de convaincre cette personne que ses aimables paroles n'étaient pas tout à fait justes, elle a refusé. Elle a insisté en disant que je méritais son compliment et bien d'autres également. J'ai commencé à me rendre compte à quel point mon estime personnelle avait baissé durant la période où j'avais vécu auprès d'une personne alcoolique. Je ne pouvais même pas imaginer qu'il puisse y avoir quelque chose de beau en moi !

Ma marraine m'a suggéré de dresser une liste de ce que j'aimais en moi. C'était délicat et embarrassant et ma liste était très courte, mais c'était un début. Quand je l'ai montrée à ma marraine, elle a été d'accord avec toutes les qualités que je m'étais trouvées, refusant de me laisser les nier lorsque j'ai essayé de me concentrer plutôt sur mes défauts. Comme résultat, j'apprends à m'aimer et à voir que j'ai plusieurs qualités qui méritent des compliments.

Pensée du jour

Une façon d'apprendre à m'aimer, c'est d'accepter l'amour des autres. Même si je ne crois pas le mériter, je peux être reconnaissant de la bonté d'une autre personne. Et si j'apprécie quelque chose chez une autre personne, je peux également le lui dire. Un petit geste peut faire beaucoup pour apaiser une âme qui souffre.

> «J'ai entendu des membres Al-Anon affirmer qu'ils avaient recouvré l'estime d'eux-mêmes. Je n'en avais jamais eu de ma vie, donc ce fut un tout nouveau sentiment que d'aimer cette personne qui s'appelait "moi".»
>
> *Tel que nous Le concevions...*

Je suis tellement reconnaissant d'appartenir à une fraternité où chacun parle pour soi. Al-Anon n'a pas de porte-parole, ni quelqu'un en position d'autorité qui rapporte quelle a été «notre» expérience. Je suis la seule personne qui puisse raconter mon histoire.

Je trouve très réconfortant de faire partie d'un groupe de gens qui ont quelques problèmes et quelques sentiments similaires aux miens. Bien que nous ayons beaucoup de choses en commun, chaque membre Al-Anon a une sagesse unique à offrir. Grâce au partage d'expérience, de force et d'espoir, nous apprenons les moyens spécifiques que les membres ont utilisés pour appliquer le programme Al-Anon à leur situation. En prenant ce qui nous plaît et en laissant le reste, chacun de nous est libre de bénéficier de cette approche individuelle de notre but commun — le rétablissement des conséquences de l'alcoolisme. Alors, quand je partage mon expérience au cours d'une réunion, j'essaie d'éviter des phrases comme: «C'est un problème pour nous» ou «Nous avons l'habitude de faire ceci ou cela...» Je considère plutôt le partage comme une occasion de me voir plus clairement.

Pensée du jour

Aujourd'hui, je parlerai en mon nom, avec l'assurance que je suis soutenu par une fraternité d'hommes et de femmes qui «comprennent comme peut-être bien peu peuvent le faire.»

> «Notre rétablissement dépend de notre capacité à *raconter notre propre histoire* — non celle de l'alcoolique ou d'un autre membre Al-Anon ou Alateen.»
>
> *Pourquoi Al-Anon est-il anonyme ?*

Je passe plus de temps avec moi-même qu'avec n'importe qui d'autre. Ne serait-il pas logique de consacrer un peu d'énergie à rendre cette relation aussi enrichissante que possible ? Une autre personne ne peut pas m'empêcher de me sentir seul, mais mon vide intérieur *peut* être comblé. Je peux en venir à apprécier ma propre compagnie. Je suis un compagnon qui a de la valeur.

Une des illusions que partagent plusieurs d'entre nous qui avons été affectés par l'alcoolisme, c'est de croire qu'uniquement une autre personne, habituellement l'alcoolique, peut combler ce vide intérieur. Si seulement il était plus attentif, si seulement elle devenait sobre, si seulement ils étaient avec moi maintenant, je ne me sentirais pas seul. Mais plusieurs d'entre nous continuons à nous sentir toujours aussi seuls même lorsque toutes ces conditions sont remplies.

Aujourd'hui, quand je serai seul, je saurai que je suis en bonne compagnie. Quand je cesse de m'attendre à ce que les autres comblent tous mes besoins, je trouve d'autres façons nouvelles et passionnantes de profiter de ma propre amitié. Et lorsque j'éprouve un sentiment de solitude, j'ai le réconfort et l'appui d'une Puissance Supérieure Qui ne me quitte jamais.

Pensée du jour

Aujourd'hui, je consacrerai un peu de temps à explorer la relation humaine la plus intime que j'aurai jamais — ma relation avec moi-même.

«Quelle magnifique surprise de découvrir qu'on peut être seul sans souffrir de solitude.»

Ellen Burstyn

Il m'arrive souvent de douter de l'existence d'une entité quelconque qui s'intéresserait à ce qui se passe en ce bas monde, encore moins dans ma vie. Étant agnostique, j'ai le doute facile; il m'est difficile de croire.

Mais alors je pense à la façon dont quelqu'un m'a guidé vers Al-Anon durant la période la plus sombre de ma vie. Je réfléchis à toutes les fois où la musique et les paroles de certaines chansons m'ont donné le courage de continuer à vivre quand il aurait été plus facile d'abandonner. Je me rappelle que je suis encouragé par l'honnêteté des membres qui expriment leurs pensées les plus secrètes au cours des réunions Al-Anon, semaine après semaine, année après année. Je suis conscient, en mon for intérieur, qu'il y a une partie de moi qui veut ce qui est bon pour moi, qui m'incite à rechercher la paix, le bonheur, l'orientation et la plénitude dans ma vie.

Et je doute de mes doutes.

Pensée du jour

Quand je me sens loin d'une Puissance Supérieure, je dois écouter très attentivement. J'écoute ce qui se dit aux réunions, j'écoute de la musique, je suis réceptif à la sagesse qui est contenue dans notre documentation et j'essaie d'être ouvert à ce que j'entends. Je ne sais jamais d'où viendra le message.

> «De temps à autre, observez quelque chose qui n'a pas été façonné par la main de l'homme — une montagne, une étoile, le parcours d'un ruisseau. Cela vous apportera sagesse, patience et réconfort et par-dessus tout, l'assurance que vous n'êtes pas seul au monde.»

Sidney Lovett

Je trouve beaucoup plus facile de me risquer à prendre des décisions quand je cesse de penser aux conséquences dont je pourrais souffrir et que je me rappelle que j'ai le choix d'en apprécier les conséquences. Depuis mon adhésion à Al-Anon, j'exerce des choix plus consciencieusement. Je fais tout le travail de base qui semble approprié et ensuite j'en confie les résultats à Dieu. Les résultats sont souvent très favorables. Même quand ils ne le sont pas, je peux encore me réjouir d'avoir fait ma part.

Pendant longtemps, j'ai évité de prendre des décisions parce que j'étais sûr qu'il y avait un certain «bon» choix qui m'aurait obtenu magiquement ce que je voulais, cependant je n'ai jamais semblé savoir quel était ce choix. J'attendais à la dernière minute pour décider et je n'étais jamais satisfait de mes choix. Aujourd'hui, je sais que choisir de ne pas décider, *c'est* prendre une décision.

Il peut être très libérateur de prendre une décision. Une fois que le choix est fait, je peux avoir confiance que les conséquences se dérouleront comme il se doit. En changeant quelque peu d'attitude, peut-être que je pourrai les attendre dans l'enthousiasme et l'espoir plutôt que dans la peur et l'appréhension.

Pensée du jour

Aujourd'hui, j'aurai confiance en ma capacité d'agir. Quand le moment semblera opportun, je ferai le meilleur choix possible et je me permettrai d'en apprécier les résultats.

> «Parfois notre enthousiasme devant les changements dépend de notre consentement à miser sur ce que demain nous apportera en risquant ce que nous possédons aujourd'hui.»
>
> *La sobriété: un nouveau départ*

Le rétablissement dans Al-Anon est un processus qui requiert assiduité, patience et cohérence pour obtenir les meilleurs résultats possibles. L'assistance régulière aux réunions, la pratique des Étapes et l'application des principes Al-Anon à chaque heure du jour mènent à une vie plus remplie et plus agréable.

Nous voyons parfois des résultats évidents à nos efforts, alors qu'à d'autres moments nous atteignons un palier et avons l'impression d'être bloqués. Si nous continuons à placer un pied devant l'autre et à travailler le programme, nous découvrons qu'à la longue, tous ces paliers ont une fin. Juste au moment où nous sommes à bout de patience, une porte semble s'ouvrir et nous faisons soudainement un pas de géant. Nous constatons qu'aucun moment du passé n'a été perdu; même à notre insu, nous absorbions tranquillement le programme. La plupart d'entre nous trouvons que les résultats valent l'attente.

Pensée du jour

Que j'en voie ou non les bienfaits immédiats, aujourd'hui je choisis de «persévérer dans Al-Anon».

«La patience est la clé du paradis.»

Proverbe turc

À mon arrivée à Al-Anon, je me méfiais de toutes les accolades qui s'y faisaient. Je me précipitais vers la porte après les réunions afin de les éviter. Je ne pouvais imaginer pourquoi toutes ces personnes apparemment respectables se comportaient de cette façon. Il n'y avait pas eu de telles démonstrations d'affection durant mon enfance et il n'y en avait pas dans mon propre foyer. Les seuls contacts physiques que je connaissais étaient négatifs.

Les membres Al-Anon ont été patients avec moi même si je refusais leurs accolades. Ils m'invitaient à revenir aux réunions. Ils respectaient mes limites et ils ne me jugeaient pas ni ne remettaient en question mon besoin d'espace. Tour à tour, les membres s'assoyaient près de moi quand je pleurais et se réjouissaient quand je riais. De purs étrangers m'offraient leur expérience, leur force et leur espoir comme si nous avions été des amis intimes.

Dans cette atmosphère rassurante et enrichissante, j'en suis venue à apprécier qu'il y ait plusieurs façons différentes d'exprimer l'amour inconditionnel. Que j'exprime ou non mon affection d'une manière physique, je peux trouver de l'encouragement, du réconfort et de la force chaque fois que des membres Al-Anon m'offrent leur soutien. Aujourd'hui, je trouve des moyens d'exprimer également l'amour que je porte aux autres.

Pensée du jour

Je ne laisserai pas mes anciennes peurs me tenir à l'écart du soutien qui est à ma disposition. Je suis digne d'amour et de respect.

«L'amour n'est pas consolation, il est lumière.»

Simone Weil

La Huitième Tradition stipule: «Le travail de Douzième Étape Al-Anon devrait toujours demeurer non professionnel...» Nous nous réunissons en tant que fraternité composée d'égaux, où personne n'est ni un dirigeant ni un expert. Chaque membre peut contribuer au pouvoir de rétablissement de notre programme simplement en partageant son expérience, sa force et son espoir. Il n'est pas nécessaire, ni même souhaitable, d'avoir une formation ou des qualifications spécifiques autres que celle d'être membre.

Parce que l'aide que nous nous apportons est strictement non professionnelle et a un but précis, Al-Anon n'a pas la prétention de résoudre tous les problèmes ni d'éliminer toutes les maladies. Notre programme constitue une approche remarquablement efficace pour le rétablissement des conséquences de la consommation d'alcool d'une autre personne. Parfois, cependant, nous sommes aux prises avec des problèmes qui ne sont pas du ressort d'Al-Anon. Dans de tels moments, plusieurs parmi nous avons trouvé utile d'avoir recours à d'autres sources d'aide, en plus de mettre notre programme Al-Anon en pratique.

Pensée du jour

Une atmosphère merveilleusement enrichissante se crée quand des gens s'entraident en étant eux-mêmes et en partageant leurs propres expériences. Aujourd'hui, je contribuerai à cette entraide.

> «...nous nous rencontrons à titre d'égaux et nous nous entraidons, non parce que certains sont des experts et que les autres sont des élèves, mais parce que tous, nous avons des besoins et des forces.»
>
> *Les Douze Étapes & les Douze Traditions d'Al-Anon*

Il y a un proverbe chinois qui dit: «Quand nous parlons de demain, les dieux rigolent.» Je ne crois pas qu'ils rigolent parce qu'ils nous trouvent ridicules, mais parce qu'ils savent que l'avenir est imprévisible. Ainsi, nous n'avons pas d'autre choix que celui de vivre «un jour à la fois».

Je peux faire des projets, mais je ne peux pas en déterminer les résultats. Aucun des nombreux scénarios que je monte concernant la prochaine semaine ne peut contrôler ce qui arrivera à ce moment-là. Les circonstances seront différentes et moi aussi je serai différent.

Je peux réduire la portée de ce slogan et l'appliquer une heure à la fois, ou même une minute à la fois. Dans de si courts laps de temps, la vie commence à être non seulement supportable, mais précieuse. À un moment donné, peu importe ce qui se passe, si je me concentre sur l'instant présent, je sais que je vais bien.

Pensée du jour

Mes pires craintes concernant demain ne doivent pas gâcher cette journée. En cessant d'avoir peur, je suis libre de progresser. Quelle mauvaise habitude puis-je éliminer aujourd'hui? Quelle peur puis-je affronter? De quelle joie puis-je prendre conscience? De quel bonheur, si modeste soit-il, puis-je me réjouir? Tout ce que j'ai, c'est aujourd'hui. Que je fasse d'aujourd'hui la journée la plus intense que j'ai jamais vécue.

«Ne vous inquiétez pas de demain; demain s'occupera de lui-même.»

La Bible

La vie n'est pas toujours facile ou paisible, même si je souhaiterais qu'elle le soit. Autrefois, quand quelque chose me contrariait, je me taisais au lieu d'avoir à affronter une discussion. Il me semblait préférable d'être bouleversé plutôt que de risquer de bouleverser quelqu'un d'autre. Les résultats étaient habituellement désastreux. Je devenais irritable et déraisonnable à mesure que le ressentiment couvait en moi.

Aujourd'hui je soupçonne que l'adversité a une valeur que je ne lui reconnaissais pas autrefois. Quand je fais face à l'adversité et que je prends des mesures concernant mes problèmes, ou que j'exprime mes sentiments, la situation a une chance de s'améliorer. Même si elle ne s'améliore pas, je me libère un peu de la pression que je ressens. C'est là quelque chose de nouveau pour moi et je ne réussis pas encore à le faire de bonne grâce: parfois cela me fait peur, et parfois mes paroles ne sont pas très bien accueillies. Néanmoins, je me sens mieux quand je constate que j'ai finalement commencé à vivre ma vie telle qu'elle est.

En regardant en arrière, je vois à quel point j'ai progressé. Je n'aurais choisi aucune des situations de crise que j'ai vécues, mais depuis mon arrivée à Al-Anon, j'ai appris que chaque problème peut m'aider à m'améliorer, à approfondir ma foi et à accroître mon estime personnelle.

Pensée du jour

En chinois, le mot crise s'écrit par deux traits de plume. Le premier signifie danger et le deuxième, occasion. Je chercherai le bon qui est caché dans tout ce qui m'arrive.

«Il n'y a pas de problème qui ne cache en soi un cadeau.»

Richard Bach

Dans le passé, chaque fois que quelqu'un était en désaccord avec moi, je considérais cela comme un échec personnel. Si seulement j'avais trouvé les mots, les vêtements, l'opinion, l'école, l'emploi, le foyer, l'amoureux ou les amis appropriés, j'aurais eu un sentiment d'appartenance.

Et quelle perception avais-je des autres? Je les croyais heureux et sûrs d'eux-mêmes — ils semblaient posséder toutes les réponses. Mais à cause de la façade que j'arborais, les gens pensaient que moi aussi *je* ne m'en faisais pas et que *j'*étais heureuse. S'ils pouvaient se tromper autant sur mes vrais sentiments, est-ce que je ne pouvais pas également avoir de fausses idées sur leurs sentiments? Après tout, je ne devais pas être la seule à jouer la comédie? Est-ce que je ne comparais pas ce que je ressentais intérieurement à ce que les autres reflétaient extérieurement?

Dans Al-Anon, j'apprends que quelqu'un peut être en désaccord avec moi sans qu'aucun de nous deux ait tort. Quand personne ne doit nécessairement avoir tort, nous pouvons tous vivre en harmonie, tels que nous sommes.

Pensée du jour

Si je fais des comparaisons, je suis perdant. Peut-être que cette fois-ci je jugerai que je suis mieux que quelqu'un d'autre, mais je suis assuré que la prochaine fois je jugerai que je suis pire. Le meilleur moyen de cesser de juger que je ne suis pas à la hauteur, c'est de cesser toute comparaison.

«Au cours des réunions, nous en arrivons graduellement à comprendre qu'une grande partie de notre malaise provient de nos attitudes.»

Comprendre l'alcoolisme et se comprendre soi-même

Tout comme l'alcoolisme, les pensées obsessives peuvent être trop difficiles à supporter. Mon meilleur espoir de vaincre l'obsession, c'est de ne pas la laisser s'amorcer, parce qu'une fois installée, elle prend de l'ampleur et devient plus difficile à déloger.

Avant que les pensées obsessives ne s'emparent de moi, il y a habituellement un moment où je dois faire un choix. Je peux choisir de m'amuser mentalement avec un sujet qui a pris mon esprit en otage dans le passé et qui, par conséquent, est dangereux. Ou je peux reconnaître le danger et essayer de chasser de mon esprit toute pensée sur le sujet, priant pour obtenir l'aide de ma Puissance Supérieure. Je peux demander le soutien d'un membre Al-Anon avant de m'attaquer à un sujet devant lequel je suis vulnérable, de sorte que mes pensées n'auront aucune chance de s'ancrer dans mon esprit.

J'exercerai ma faculté de choisir en repoussant toutes pensées obsessives. Si je leur refuse l'accès de mon esprit, je n'aurai pas à m'en défaire.

Pensée du jour

J'apprends à faire attention aux pensées que j'entretiens. S'il y a un sujet que je suis incapable d'envisager sans en devenir obsédé, je respecterai ce fait et j'agirai en conséquence. Avant d'essayer de renoncer à mes pensées en me raisonnant, je puiserai à même la force et l'appui de mon programme, de mes amis Al-Anon et de ma Puissance Supérieure. Et si c'est une chose qui ne me regarde pas, je ne la ferai pas mienne en aucune façon.

> «Si vous vous servez de votre raison pour vous raisonner, comment pouvez-vous éviter une immense confusion?»
>
> Seng-ts'an

Quand je fais ma Septième Étape («Nous Lui avons humblement demandé de faire disparaître nos déficiences»), je demande calmement de l'aide. Je ne supplie pas, je n'exige pas; je ne rampe pas ni ne me vante. Je n'ai pas besoin de m'abaisser et je n'ai personne à impressionner. J'accepte simplement ma place dans ma relation avec ma Puissance Supérieure, ni plus ni moins. La véritable humilité ne devrait jamais être humiliante. Au contraire, je peux me sentir honoré de prendre ma juste place dans cette merveilleuse association que je développe avec Dieu tel que je Le conçois.

On dit que l'humilité est une perpétuelle tranquillité intérieure. Cela signifie que je fais ma part et que j'ai confiance que Dieu S'occupera du reste. Même si je ne sais pas de quelle façon l'aide m'arrivera, je peux garder ma sérénité. Tout ce que j'ai à faire, c'est de demander l'apaisement à ma Puissance Supérieure.

Pensée du jour

Aujourd'hui, quand je demanderai à ma Puissance Supérieure de faire disparaître mes déficiences, j'essaierai que ce soit avec une paix intérieure.

«L'humilité nous aidera à nous voir dans une juste perspective et à garder notre esprit ouvert à la vérité.»

L'alcoolisme, un mal familial

Je croyais autrefois que si jamais je faisais un minutieux examen de conscience, mes peurs secrètes seraient confirmées: Je verrais que je suis irrémédiablement imparfait et indigne. Al-Anon m'a appris que si je fais face aux conséquences de l'alcoolisme en mettant les Étapes en pratique, cette conviction disparaîtra. Je verrai que la vérité que j'ai fuie est ma propre beauté intérieure.

Je suis impuissant à changer le fait que l'alcoolisme a affecté ma vie. Seule une Puissance supérieure à moi-même peut vaincre les conséquences de cette maladie. Je demande l'aide de cette Puissance en faisant mes Deuxième et Troisième Étapes. Ces Étapes m'aident à croire que même si mon monde chancelle, je ne m'écroulerai pas, car je suis fermement soutenu par Quelqu'un dont la volonté n'est pas si facilement ébranlée. Peu importe à quel point je peux me sentir vacillant, je suis en sécurité.

Une telle base spirituelle rend possible un véritable inventaire moral, sérieux et courageux de soi. C'est seulement lorsque je me risque à regarder en mon for intérieur que mes peurs cèdent la place à la vérité: En tant qu'enfant de Dieu, je suis tout ce que je dois être — aimant, aimable, merveilleux.

Pensée du jour

Aujourd'hui, je prendrai un peu de temps pour renforcer ma relation avec ma Puissance Supérieure. Cela m'amènera à voir la vérité comme mon alliée et à reconnaître ma propre beauté intérieure.

«Je choisis à présent de m'élever au-dessus de mes problèmes de personnalité pour reconnaître la magnificence de mon être. Je consens pleinement à apprendre à m'aimer.»

Louise L. Hay

Parfois, la chose la plus saine que je peux faire pour moi, c'est d'admettre que je ne suis pas parfait. Je suis humain. Je fais des erreurs.

Mais ce n'est pas toujours facile d'admettre cela à d'autres personnes, surtout quand mon erreur les touche. Prétendre qu'une chose n'est jamais arrivée, ou qu'elle n'a pas d'importance, ou justifier mon geste me semble tellement plus invitant. Mais il y a un prix à payer si je refuse de reconnaître que j'ai eu tort, et c'est la culpabilité.

Pendant des années, j'ai traîné avec moi de la culpabilité, comme un boulet. Al-Anon m'offre une alternative — la Dixième Étape. Je poursuis mon inventaire personnel et quand j'ai tort, je l'admets promptement. Lorsque j'avoue mon erreur, j'endosse la responsabilité de mes actes. Je me libère du fardeau d'un embarrassant secret et je deviens plus apte à accepter mon imperfection. Il m'est beaucoup plus facile de m'aimer si je m'accepte tel que je suis vraiment, avec mes erreurs et tout le reste.

Pensée du jour

Aujourd'hui, j'aurai le courage de regarder la vérité en face, d'admettre mes erreurs et mes réalisations, d'apprécier ma croissance et de faire amende honorable quand j'ai causé du tort à quelqu'un.

«Je me soucie de la vérité, non pour l'amour de la vérité, mais par égard pour moi.»

Samuel Butler

Socrate a dit: «La vie ne comporte que deux tragédies. L'une consiste à ne pas recevoir ce que notre cœur désire; l'autre, à le recevoir.»

Traduction: Ma volonté m'attire des ennuis. Je tends vers un but ou un autre, mais même lorsque je l'atteins, je suis rarement satisfait. Mon but ne comble pas ma vie, alors je hausse la barre, je détermine un nouveau but et je fais de plus grands efforts. Ou bien je n'obtiens pas ce que je veux et je me sens incompétent ou démuni. C'est peut-être la raison pour laquelle aucune des Douze Étapes ne parle d'exécuter *ma* volonté.

Les seules fois où j'ai jamais trouvé une satisfaction durable, c'est lorsque j'ai renoncé à ma propre volonté et que je me suis efforcé de rechercher la volonté de ma Puissance Supérieure. La prière et la méditation sont deux moyens que j'utilise pour chercher à découvrir quelle est la volonté de Dieu à mon égard, et cela m'aide à acquérir la force de l'exécuter.

Parfois mes espoirs et mes désirs *peuvent* me guider. Quand je suis disposé à placer la volonté de Dieu au-dessus de la mienne, ces rêves ont une chance de devenir une merveilleuse réalité.

Pensée du jour

La voie permettant de combler les vrais désirs de mon cœur, c'est l'abandon à la volonté de ma Puissance Supérieure.

«Nous savons que Dieu peut faire et fera tout pour notre plus grand bien, si nous sommes prêts à recevoir Son aide.»

Les Douze Étapes et les Douze Traditions

Une réunion Al-Anon est l'endroit où il est le plus probable que j'obtiendrai une réponse honnête à la question: «Comment vas-tu?» C'est nouveau pour moi, parce que durant longtemps la seule réponse que je pouvais donner à cette question était: «Je vais bien; et toi?» — même quand je n'allais pas bien du tout.

La négation est un symptôme des conséquences de l'alcoolisme. Tout comme les alcooliques nient souvent leur problème de consommation d'alcool, plusieurs parmi nous, qui avons été affectés par cette maladie, nions aussi nos problèmes. Bien qu'il se peut que nous ayons vécu dans le chaos, que nous nous soyons inquiétés de notre famille, que nous ayons douté de nous-mêmes et que nous ayons été démunis sur les plans spirituel, émotionnel et physique, plusieurs parmi nous avons appris à faire semblant que tout allait bien.

Aujourd'hui, il est important pour moi de me retrouver dans un environnement où l'on pratique l'honnêteté. Je ne me lance pas nécessairement dans une description détaillée de mes malheurs ou de mes joies — ce n'est pas toujours souhaitable ni approprié — mais quand on me demande comment je vais, j'essaie de chercher la vraie réponse. Cela me libère de l'habitude de nier et me permet de choisir ce que je répondrai.

Pensée du jour

Comment est-ce que je me sens aujourd'hui? Est-ce que je vais bien? Si je peux répondre franchement à ces questions, je suis plus en mesure de continuer à chercher l'aide dont j'ai besoin et de partager également mes bons moments avec les autres.

> «Nous pouvons dire ce que nous pensons seulement si nous avons le courage d'être honnêtes envers nous-mêmes et envers les autres.»
>
> *Un dilemme: le mariage avec un alcoolique*

J'ai souvent essayé d'éviter de répéter les mêmes erreurs en me fixant des règles de conduite sévères. Même si je peux apprendre par l'expérience, je suis incapable de planifier chaque situation susceptible d'arriver dans l'avenir. Essayer d'agir ainsi ne fait que limiter mes options. Quand je m'égare dans une façon de penser aussi étroite, Al-Anon me rappelle de «garder l'esprit ouvert».

Je suis content de ce rappel, parce que je change constamment. J'ai continuellement besoin de renoncer à mes anciennes idées lorsqu'elles ne sont plus efficaces. Si je ne m'attache pas trop à une façon unique d'aborder la vie, je m'adapte au changement avec beaucoup moins de stress et d'effort.

Quand je m'exerce à garder l'esprit ouvert, j'ai tendance à croiser sur mon chemin des personnes qui, elles aussi, ont une façon de penser flexible, et nous nous aidons mutuellement à voir plus clairement. Comme le dit un ami: «Nous ne voyons pas le monde tel qu'il est. Nous voyons le monde tel que nous sommes.»

Pensée du jour

Dans ma croissance personnelle, je continue d'apprendre et de désapprendre, remplaçant les anciennes idées par de nouvelles et en reprenant d'autres qui avaient été rejetées. Aujourd'hui, j'accueille ce flot d'informations qui nourrira mon esprit et le remplira à mesure que je deviendrai de plus en plus moi-même.

> «Envisager le changement et se comporter comme un esprit libre en présence du destin est une force indéfectible.»
>
> Helen Keller

Il y a eu des jours où plusieurs d'entre nous avons eu l'impression que les bons moments ne reviendraient jamais. Après tant de déceptions, il nous semblait trop pénible de continuer à espérer. Nous avons fermé notre cœur et notre esprit à nos rêves et nous avons cessé de nous attendre à trouver le bonheur. Nous n'étions pas heureux, mais au moins nous ne serions plus déçus.

Il est risqué de s'intéresser aux autres, d'espérer, de désirer. Mais à mesure que nous nous rétablissons des conséquences de l'alcoolisme, nous pouvons trouver que cela vaut la peine de prendre des risques. Avec le temps, il n'est peut-être pas suffisant de simplement éviter les déceptions; nous voulons davantage, nous voulons une vie satisfaisante, remplie, exaltante, avec de la joie aussi bien que de la peine. Le seul fait de trouver la volonté de croire que la joie peut exister dans notre vie d'aujourd'hui peut se révéler un véritable défi, mais jusqu'à ce que nous fassions de la place dans notre cœur pour les bons moments, nous ne les reconnaîtrons peut-être pas lorsqu'ils se présenteront.

Personne n'est heureux tout le temps, mais nous sommes tous capables de nous sentir bien. Nous méritons de nous permettre d'éprouver chaque parcelle de joie que la vie peut offrir.

Pensée du jour

Je ne laisserai pas la peur de la déception m'empêcher de profiter de cette journée. J'ai une grande aptitude au bonheur.

«Je veux accroître mon consentement à faire de la place dans ma vie pour les bons moments, ayant foi en leur réalisation et ayant la patience de les attendre.»

La sobriété: un nouveau départ

J'ai entendu dire que les seules comparaisons valables s'établissaient entre ce que je suis et ce que j'étais auparavant. Quand je réfléchis à la Deuxième Étape et au fait de recouvrer la raison, c'est cette comparaison qui me vient à l'esprit.

Je me souviens d'un incident survenu il y a environ vingt ans, alors que je me rendais en motocyclette à un cours de méditation. J'étais parti en retard et je me hâtais pour arriver à l'heure. Juste devant l'école, j'ai eu un accident. Ma tentative pour imposer une solution — rattraper mon retard en faisant de la vitesse pour me rendre à une rencontre avec la sérénité — avait échoué. Est-ce que je le regrettais? Non, pas vraiment. Même à l'époque, j'ai saisi l'ironie du fait de me précipiter pour aller à un cours de méditation, mais j'étais surtout en colère parce que la ville n'avait pas bien entretenu la chaussée où je roulais. Au lieu d'endosser la responsabilité de mon excès de vitesse et de ma propre négligence, j'ai blâmé les autres et je me suis considéré une victime. Je n'ai pas éprouvé de gratitude d'avoir eu la vie sauve; j'étais en colère de m'être fait mal et d'être en retard sur l'horaire prévu.

Pensée du jour

Avec du recul, je vois de nombreux exemples où la grâce d'une Puissance supérieure à moi-même a été à l'œuvre dans ma vie. Je constate que je recouvre peu à peu la raison et j'ai de plus en plus confiance que je continuerai à progresser.

«Notre devoir dans la vie ne consiste pas à dépasser les autres, mais à nous dépasser nous-mêmes.»

Maltbie D. Babcock

L'inquiétude et la peur peuvent fausser nos perceptions au point de nous faire perdre tout sens de la réalité, transformant des situations ordinaires en cauchemars. Parce que la plupart de nos inquiétudes portent sur l'avenir, si nous apprenons à rester dans le présent, à vivre un jour à la fois ou un moment à la fois, nous posons des gestes positifs pour parer aux effets de la peur.

Dans le passé, plusieurs d'entre nous avons essayé de prévoir toutes les conséquences désastreuses possibles afin d'être prêts à nous protéger. Mais aujourd'hui, notre programme, notre fraternité et une Puissance Supérieure nous permettent de voir cette protection de nous-mêmes de façon plus objective. Quand nous faisons de sombres prévisions, nous perdons contact avec la réalité du moment et nous voyons le monde comme un endroit menaçant devant lequel nous devons constamment être sur nos gardes.

La plupart de nos peurs n'arriveront jamais et si elles se réalisent, il est probable que le fait de les prévoir ne nous y préparera pas mieux. Mais à mesure que notre foi, notre estime personnelle et notre confiance en notre Puissance Supérieure grandiront, nous en viendrons à être capables de faire pour nous-mêmes ce que nos prévisions n'auraient jamais pu accomplir: prendre les mesures appropriées dans n'importe quelle situation.

Pensée du jour

Aujourd'hui, je reconnaîtrai que les inquiétudes peuvent être convaincantes et perturbatrices. Je choisis de ne pas m'y complaire.

«Je n'ai pas peur des tempêtes car j'apprends à mener ma barque.»

Louisa May Alcott

Parce que j'avais vécu dans un foyer où l'on abusait de l'alcool, l'idée d'être bon pour moi-même m'était étrangère. Ce qui m'était familier, c'était de m'efforcer d'atteindre la perfection et de me détester quand je n'atteignais pas mes buts.

Lors d'une réunion Al-Anon, j'ai entendu ceci pour la première fois: «Sois bon pour toi-même.» J'ai eu de la difficulté avec cette idée jusqu'à ce que je fasse travailler mon imagination. Je me suis figuré que je trouvais un chaton et que je le tenais dans le creux de mes mains. J'ai imaginé les sentiments que j'aurais envers cette adorable créature — tendresse, patience, compassion, émerveillement, amour. Je me suis rapidement mis à la place du chaton et j'ai dirigé tous ces bons sentiments vers moi. Cela a été efficace!

À mesure que j'ai progressé dans Al-Anon, j'en suis venu à voir que ma Puissance Supérieure me traite de cette même façon empreinte de tendresse — chaque jour, Elle me protège, me guide et m'aime.

Pensée du jour

Si je suis sévère envers moi-même, je peux y mettre un terme et me rappeler que je mérite de la bonté et de la compréhension de ma part. Être humain n'est pas un défaut de caractère! Aujourd'hui, je serai tendre en ce qui concerne mon côté humain.

«La question n'est pas de savoir ce qu'un homme peut mépriser, déprécier ou critiquer, mais ce qu'il peut aimer, valoriser et apprécier.»

John Ruskin

Les légendes ont souvent raconté des cheminements spirituels où le héro doit faire face à de grands défis avant de conquérir un trésor en fin de parcours. En tant que héros de notre propre histoire, nous, membres Al-Anon, avons aussi entrepris un cheminement spirituel — un cheminement à la découverte de soi.

Avec l'aide de notre programme et le soutien de notre fraternité, nous explorons nos motivations cachées, nos secrets, nos souvenirs refoulés et nos talents ignorés. À mesure que nous puisons à même la sagesse des Étapes, des principes et des outils d'Al-Anon, nous apprenons à surmonter les obstacles à notre croissance personnelle, tels que les conséquences de l'alcoolisme et nos multiples défauts de caractère.

Au cours de ce cheminement, nous sommes guidés par une Puissance supérieure à nous-mêmes, mais nous devons faire notre part. Ce n'est qu'en affrontant les ténèbres que nous pouvons recevoir le trésor, c'est-à-dire la lumière et la joie d'émerger, libérés de tout ce qui nous retenait.

Pensée du jour

La connaissance de soi est la voie menant à la liberté personnelle. Les Étapes me donnent une orientation et m'aident à faire face à tout ce que je rencontre sur mon chemin.

> «On ne peut découvrir le monde par un voyage où ce sont les kilomètres qui comptent... mais uniquement par un cheminement spirituel... par lequel nous arrivons où nous sommes présentement et apprenons à nous sentir à notre place.»
>
> Wendell Berry

D'après un membre de longue date, «une attente est un ressentiment prémédité.» Je crois que cet énoncé suggère que lorsque j'éprouve du ressentiment, je peux examiner mes attentes pour en trouver la source probable.

Voici un exemple: J'ai un frère qui accorde moins d'importance que moi à la ponctualité. Quand nous nous fixons un rendez-vous pour une certaine heure, je coopère à l'établissement de conditions susceptibles de me faire nourrir du ressentiment. D'un autre côté, quand je fais avec mon frère un projet qui n'est basé sur aucune attente de ponctualité, je n'éprouve aucun ressentiment.

Pensée du jour

J'ai le droit de choisir mes propres critères de conduite, mais je n'ai ni le droit ni le pouvoir d'imposer ces critères aux autres.

> «Je m'accepte tel que je suis et je commence à accepter les autres tels qu'ils sont chaque jour. Maintenant j'éprouve moins de ressentiment.»
>
> *La sobriété: un nouveau départ*

Un des avantages d'être un membre Al-Anon de longue date consiste à avoir accumulé une réserve considérable d'expériences saines, positives, qui me rappellent que ma Puissance Supérieure mérite ma confiance. Même si j'ai affronté nombre de défis et de difficultés au cours des années, ma Puissance Supérieure ne m'a jamais laissé tomber. Cela ne m'a pas empêché d'avoir des problèmes ; sinon, je n'aurais pas eu ces leçons qui changent toute une vie et que je n'aurais pas pu apprendre autrement. J'ai eu plutôt des occasions de progresser et des défis à relever — mais jamais plus que je n'étais capable d'affronter. Même quand je craignais que les circonstances que je vivais soient trop difficiles pour moi, l'aide, l'orientation et le réconfort étaient toujours là.

Aujourd'hui, quand je fais face à une situation de crise, je n'ai pas besoin d'avoir peur. Ma propre expérience m'apprend que je peux me fier à une Puissance supérieure à moi-même pour m'aider dans tout ce qui arrive. Au début, je devais « agir comme si » je croyais qu'on s'occuperait de moi. Mais chaque fois que j'ai pris ce risque, j'ai constaté des résultats. À maintes et maintes reprises, ma Puissance Supérieure S'est manifestée pour m'aider. Je n'ai jamais regretté ma décision de faire confiance.

Pensée du jour

Chaque journée se révèle une occasion d'accumuler une réserve d'expériences spirituelles positives. Aujourd'hui, je prendrai note de ce qui se produit quand j'ai foi en ma Puissance Supérieure.

« L'expérience est de loin la meilleure preuve. »

Francis Bacon

Afin d'empêcher la famille et les amis d'entraver leur consommation d'alcool, les alcooliques créent parfois des diversions en accusant ou en provoquant. Dans de telles circonstances, nous qui avons été affectés par la consommation d'alcool d'une autre personne avons tendance à réagir, à disputer et à nous défendre. Comme résultat, personne n'a à envisager l'alcoolisme, parce que nous sommes trop occupés à nous concentrer sur le sujet de discussion — n'importe quel sujet fera l'affaire. Et malheureusement, en défendant un point de vue en particulier, nous le rendons réel.

Quand nous faisons notre Première Étape, nous admettons notre impuissance devant cette maladie. Nous n'avons pas la force nécessaire pour la combattre. Il est aussi inutile de nous défendre en nous engageant dans des disputes avec des alcooliques en phase active ou avec d'autres personnes irrationnelles que de revêtir une armure pour nous protéger d'une explosion nucléaire. Seule une Puissance supérieure à nous-mêmes peut nous rendre la raison.

Pensée du jour

J'ai la responsabilité de prendre les mesures nécessaires pour assurer ma sécurité. Mais lorsque ma sécurité n'est pas en jeu, je peux prendre le temps de choisir mes réactions. Je ne suis pas obligé de réagir instantanément à une provocation et je ne suis pas obligé de me justifier devant qui que ce soit. En me tournant vers ma Puissance Supérieure pour me protéger plutôt que d'avoir recours à mon intelligence ou à ma volonté, je me munis de la meilleure défense possible.

> «Après avoir appris à voir notre situation sous son vrai jour, nous avons compris pourquoi il fallait que nous nous tournions vers une Puissance supérieure à nous-mêmes.»
>
> *Les Douze Étapes & les Douze Traditions d'Al-Anon*

La Deuxième Étape traite de possibilité, d'espoir. Grâce à cette Étape, nous en venons à croire qu'une Puissance supérieure à nous-mêmes *pouvait* nous rendre la raison. On nous demande d'ouvrir notre esprit à la possibilité qu'une aide soit disponible. Peut-être qu'il y a une source d'aide qui peut faire pour nous ce que nous avons été incapables de faire nous-mêmes. Nous ne sommes pas obligés de croire que cela se *produira*, seulement qu'il y a une possibilité.

Ce petit rayon d'espoir, cette fissure dans l'armure du désespoir suffit à démontrer que nous sommes disposés à aller dans le sens du rétablissement. Une fois que nous reconnaissons la possibilité qu'une aide existe, il semble qu'il vaille la peine d'explorer une relation avec une Puissance Supérieure. Un peu de bonne volonté peut contribuer grandement à ce que l'espoir et la foi deviennent partie intégrante de notre vie. Entre les mains d'une Puissance Supérieure, l'équilibre mental et la sérénité deviennent des espoirs réalistes.

Pensée du jour

Notre documentation souligne la possibilité de trouver du contentement et même du bonheur grâce au rétablissement dans Al-Anon. Ce processus me permettra aujourd'hui de faire la Deuxième Étape et d'ouvrir mon esprit à l'espoir.

> «Trouver une force intérieure consiste à regarder au-delà du visible et à se concentrer sur la recherche de l'invisible dans la vie.»
>
> *Tel que nous Le concevions...*

La Troisième Étape parle de confier ma volonté et ma vie aux *soins* d'une Puissance Supérieure. Selon moi, cette Puissance est une présence qui m'aime tel que je suis, qui m'accepte avec compassion tant dans les mauvais jours que dans les bons. Après avoir accepté que la présence destructrice de l'alcoolisme d'une autre personne a affecté ma vie, j'ai besoin de l'influence bienfaisante d'une Puissance Qui ne peut être affectée par cette maladie. Quand je confie ma volonté et ma vie à cette Puissance, je deviens apte à être guidé; je suis disposé à accepter la sollicitude d'une Puissance supérieure à moi-même.

Je songe à cette sollicitude comme étant une source d'amour et de support moral, laquelle m'entoure dans ma vie quotidienne. Je n'ai ni à la gagner ni à travailler pour l'avoir; je n'ai qu'à être réceptif. Je n'en ai pas moins à exercer ma volonté et à vivre ma vie, mais je le fais en baignant dans la lumière de l'amour et de la compréhension.

Pensée du jour

Quand j'ouvre mon cœur à une Puissance Qui me comble d'amour et d'acceptation, je peux commencer à étendre cet amour et cette acceptation aux autres. Il se peut que je n'y arrive pas parfaitement ni même régulièrement, mais je peux reconnaître mes progrès un jour à la fois.

«Les bienfaits de Dieu font honte aux plus beaux rêves de l'homme.»

Elizabeth Barrett Browning

Comme il est facile de justifier notre propre comportement inacceptable ! Peut-être que nous nous excusons en prétendant que nous avions été provoqués ou que nous n'avions pas le choix. Ou nous minimisons l'importance de nos actes en affirmant que tout le monde agit de la sorte. Grâce à ces justifications et à bien d'autres, nous faisons comme si nos erreurs ne comptent pas. Cette négation doit être surmontée lorsque nous entreprenons notre Quatrième Étape.

Par cette Étape, nous procédons à un inventaire moral, sérieux et courageux de nous-mêmes. Il est courageux à cause de la solide base spirituelle que nous avons édifiée dans les trois premières Étapes. Il est moral parce que nous dressons une liste des choses que nous croyons bonnes ou mauvaises dans notre conduite. Et il est sérieux. La seule façon de faire cette Étape avec sérieux et en profondeur, c'est de résister au désir de justifier et d'excuser ce que nous découvrons. Cela peut exiger du courage et de la discipline personnelle, mais en reconnaissant franchement ce que nous avons été, nous pouvons effectuer des changements positifs quant à ce que nous devenons.

Pensée du jour

Je suis un être humain ayant des forces et des faiblesses, capable de réussites et d'erreurs. Parce que j'accepte cela, je peux me regarder attentivement. Aujourd'hui, je trouverai en moi quelque chose à apprécier et quelque chose à améliorer.

« On ne se trouve jamais tant qu'on ne fait pas face à la vérité. »

Pearl Bailey

Quand j'ai fait ma Cinquième Étape, j'ai soigneusement examiné les mots: «Nous avons avoué à Dieu, à nous-mêmes et à un autre être humain...» J'ai été frappé par l'ordre dans lequel ces mots sont placés: d'abord Dieu, ensuite moi et enfin un autre être humain. Il m'est arrivé si souvent d'avoir été vaguement conscient de certaines vérités dans ma vie, des vérités que je ne voulais pas admettre en mon for intérieur. Cependant, ma Puissance Supérieure avait déjà placé cette pensée dans mon esprit. Il faut que ce soit ma Puissance Supérieure Qui l'y ait placée — si j'essaie d'ignorer cette pensée, c'est sûrement qu'elle ne vient pas de moi.

J'essaie de me servir de cela quand je prends des décisions concernant ma vie. Lorsque je présume que ma Puissance Supérieure a déjà mis la réponse dans mon esprit, je peux alors être disposé à reconnaître cette réponse — peu importe si je pense qu'elle me plaira ou si je pense qu'elle ne me plaira pas. Je peux en devenir conscient à l'instant même, ou cela peut prendre du temps et de la patience, mais je peux croire que la réponse est en moi et qu'au moment opportun, elle deviendra évidente. Ensuite je confie mes pensées à une autre personne en qui j'ai confiance. Ce processus m'aide à passer à l'action concernant les réponses que je reçois et à aller de l'avant dans ma vie.

Pensée du jour

Il n'y a rien dans la vie qui doit nécessairement me confondre. Avec l'aide de ma Puissance Supérieure, je peux trouver la réponse à n'importe quel problème que j'affronte. Cette connaissance me donne le courage d'agir. Je n'ai qu'à être disposé à accepter la réponse que je reçois.

«Regardez en vous!...Le secret réside à l'intérieur de vous.»

Hui-neng

La Sixième Étape parle de consentir pleinement à ce que Dieu élimine tous mes défauts de caractère. Cependant, il m'arrive souvent de m'accrocher à mes défauts parce qu'ils me procurent une certaine satisfaction.

Quels défauts seraient susceptibles de me procurer de la satisfaction? La vengeance en est un. Je passe beaucoup de temps à imaginer des scénarios où je punis ceux qui m'ont fait souffrir. Je retire aussi beaucoup de satisfaction à penser que je n'ai jamais tort; en d'autres mots, je m'accroche à mon orgueil. Cependant, ces caractéristiques sont des défauts qui entravent le genre de vie que je veux vivre et m'empêchent de me traiter et de traiter les autres avec amour et respect. Il y a de nombreuses raisons pour renoncer à ces défauts, mais afin d'y arriver, je dois consentir à me priver de la satisfaction qu'ils me procurent parfois.

Mon rétablissement comportera un grand vide tant que je ne serai pas disposé à renoncer à mes défauts. Si je veux me rétablir, je dois confier ma volonté, ma vie et mes défauts de caractère à Dieu.

Pensée du jour

Est-ce que les petites satisfactions temporaires que je retire de mes défauts de caractère valent le prix que je paie pour les garder? Sinon, il se peut qu'aujourd'hui je consente pleinement à en abandonner quelques-uns.

«Je sais que cette aide n'attend que mon consentement, que ces paroles: "Que Ta volonté soit faite et non la mienne."»

Un dilemme: le mariage avec un alcoolique

Quand, dans mon étude des Étapes, j'en suis arrivé à la Septième («Nous Lui avons humblement demandé de faire disparaître nos déficiences»), j'ai buté sur un des premiers mots. «Humblement! ai-je pensé. La dernière chose dont j'ai besoin, c'est bien d'avoir plus d'humilité.» N'avais-je pas été humble toute ma vie, plaçant les besoins de tout le monde avant les miens? Qu'est-ce que cela m'avait apporté, sinon des abus?

Mais Al-Anon m'a suggéré que j'avais peut-être confondu humilité avec humiliation. Être humble ne veut pas dire supplier pour demander grâce. La vraie humilité, ai-je découvert, c'est la capacité de voir ma véritable relation avec Dieu et avec mes semblables.

Le mot «demandé» n'a pas été beaucoup plus facile. J'avais appris à ne rien demander à qui que ce soit. Al-Anon m'a appris que ma connaissance et mon expérience sont limitées. Je ne connais pas toutes les réponses — et je n'ai pas à les connaître toutes! Je peux demander de l'aide.

Ma perception du dernier mot de cette Étape a changé également. Autrefois je confondais déficiences avec crimes, défauts, péchés ou erreurs. Maintenant je perçois mes déficiences comme des blocages intérieurs qui m'empêchent d'atteindre mon plein potentiel et me gardent à distance de ma Puissance Supérieure.

Pensée du jour

Je peux faire une foule de choses pour améliorer ma vie et poursuivre mon rétablissement, mais je suis incapable de me guérir. Aujourd'hui, je peux demander de l'aide pour me libérer de tous ces blocages qui m'empêchent d'être véritablement moi-même.

«Si mes problèmes m'ont amené à la prière, alors ils ont eu un but.»

Tel que nous Le concevions...

Lorsque le temps est venu de passer à l'action dans l'application de ma Huitième Étape («Nous avons dressé une liste de toutes les personnes que nous avions lésées et nous avons consenti à leur faire amende honorable»), je me suis arrêté net! Je connaissais bon nombre de personnes que j'avais lésées, mais je ne voulais absolument pas ne serait-ce qu'envisager de faire amende honorable à certaines d'entre elles.

Mon parrain m'a suggéré de diviser ma liste en trois catégories: les personnes à qui je *voulais* faire amende honorable, celles à qui je *pourrais* faire amende honorable et celles à qui je ne ferais absolument *jamais* amende honorable. Quand j'ai eu fini, j'ai entrepris ma Neuvième Étape en faisant amende honorable aux personnes de la première catégorie.

En cours de route, j'ai été étonné de voir passer certaines personnes de la deuxième catégorie à la première. Avec le temps, même certaines personnes de la troisième catégorie sont apparues dans la deuxième catégorie. En fin de compte, il m'est devenu plus facile de faire amende honorable, même aux personnes de la troisième catégorie. Ma récompense? J'ai renoué certains liens avec des amis et des membres de ma famille; mais ce qui est encore plus important, j'ai acquis la capacité de faire face à une nouvelle journée sans ressentir de la culpabilité, parce que j'avais reconnu mes responsabilités.

Pensée du jour

Je ne m'empêcherai pas de faire ma Huitième ou ma Neuvième Étape parce que je ne peux pas les faire à la perfection du jour au lendemain. Je me permettrai d'être là où j'en suis aujourd'hui et je ferai ce que je suis capable de faire.

«Peu importe que vous alliez lentement, en autant que vous n'arrêtiez pas.»

Confucius

La Neuvième Étape dit que je ne suis pas tenu de réparer directement mes torts envers les personnes que j'ai lésées si, en agissant ainsi, je risque de nuire à nouveau. Comment puis-je savoir si je dois ou non passer à l'action?

S'il n'est pas opportun de faire directement amende honorable, je peux être assuré que ma Puissance Supérieure me l'indiquera. Autrement, si j'ai fait ma Huitième Étape et si j'ai consenti vraiment à réparer mes torts, je crois que l'occasion se présentera quand je serai prêt.

Par exemple, j'étais incapable de discuter de ma vie personnelle avec ma mère. Craignant son rejet, c'était plutôt moi qui la rejetais. L'occasion de lui faire amende honorable s'est présentée lors de sa visite suivante, mais je n'étais pas certain d'être prêt. Est-ce que faire amende honorable *me* nuirait à ce moment-ci?

Après l'arrivée de ma mère, j'ai eu l'intuition que c'était «le bon moment». J'ai prié pour avoir du courage et j'ai demandé à ma Puissance Supérieure de m'aider à trouver les mots. Ma mère s'est assise avec moi et dans un moment de tranquillité, à mon grand étonnement, elle a abordé tous les sujets dont je voulais discuter. Je me suis rendu compte que l'occasion de me rapprocher d'elle avait toujours existé, mais que jusque-là, je n'avais pas été disposé à la saisir.

Pensée du jour

Ma Puissance Supérieure ne me place devant aucun défi auquel je suis incapable de faire face. Le réconfort que je ressens en sachant cela peut vaincre mes peurs.

«Ce qui est lointain et difficile est un leurre décevant. L'excellente occasion se trouve là où vous êtes.»

John Burroughs

Puisque la Dixième Étape fait partie de ma routine quotidienne, j'essaie de la percevoir comme une façon douce, chaleureuse et aimante de prendre soin de moi. En poursuivant mon inventaire personnel et en admettant promptement mes torts, je me débarrasse de nombreuses attitudes indésirables qui, autrement, pourraient gâcher ma journée.

Cette Étape m'a aidé à apprendre que vivre «un jour à la fois» implique davantage que cesser de concentrer mon attention sur la peur de l'avenir. Elle veut dire aussi de laisser les bagages d'hier dans le passé. Chaque jour, je me demande si transporter cet excédant de poids m'aidera de quelque façon aujourd'hui. Sinon, je peux m'en défaire dès maintenant et m'éloigner du négativisme indésirable, l'esprit en paix.

Pensée du jour

En cette nouvelle journée, fasse que je réfléchisse calmement et que je recherche tout sentiment négatif qu'hier aurait laissé. Mes anciens ressentiments entraveront ma sérénité d'aujourd'hui. Il est peut-être temps que je les abandonne.

«Chaque jour, chaque nouveau moment peut s'avérer une occasion d'assainir l'air et de recommencer, libres et dispos.»

... dans tous les domaines de notre vie

Dans la Onzième Étape, je tente d'améliorer mon contact conscient avec Dieu par la prière et la méditation. C'est uniquement à moi de décider comment y parvenir. Peut-être que je deviens davantage conscient d'une Puissance Supérieure quand je cherche des signes pour me guider dans les gens qui m'entourent, ou dans les événements et les coïncidences inexpliquées qui surviennent dans ma vie. Ou peut-être que je cherche cette Puissance au-delà du monde de la logique et de la raison: je pourrais chercher des réponses à travers mes sentiments, mon intuition ou mes rêves. Je poursuis peut-être une voie spirituelle plus traditionnelle. Ou je peux décider d'avoir l'esprit ouvert à toutes ces possibilités. Quelle que soit la voie que je choisis, je sais que je dois continuer d'essayer aussi souvent que possible de suivre cette voie que ma Puissance Supérieure m'offre. C'est seulement de cette façon que je peux être sûr de mes actes; c'est seulement de cette façon que je peux trouver le courage de changer.

Pensée du jour

Je prendrai le temps de chasser de mon esprit les pensées inutiles qui s'y pressent. Il semble y avoir un espace limité dans mon esprit jusqu'à ce que je fasse le ménage. Mais quand je le débarrasse de ce qui l'encombre, l'espace prend des proportions illimitées et l'orientation que je suis vraiment disposé à accepter apparaît.

> «L'exercice spirituel suggéré par la Onzième Étape est une puissante force bénéfique dans notre vie. Puissé-je ne jamais penser que je n'ai pas de temps à consacrer à cet exercice.»
>
> *Un dilemme: le mariage avec un alcoolique*

Lentement, à mesure que j'ai commencé à me rétablir, je me suis rendu compte que le programme Al-Anon était un cadeau merveilleux. Il me faisait comprendre cette maladie, me donnait des outils pour changer ma vie, le courage de m'en servir, et un endroit où je pouvais parler de mes secrets et entendre les autres parler des leurs. Je voulais que ma famille et mes amis aient aussi tous ces bienfaits.

Puis j'ai lu la Douzième Étape, nous suggérant de transmettre le message à d'autres, et j'ai commencé mon travail de missionnaire. J'ai traîné des gens aux réunions. J'ai prêché ce que j'avais appris à quiconque voulait m'écouter — et même à ceux qui ne le voulaient pas. Bien entendu, je me suis couvert de ridicule et rien de tout cela n'a porté fruit.

Alors j'ai relu la Douzième Étape. Cette fois, j'ai remarqué la deuxième partie qui parle de mettre ces principes en pratique dans tous les domaines de notre vie. Lentement, j'en suis venu à comprendre qu'en vivant selon ces principes, je transmettrais le message par l'exemple.

Pensée du jour

Il n'est que normal de vouloir faire connaître à ceux que j'aime ce qui est efficace pour moi. Mais quand j'ai l'impression que je *dois* le faire *maintenant*, il se peut que je sois plus intéressé à changer les autres qu'à partager mon expérience, ma force et mon espoir. Si je me sens poussé à transmettre le message, je peux m'efforcer d'améliorer le message véhiculé par mon propre exemple.

> «Nous ne devons pas insister pour que tout le monde suive nos traces, ni nous charger de donner des directives en matière de spiritualité quand, peut-être, nous ne savons même pas de quoi il s'agit.»
>
> Thérèse d'Avila

«La langue a fait périr plus de monde que l'épée.» Cette citation attire l'attention sur une arme que plusieurs d'entre nous utilisons: le sarcasme. La remarque tranchante, l'insinuation malveillante, le sourire méprisant.

Si je pouvais me voir lorsque je me lance dans ces attaques verbales, je ne serais pas fier du spectacle. Alors, pourquoi le faire? Quand je suis furieux ou frustré, il se peut que je retire une satisfaction passagère en marquant un point, mais est-ce que le sarcasme m'apporte ce que je désire vraiment? Est-ce que le fait d'attaquer une autre personne contribuera à résoudre les problèmes entre nous? Est-ce que c'est vraiment la façon dont je veux me comporter? Certainement pas.

Il m'arrive parfois de me sentir impuissant et en colère. Quand c'est le cas, je pourrais essayer de téléphoner à un ami Al-Anon, ou assister à une réunion où je peux acquérir une certaine perspective de la situation. Je pourrais écrire tous les vilains mots que j'aimerais dire pour ensuite les lire à mon parrain. Parfois cela me fait du bien de les exprimer. Mais je dois le faire d'une manière appropriée et ainsi, éviter de blesser les autres inutilement. Par la suite, je serai plus en mesure d'adopter un comportement constructif et de communiquer d'une façon dont je peux être fier.

Pensée du jour

La plupart d'entre nous portons plus que notre part de honte. Je n'ajouterai pas au problème en me servant de paroles cruelles, de mots d'esprit pour humilier un autre être humain. En agissant ainsi, la honte rejaillirait sur moi.

«...*tout le monde* dans l'environnement d'un alcoolique mérite et a besoin d'attentions spéciales.»

La sobriété: un nouveau départ

Dans Al-Anon, nous parlons beaucoup de la nécessité de laisser les autres subir les conséquences de leurs actes. Nous savons que la plupart des alcooliques doivent toucher «le fond de l'abîme» et se sentir inconfortables dans leur propre comportement avant de pouvoir faire vraiment quelque chose à ce sujet. Ceux d'entre nous qui aimons des alcooliques devons souvent apprendre à nous enlever du chemin menant à cet abîme. Nous apprenons à nous détacher avec amour.

Il y a une autre raison de nous détacher avec amour et elle peut être également importante dans l'établissement de relations saines, aimantes, respectueuses. Plusieurs d'entre nous sommes intervenus non seulement dans les problèmes d'un être cher mais aussi dans ses réalisations. Je peux avoir les meilleures intentions du monde, mais si j'endosse les responsabilités des autres, je les prive peut-être de la possibilité d'accomplir quelque chose et de se sentir fiers de ce qu'ils ont fait. Même si j'essaie d'aider, mes gestes peuvent démontrer un manque de respect quant aux capacités de ceux que j'aime. Lorsque je me détache avec amour, j'offre du soutien en laissant à ceux que j'aime la liberté d'expérimenter tant la satisfaction que la déception.

Pensée du jour

J'apprends à faire la différence entre aider et intervenir. Aujourd'hui, j'examinerai ma façon d'offrir du soutien.

> «Le détachement ne signifiait pas le désintéressement... Je considérais le détachement comme une forme de "respect de l'autre personne".»
>
> *Al-Anon face à l'alcoolisme*

Al-Anon en aide plusieurs d'entre nous à faire face à des situations de crise que nous n'aurions tout simplement pas pu affronter seuls. Nous apprenons à nous appuyer sur une Puissance supérieure à nous-mêmes et grâce à notre foi et au soutien dont nous sommes entourés, nous découvrons que nous pouvons vivre et même progresser au cours de périodes terriblement difficiles. Pour la plupart d'entre nous, la situation finit par changer, ou nous apprenons à y trouver la paix.

Mais certains parmi nous continuent à s'inquiéter. Qu'arrivera-t-il si les situations de crise reviennent? Al-Anon m'a aidé auparavant, mais sera-t-il encore efficace pour moi si j'en ai besoin de nouveau? Qu'arrivera-t-il si un autre malheur survient?

Je ne peux pas savoir ce que l'avenir me réserve. Mon plus grand espoir a autant de chances de se réaliser que ma pire peur; par conséquent, je n'ai aucune raison de donner plus de poids à mes sombres suppositions. Tout ce que je peux faire, c'est de tirer le meilleur parti possible de la présente journée. Aujourd'hui, je peux choisir de faire confiance à mon rétablissement, aux outils du programme et à ma Puissance Supérieure, et reconnaître tout le chemin que j'ai parcouru.

Pensée du jour

Aujourd'hui, je m'accorderai quelques minutes pour reconnaître ma croissance. Je ne suis pas parfait, mais j'ai certainement progressé.

> «... nous pouvons ne pas reconnaître tout de suite nos progrès, mais les effets de la pratique du programme Al-Anon sont profonds et durables.»
>
> *...dans tous les domaines de notre vie*

Au moment où nous arrivons à Al-Anon, plusieurs parmi nous faisons du ressentiment contre les personnes dont la vie semble moins mouvementée que la nôtre, enviant ce que nous pensons qu'elles possèdent. Mais avec le temps, nous découvrons que chacun de nous est spécial. J'ai un ensemble unique d'aptitudes, d'intérêts et d'occasions dans ma vie. Je suis assuré que j'ai tout ce dont j'ai besoin pour faire ce pourquoi je suis ici aujourd'hui. Cela ne signifie pas que j'ai tout ce que je veux, mais je peux croire que ma Puissance Supérieure a une meilleure connaissance que moi de ce qui est bon pour moi.

Envier les autres parce que je veux ce que je pense qu'ils possèdent est une perte de temps. Nos voies diffèrent. Les autres ont ce dont ils ont besoin, j'ai ce dont j'ai besoin. Le ressentiment ne fera que mettre la brouille entre moi et un autre être humain.

Je ne suis la victime de personne. Je suis à ma place. L'envie n'est rien d'autre qu'une forme hostile d'apitoiement. Je n'y succomberai pas aujourd'hui. J'éprouverai plutôt de la gratitude pour les nombreux bienfaits, talents et occasions qui m'ont été donnés. Quand j'apprécie ce que j'*ai* au lieu de m'attarder sur ce qui me *manque*, j'apprécie ma vie. Cela me permet d'être heureux de l'abondance dont profite une autre personne.

Pensée du jour

L'abondance dont jouit une autre personne me rappelle que des choses merveilleuses peuvent arriver n'importe quand et à n'importe qui. J'apprécierai les nombreux bienfaits que j'ai reçus.

«Peu importe ce que Dieu vous a donné, acceptez-le avec gratitude.»

Horace

Quand je suis troublé par le comportement d'une autre personne, par une situation compliquée ou une tournure d'événement décevante, Al-Anon me rappelle que je n'ai pas à me sentir visé personnellement. Je ne suis pas une victime dans tout ce qui arrive, à moins que je ne choisisse de me voir ainsi. Bien que les choses ne se passent pas toujours comme je le veux, je peux accepter ce que je ne peux changer et changer ce que je peux.

Peut-être que je peux voir mes problèmes sous un angle différent. Si je les accepte pour ce qu'ils sont sans me sentir visé personnellement, il se peut que je m'aperçoive que ce ne sont pas du tout des problèmes, seulement des choses qui ne se sont pas déroulées comme je le voulais. Ce changement d'attitude peut m'aider à me libérer afin d'évaluer la situation avec réalisme et aller de l'avant de façon constructive.

Pensée du jour

Blâmer des événements extérieurs pour mon malaise peut se révéler un moyen d'éviter de faire face à la cause réelle — ma propre attitude. Je peux me considérer comme une victime, ou je peux accepter ce qui se produit dans ma vie et assumer la responsabilité de ma réaction. Il se peut que je sois guidé afin de passer à l'action ou de ne rien faire, mais lorsque je serai à l'écoute des directives de ma Puissance Supérieure, je ne serai plus la victime des circonstances de ma vie.

> «Dieu ne demande à aucun être humain s'il accepte la vie. Le choix n'est pas là. On doit accepter la vie. Le seul choix, c'est dans la manière de la vivre.»
>
> Henry Ward Beecher

La peur a fait partie quotidiennement de mon expérience en ce qui a trait à l'alcoolisme et j'ai appris certaines façons d'y faire face. Je me surprends souvent aujourd'hui à réagir à mes peurs de la même façon, même si ma situation a changé. Par exemple, lorsqu'on m'affronte, je garde souvent le silence au lieu de dire ce que je pense. Il peut s'agir là d'une attitude légitime, sauf que je ne fais pas ce choix consciemment. Ce n'est pas me comporter sainement, c'est réagir, c'est renoncer au respect de moi-même par peur ou par habitude.

Le meilleur choix que je peux faire, c'est d'admettre que j'ai un problème, d'accepter mes réactions et de les confier à ma Puissance Supérieure. J'ai souvent entendu dire que le courage, c'est la peur qui fait sa prière. Je dois reconnaître ma peur, je dois faire cette même prière et je dois avoir confiance en attendant l'apaisement.

Entre-temps, il y a d'importants moyens par lesquels je peux m'aider. Le premier pas pour apprendre à réagir plus adéquatement face aux autres, c'est d'apprendre à réagir plus adéquatement face à moi-même. Je peux apprendre à réagir avec amour, sollicitude et respect envers moi, même envers cette partie de moi qui éprouve de la peur, de la confusion et de la colère.

Pensée du jour

Aujourd'hui, j'essaierai de prendre davantage conscience des choix que je n'ai pas encore reconnus.

> «...Al-Anon m'a aidée à accepter le fait que, même si je n'ai aucun contrôle sur les réactions ou les pensées des gens, je peux changer ma façon de réagir.»

...dans tous les domaines de notre vie

En quoi consiste exactement la méditation? S'agit-il de quelque chose d'hypnotique, d'étrange et au-delà de mes capacités? Le dictionnaire me donne cette définition: «penser de manière contemplative». Lorsque je cherche «contempler», il me donne: «considérer attentivement».

Au cours de chaque moment de tranquillité que je peux trouver pour calmer mon esprit et réfléchir à ma journée, je médite. En faisant le vide dans mon esprit et en demandant à ma Puissance Supérieure de me guider, je trouve durant ces moments des réponses à mes préoccupations. Je ne m'attends pas toujours aux réponses que je reçois ou je ne les apprécie pas toujours, mais le fait de les rejeter me cause même un plus grand trouble.

J'ai passé trop de temps autrefois à lutter contre mes meilleures intuitions. Dieu m'a donné des intuitions pour m'aider, non pour me nuire. Plus je reste suffisamment calme pour découvrir et suivre ces intuitions, plus elles deviennent fortes.

Pensée du jour

Je prendrai le temps de faire le vide dans mon esprit et de me concentrer sur ce qui est essentiel aujourd'hui. J'abandonnerai toute pensée qui n'est pas importante. Je me laisserai alors guider vers la meilleure mesure à prendre aujourd'hui. Peu importe à quel point les réponses peuvent sembler simples, j'écouterai sans juger. Je ne considérerai pas mes pensées comme allant de soi, car elles seront peut-être mon unique guide.

«Rentre en toi-même:
Frappe à ton cœur et demande-lui ce qu'il sait.»

William Shakespeare

Lors de mes premières réunions Al-Anon, mon témoignage ressemblait à peu près à ceci: «Elle me rend tellement furieux» et «Je suis à bout de nerf à cause de lui.» Dieu merci, j'ai eu un parrain qui a toujours ramené mon attention sur moi et m'a encouragé à percevoir la vraie signification de mes paroles. Quand je blâmais les autres pour ce que je ressentais, je leur donnais un pouvoir sur mes sentiments, un pouvoir qui m'appartenait de plein droit. Personne ne peut me faire ressentir quoi que ce soit sans mon consentement. J'avais beaucoup de changements à faire dans mon attitude.

Aujourd'hui, en étant conscient des mots que j'utilise, j'apprends à communiquer de façon plus responsable. Non seulement j'exprime mes sentiments de manière plus directe, mais je discute aussi d'une manière plus saine. Il y a des façons meilleures de m'exprimer que de dire: «Tu m'as fait ceci et cela.» Je peux parler de moi et de mes sentiments. Je peux expliquer comment j'ai vécu une chose au lieu de dire à l'autre ce qu'il ou elle *m'a fait* ressentir. Je peux parler de ce que je veux. Je ne suis plus une victime.

Pensée du jour

Qu'est-ce que mes paroles communiquent? Expriment-elles ce que j'essaie de dire? Aujourd'hui, j'écouterai plus attentivement ce que mes paroles disent.

> «Nous apprenons avec le temps que ce ne sont pas les sujets qui soulèvent des controverses, mais la manière dont nous les présentons et les éléments de blâme personnel que nous y ajoutons dans les moments de colère.»
>
> *Un dilemme: le mariage avec un alcoolique*

Le courage d'être honnêtes avec nous-mêmes est une des qualités que nous pouvons cultiver pour favoriser notre croissance spirituelle. Il faut nous engager à être honnêtes afin d'admettre qu'une personne que nous aimons a un problème d'alcool, que l'alcoolisme et bien d'autres choses échappent à notre contrôle, qu'il existe une source d'aide supérieure à nous-mêmes et que nous avons besoin de l'aide de cette Puissance Supérieure.

L'honnêteté nous permet de regarder en nous, de partager nos découvertes avec Dieu et les autres, d'admettre que nous avons besoin d'une aide spirituelle pour aller de l'avant, et de nous libérer en faisant amende honorable pour nos erreurs passées.

Nous devons être honnêtes avec nous-mêmes à mesure que nous continuons chaque jour à passer en revue nos attitudes et nos actes. Cela nous permet d'être suffisamment humbles pour aller vers les autres en tant qu'égaux et pour continuer à progresser dans chaque domaine de notre vie. Où trouvons-nous le courage d'être aussi honnêtes avec nous-mêmes ? Le courage de changer les choses que nous pouvons réside dans la relation que nous développons continuellement avec une Puissance supérieure à nous-mêmes.

Pensée du jour

Je sais que l'honnêteté est une partie essentielle des Douze Étapes. Je suis disposé à être plus honnête avec moi-même aujourd'hui.

« Où y a-t-il de la dignité s'il n'y a pas d'honnêteté ? »

Cicéron

Un fermier avait trouvé une flûte magique. Dans l'espoir de charmer ses poules pour qu'elles lui donnent plus d'œufs, il leur jouait de la flûte toute la journée; mais le soir venu, il n'avait pas plus d'œufs que d'habitude. Plus tard, quand on lui a demandé s'il avait eu quelque succès, le fermier a répondu: «Certainement. Cela n'a pas été tellement une bonne journée pour la ponte des œufs, mais cela a été une journée extraordinaire pour la musique!»

Dans Al-Anon, comme dans cette fable, nous apprenons que le succès et l'échec ne sont qu'une question de perspective. Avant Al-Anon, plusieurs d'entre nous avions vécu de grandes déceptions parce que nous n'avions pas réussi à guérir de son alcoolisme une personne que nous aimions. Avec le temps, nous avons commencé à douter de notre efficacité dans *quoi que ce soit.* Nous ne nous rendions pas compte que nous avions à notre actif de nombreuses réussites chaque jour.

Notre programme nous aide à reconnaître tout ce que nous avons accompli simplement en étant disposés à franchir les portes d'une réunion Al-Anon pour demander de l'aide. En dépit de circonstances difficiles, nous avons maintenant l'occasion de changer des croyances et des attitudes acquises depuis longtemps. C'est une grande réussite.

Pensée du jour

Ce que je peux offrir de mieux pour assurer la continuité de mon rétablissement, c'est la bonne volonté. Chaque démonstration de bonne volonté, chaque réunion à laquelle j'assiste et chaque outil d'Al-Anon que j'utilise est un indice de mon succès.

«Chacune de vos bonnes pensées apporte sa contribution au résultat ultime de votre vie.»

Grenville Kleiser

Dans la Sixième Étape, je consens pleinement à ce que Dieu élimine mes défauts de caractère — ces pierres d'achoppement qui m'entravent, qui m'empêchent de traverser en toute liberté cette magnifique avenue qu'est la vie. Prenons par exemple l'apitoiement: Je me suis morfondu durant des heures en pensant qu'il n'y avait rien pour moi dans la vie, que je ne pourrais jamais réaliser un rêve! J'avais raison jusqu'à un certain point; car en m'apitoyant constamment sur mon sort, j'affirmais que je ne consacrerais pas de temps à ma croissance. Comment mes rêves auraient-ils pu se réaliser dans ces conditions?

Ma Puissance Supérieure élimine mes défauts en m'aidant à les voir à l'œuvre, à les voir me nuire dans ma vie de tous les jours. Aujourd'hui, je peux reconnaître l'apitoiement quand il s'infiltre dans mon esprit. Je ne peux pas supprimer ce défaut tout seul, mais je peux le voir pour ce qu'il est — une perte de temps. Ensuite je peux humblement me tourner vers ma Puissance Supérieure, Qui me donne joie et confiance pour mettre à la place de ce défaut.

Pensée du jour

Je ne suis pas parfait. Les défauts de caractère que j'ai traînés durant tant d'années ne disparaîtront pas instantanément. Mais avec foi et espoir, je peux les corriger un à la fois, un jour à la fois.

«Dieu nous donne rarement... des vertus bien emballées, prêtes à utiliser. Il nous place plutôt dans des situations où, grâce à Son aide, nous pouvons développer ces vertus.»

C.R. Findley

Le pardon peut simplement prendre la forme d'un changement d'attitude. À mon arrivée à Al-Anon, j'étais rempli d'amertume envers l'alcoolique dans ma vie. Quand j'ai constaté que mon amertume me blessait davantage qu'elle ne blessait n'importe qui d'autre, j'ai commencé à chercher une façon différente de voir ma situation.

Avec le temps, j'en suis venu à croire que l'alcoolique que j'aimais pouvait être la messagère que ma Puissance Supérieure utilisait pour me démontrer que j'avais besoin d'aide. Ce n'est pas juste d'imputer à la messagère le crédit ou le blâme pour tout le temps qu'il m'a fallu pour porter attention à ce message. J'ai choisi de tolérer beaucoup de comportements inacceptables parce que je refusais d'admettre que *moi,* j'avais besoin d'aide. J'ai fait mon possible avec les outils et la connaissance dont je disposais et je crois qu'elle a fait de même. Finalement, j'ai saisi le message. J'ai assisté à des réunions Al-Anon et ma vie a changé de façon miraculeuse. Je ne nie pas que des choses blessantes ont été dites et faites en cours de route, mais je refuse de porter plus longtemps ce fardeau d'amertume. Je suis plutôt reconnaissant de ce que j'ai appris.

Pensée du jour

Je ne permettrai plus à d'anciens ressentiments de saper mon moral. Aujourd'hui, je me bâtis une vie meilleure et davantage empreinte d'amour.

«Pardonner, ce n'est pas oublier, c'est mettre un terme à la souffrance.»

Mary McLeod Bethune

Un jour, j'ai reçu un appel d'un nouveau membre Al-Anon. Nous avons fait un brin de causette, puis il m'a demandé si je voulais bien être son parrain. J'étais déconcerté ! Je ne me serais jamais attendu à ce que quelqu'un me demande cela ! Je me suis senti extrêmement petit et en même temps énormément reconnaissant.

Mais est-ce que j'avais suffisamment progressé pour offrir de l'aide à quelqu'un ? Est-ce que j'avais quelque chose à donner ? Est-ce que je pouvais être attentif à quelqu'un d'autre sans me perdre moi-même ? La peur s'est emparée de moi durant un instant, mais ensuite je me suis rappelé qu'il ne me demandait pas de le sauver, seulement de l'aider, d'être la personne dont l'exemple et l'expérience pourraient favoriser son propre rétablissement.

Je sais que ma Puissance Supérieure mets dans ma vie des personnes qui peuvent m'aider à progresser. Alors, j'ai récité une courte prière pour demander d'en être digne et j'ai répondu que je serais honoré d'être son parrain.

Pensée du jour

Le parrainage est autant un engagement envers moi-même qu'il l'est envers l'autre. Ce n'est pas une faveur. Le parrainage me donne une occasion de discuter dans l'intimité, d'avoir de la sollicitude, de me détacher avec amour et d'appliquer les principes Al-Anon plus consciencieusement que jamais. Et si j'écoute mes propres paroles, je m'aperçois qu'habituellement, je dis aux personnes que je parraine exactement ce que j'ai moi-même besoin d'entendre.

> «Donnez ce que vous avez. Pour une autre personne, c'est peut-être plus précieux que vous n'oseriez le penser.»

Henry Wadsworth Longfellow

J'ai toujours eu l'impression que la consommation d'alcool de celui que j'aimais rejaillissait terriblement sur moi et je m'inquiétais de ce que les gens pensaient. Un jour, il m'a dit qu'il voulait devenir sobre. J'en ai été ravie pendant une journée, jusqu'à sa prochaine cuite. Alors j'ai été anéantie.

Quelques mois plus tard, cet être cher est finalement allé aux Alcooliques Anonymes. Deux jours après, il recommençait à boire.

La chose la plus importante que j'ai apprise dans Al-Anon depuis ce temps, c'est que mon bien-être ne peut dépendre du fait que l'alcoolique boive ou non. Son comportement n'est pas un reflet de moi, c'est un reflet de sa maladie. Cependant, *mon* comportement est un reflet de moi et je me dois de porter attention à ce qu'il me dit. Je dois prendre soin de moi. Je dois accepter que l'alcoolisme est une maladie qui peut être enrayée mais non guérie. De nombreux alcooliques font de multiples tentatives pour devenir sobres avant de le devenir vraiment; d'autres n'y parviennent jamais. Ma vie est trop importante pour que je la gaspille à attendre les choix d'une autre personne, même s'il s'agit de quelqu'un que j'aime tendrement.

Pensée du jour

Peu importe que l'alcoolique dans ma vie boive ou soit sobre, c'est dès maintenant que je dois consacrer mon énergie à mon propre rétablissement.

> «Al-Anon m'a aidée à concentrer mon attention sur ce que je pouvais faire concernant ma situation, plutôt que sur ce que je croyais que l'alcoolique devait faire. C'était à moi de prendre position.»
>
> *...dans tous les domaines de notre vie*

Après un certain temps de rétablissement dans Al-Anon, je me suis procuré la brochure *Plan pour notre progrès*, le guide Al-Anon pour faire un inventaire moral, sérieux et courageux (Quatrième Étape). J'étais très conscient que j'avais de nombreux défauts de caractère et j'avais hâte de me libérer de leur emprise. Mais je ne m'attendais pas à autant de questions concernant mes qualités!

On me demandait à maintes reprises de me reconnaître des qualités. C'était frustrant! Pourquoi perdre du temps à des choses qui allaient déjà bien? Ces qualités n'avaient pas empêché ma vie de devenir incontrôlable; il était évident qu'elles n'avaient pas une grande valeur. Mon parrain a suggéré que ma résistance à cette partie de l'Étape avait probablement quelque chose à m'apprendre. Il avait raison.

Finalement, je me suis rendu compte que mes qualités sont la base sur laquelle se bâtit ma nouvelle vie, une vie plus saine. Refuser de les reconnaître ne fait que diminuer mon estime personnelle. Tant et aussi longtemps que je me considère pitoyable, désespéré et malade, je ne suis pas obligé de changer.

Je savais que j'étais prêt à me sentir mieux, alors j'ai rassemblé toute ma volonté et j'ai dressé une liste de tous les éléments positifs que je pouvais me trouver. Depuis ce temps, je me suis senti beaucoup mieux face à moi-même.

Pensée du jour

Aujourd'hui, je reconnaîtrai que j'ai de nombreuses qualités et je discuterai d'une ou deux de ces qualités avec un ami.

«Tout progrès doit germer dans une appréciation de soi...»

Un dilemme: le mariage avec un alcoolique

«Un jour, alors que je me promenais en forêt, j'ai eu la surprise d'entendre une voix d'enfant. J'ai suivi le son, essayant en vain de comprendre les mots de l'enfant. Quand j'ai aperçu un garçon perché sur un rocher, je me suis rendu compte pourquoi ses mots n'avaient pas de sens: il récitait l'alphabet. "Pourquoi répètes-tu sans cesse tes lettres?" lui ai-je demandé. L'enfant a répliqué: "Je récite mes prières." Je n'ai pas pu m'empêcher de rire. "Tes prières? Tout ce que j'entends, c'est l'alphabet." Patiemment, l'enfant m'a expliqué: "Eh bien, je ne connais pas tous les mots, alors je donne les lettres à Dieu. Dieu sait ce que j'essaie de Lui dire."»

Il y a des années, quand ma grand-mère m'a raconté cette histoire, elle ne me disait pas grand-chose; mais la vie spirituelle que j'ai trouvée dans Al-Anon lui a donné une nouvelle signification. Aujourd'hui, l'histoire me rappelle que la prière est pour moi, non pour Dieu, Qui sait, sans explication de ma part, ce que je vis. Par la prière, je dis que je suis disposée à être aidée. Le sens profond de mes prières vient du cœur, non des mots.

Pensée du jour

La prière est pour moi la forme la plus personnelle de communication. Je peux prier lorsque, d'une façon consciente, je pense, écris, crée, éprouve des sentiments, espère. Que je puise au plus profond de moi-même ou que je me tourne vers la majesté de la nature, c'est l'esprit de la prière plutôt que sa forme qui compte. Aujourd'hui, je laisserai parler mon cœur.

«...Dieu me rejoint là où je suis... Si seulement je le veux, Il viendra à moi.»

Tel que nous Le concevions...

La plupart d'entre nous avons perdu beaucoup trop de temps à ne pas nous sentir à l'aise quant à ce que nous sommes et ce que nous avons fait. Il se peut que les autres nous aient sévèrement critiqués, ou que nous ayons simplement perdu toute perspective et soyons devenus excessivement durs envers nous-mêmes. Aujourd'hui, nous avons une occasion de cesser cette façon de penser autodestructrice. N'est-il pas grandement temps que nous nous permettions d'être bien face à nous-mêmes ?

Il faut du temps pour que les anciens doutes s'estompent et que les vieilles blessures se cicatrisent. La confiance en soi s'acquiert lentement, mais elle s'accroît par la pratique. Nous pouvons commencer en reconnaissant que nous avons vraiment des qualités. Ceux d'entre nous qui, toute la journée, avons des pensées négatives, des pensées chargées de critiques envers nous-mêmes, pouvons fournir un effort supplémentaire pour les neutraliser par des pensées positives. Pour chaque défaut que nous identifions, nous pouvons aussi essayer de nous reconnaître une qualité. Certains d'entre nous trouvons bénéfique de dresser, avant de nous endormir, une liste de cinq à dix choses concernant notre journée dont nous sommes en droit d'être satisfaits.

Nous apprenons, par la pratique, à nous traiter avec bonté et compassion. Nous avons tous de nombreuses qualités admirables et nous nous devons de les laisser rayonner.

Pensée du jour

Aujourd'hui, je m'efforcerai de me rappeler que je suis un être humain extraordinaire.

« Tout laisse des traces de rouille sur l'âme, sauf l'amour. »

Langston Hughes

Al-Anon en aide plusieurs parmi nous à identifier et à changer un comportement autodestructeur. Dans mon cas, remettre au lendemain était la source de beaucoup d'anxiété inutile, mais avec l'aide d'Al-Anon, j'ai réussi à identifier et à changer cette habitude.

À mesure que j'ai appris à me concentrer sur moi, j'ai commencé à prêter attention à mes propres pensées et sentiments. Quand je me sentais anxieux, je prenais le temps de chercher ce qui était la cause de mon malaise. J'ai constaté que j'avais l'habitude de reporter le plus tard possible les tâches qui me déplaisaient. Sachant que finalement j'aurais à les exécuter, je trouvais difficile de me détendre tant qu'elles n'étaient pas effectuées. J'en suis venu à constater que si je m'en occupais tout de suite, je pouvais habituellement mettre un terme à mon anxiété et apprécier le reste de la journée. Il peut être difficile de se défaire d'anciennes habitudes. Elles ne sont pas apparues du jour au lendemain, mais à mesure que j'ai consenti à cesser de remettre à plus tard, ma vie est devenue plus contrôlable et plus agréable.

Pensée du jour

Si je vais à l'encontre de ce qui est dans mon meilleur intérêt, un examen plus minutieux de mon comportement peut mener à des changements positifs. En me concentrant sur moi, je me dirige aujourd'hui vers la liberté et la sérénité.

«Ne regardez pas où vous êtes tombé, mais où vous avez trébuché.»

Proverbe libérien

En temps normal, notre groupe accueille les nouveaux venus d'une façon particulière — nous parlons de ce qu'Al-Anon a fait pour nous, nous présentons notre documentation et nous suggérons quelques slogans Al-Anon avant de commencer la réunion. Personne n'a jamais consulté la conscience de groupe à ce sujet; nous procédons simplement de la sorte depuis un certain temps.

Un soir, la personne qui assumait la présidence a délaissé la procédure habituelle. J'ai complètement oublié pourquoi *j*'assistais à la réunion et *j*'ai passé le reste de la soirée à m'inquiéter des nouveaux venus. Ils n'entendaient pas ce qu'ils étaient supposés entendre! En tireraient-ils profit? Reviendraient-ils?

À la toute fin de la réunion, un des nouveaux venus a timidement pris la parole. J'étais assis sur le bout de ma chaise, inquiet, jusqu'à ce qu'il dise à quel point il était reconnaissant de ce qu'il avait entendu de la part de la personne qui présidait, parce que c'était exactement ce qu'il avait besoin d'entendre. Encore une fois, cela me rappelait que Dieu est à l'œuvre par l'entremise de nos groupes et veille à ce que nous obtenions tous ce dont nous avons besoin. J'ai certainement eu ce dont j'avais besoin ce soir-là.

Pensée du jour

Je ne sais pas ce qui est le mieux pour les autres. Aujourd'hui, je me rappellerai que les nouveaux venus, ainsi que tout le monde, sont entre les mains d'une Puissance supérieure à moi-même.

> «Quand j'ai cessé de m'appesantir sur la façon dont les choses s'arrangeraient probablement, j'ai été plus en mesure de porter mon attention sur ce que je faisais.»
>
> *La sobriété: un nouveau départ*

La Troisième Tradition me rappelle deux aspects d'Al-Anon qui me sont chers. Premièrement, je sais que je peux assister à une réunion n'importe où dans le monde et m'attendre à ce que le groupe n'encourage aucune affiliation. Les membres n'essaieront pas de me faire accepter une religion, un programme d'un centre de traitement, une thérapie, une idée politique, ni quoi que ce soit d'autre. Si un membre de la fraternité discute d'un de ces sujets avec moi, je suis libre de prendre ce qui me plaît et de laisser le reste.

Deuxièmement, je sais que je remplis la seule condition requise pour faire partie d'Al-Anon: il y a un problème d'alcoolisme chez un parent ou un ami. Je ne suis pas obligé de me vêtir, d'agir, de parler, de travailler d'une certaine façon ni d'éprouver certains sentiments pour adhérer à la fraternité. Je ne suis pas obligé de croire ou de ne pas croire. Je suis libre d'être moi-même. C'est un programme où nous sommes acceptés tels que nous sommes.

Pensée du jour

Sans être dilué et sans obligation de ma part, Al-Anon m'a apporté du support moral quand j'en ai eu besoin. J'espère transmettre le programme dans le même esprit.

> «La Troisième Tradition explique à mes amis Al-Anon et à moi-même deux façons de "ne pas compliquer les choses". La première consiste à éviter de nous laisser distraire de notre programme par d'autres gens, et la deuxième à accueillir dans Al-Anon quiconque souffre des conséquences de l'alcoolisme d'une autre personne.»
>
> *Les Douze Étapes & les Douze Traditions d'Al-Anon*

Je pense que le mot détachement est souvent mal compris. Selon moi, le détachement, c'est la liberté de reconnaître ce qui m'appartient et de permettre aux autres de faire de même.

Cette liberté me permet de garder ma propre identité tout en continuant d'aimer les autres, de m'occuper d'eux et de m'identifier à leurs sentiments. En fait, je crois que notre degré d'humanité peut se mesurer à notre capacité de percevoir la souffrance et la joie d'une autre personne. J'ai mis les principes d'Al-Anon en pratique du mieux que je pouvais durant longtemps. Mais lorsqu'un membre de la fraternité me parle des moments difficiles qu'il vit, je peux me reporter immédiatement à mes tout débuts. Je ne vis plus ce genre de souffrance émotionnelle, mais je peux comprendre la sienne. Je peux m'identifier sans ressentir le besoin de lui enlever sa souffrance. Selon moi, cela constitue une réussite Al-Anon.

Aujourd'hui, je n'ai pas à aimer tout ce que la personne alcoolique dit ou fait et je n'ai pas à la changer, même lorsque je pense qu'elle a tort. Je continue d'apprendre à témoigner de la sollicitude sans me sentir visé personnellement.

Pensée du jour

Je peux me détacher tout en continuant d'aimer, d'éprouver des sentiments. Je peux apprendre à m'occuper de mes propres affaires tout en permettant aux autres de s'occuper des leurs. Aujourd'hui, je peux me détacher sans cesser d'éprouver de la compassion.

«Aimez votre voisin tout en restant sur vos gardes.»

George Herbert

Un grand nombre d'entre nous arrivons à Al-Anon avec l'impression que la vie nous fait un sale coup. «Ce n'est pas juste!» nous plaignons-nous. «Est-ce que je ne mérite pas mieux après tout ce que j'ai vécu?» La prière imprimée à l'endos de notre dépliant «Aujourd'hui seulement» peut jeter une certaine lumière sur ce sujet quand elle dit: «...fais que je ne cherche pas tant d'être consolé que de consoler; ...d'être aimé que d'aimer; car c'est en donnant que l'on reçoit...» Au lieu de nous demander ce que la vie nous donne, nous y gagnerions peut-être davantage en nous demandant ce que nous-mêmes pouvons donner.

En tendant la main pour aider les autres d'une façon saine, nous allons au-delà de nos problèmes et nous apprenons à donner sans condition. Chaque moment peut se révéler une occasion de servir, de changer notre vie. Al-Anon nous offre de nombreuses occasions de commencer à servir — placer les chaises, accueillir les nouveaux venus, animer une réunion. Quand nous découvrons que nous pouvons vraiment apporter une contribution positive, plusieurs d'entre nous constatons que l'estime personnelle a remplacé l'apitoiement.

Pensée du jour

Aujourd'hui, je m'efforcerai d'être un instrument de la paix de Dieu. Je sais qu'il s'agit de l'engagement le plus aimant et le plus généreux que je peux prendre — envers moi-même.

«Quand les gens rendent service, leur vie n'est plus vide de sens.»

John Gardner

Je croyais que dans tout conflit, dans toute confrontation, quelqu'un avait invariablement tort. Il était essentiel de blâmer quelqu'un et j'étais dans tous mes états durant des heures, soupesant les preuves. J'ai contracté la manie de tout compiler. Parce que j'abordais chaque situation avec cette attitude, la culpabilité et la colère me consumaient. Sur la défensive et anxieux, j'assurais toujours mes arrières.

Al-Anon m'aide à comprendre qu'il peut survenir des disputes même si tout le monde fait de son mieux. Passer en revue de façon obsessionnelle le comportement de chacun retient mon attention là où elle ne devrait pas se fixer et me garde trop occupé pour avoir quelque sérénité que ce soit. Je peux plutôt considérer le rôle que *j'ai* joué. Si j'ai fait des erreurs, je suis libre de faire amende honorable.

Aujourd'hui je sais que les conflits n'indiquent pas nécessairement que quelqu'un a tort. Il se peut que ce ne soit que des difficultés qui surgissent. Parfois les gens ne sont tout simplement pas d'accord.

Pensée du jour

Aujourd'hui, j'accepterai que toute vie a sa part de conflits. Il ne m'incombe pas de compiler toutes les preuves de chaque incident. Au lieu de me tordre les mains et de pointer du doigt, je peux considérer la possibilité que tout se déroule exactement comme il se doit. Parfois, le blâme n'est qu'une excuse pour me tenir occupé afin que je ne ressente pas l'inconfort de mon impuissance.

«L'esprit grandit grâce à ce qui le nourrit.»

Josiah G. Holland

Je me souviens que lorsque j'étais enfant, je grimpais aux arbres pour mieux observer les oisillons dans leur nid et qu'étendu sur le dos, je me demandais quelle sensation j'aurais si je tombais dans un ciel rempli de nuages. J'éprouve encore des sentiments profondément spirituels lorsque je me retrouve dans la nature et aujourd'hui, je crois savoir pourquoi.

Un des principes fondamentaux d'Al-Anon consiste à vivre «un jour à la fois» et la nature m'entoure de merveilleux modèles à suivre.

Les arbres ne passent pas leur temps à s'inquiéter des feux de forêt. L'eau de l'étang ne se tourmente pas pour la turbulence qu'elle a connue quelques kilomètres en amont. Et je n'ai jamais vu un papillon fouiner dans les affaires de ses semblables. Toute la création ne s'occupe que de vivre. Si je garde les yeux ouverts, je peux apprendre à faire de même.

Pensée du jour

Des circonstances pénibles peuvent m'apprendre une foule de choses, mais elles ne sont pas mes seuls professeurs. Je vis dans un monde rempli de merveilles. Aujourd'hui, je porterai attention à leur douce sagesse.

«J'ai découvert le secret de la mer en méditant sur une goutte de rosée.»

Kahlil Gibran

La vie est un contrat global. Il ne suffit pas de regarder seulement les aspects que nous aimons. Il est nécessaire de regarder en face le tableau au complet afin de pouvoir faire des choix réalistes en ce qui nous concerne et cesser de nous exposer à la déception.

En vivant auprès de personnes alcooliques, plusieurs d'entre nous avons fait face à des situations en perpétuel changement, où notre sens de la réalité changeait d'une minute à l'autre. Nous nous sommes adaptés en prenant n'importe quelle parcelle de réalité qui nous convenait et en ignorant le reste. À maintes reprises, nous avons été complètement démolis parce que la réalité ne disparaissait pas du simple fait que nous l'ignorions.

Notre vie restera incontrôlable tant et aussi longtemps que nous ferons comme si une seule moitié de la vérité est réelle. C'est pourquoi le partage est un outil si important dans Al-Anon. Quand nous discutons avec d'autres membres de ce qui se passe vraiment, nous allons au-delà de notre négation et nous nous ancrons dans la réalité. Bien qu'il soit difficile de faire face à certains faits, quand nous nous permettons de les affronter, nous cessons de donner à notre propre négation le pouvoir de nous écraser à chaque tournant.

Pensée du jour

Je ne peux pas faire face à quelque chose à moins de prendre conscience de sa réalité. Quand je consens à regarder le tableau au complet, je fais le premier pas vers une vie plus contrôlable.

> «Si vous avez bâti des châteaux en Espagne, votre travail n'est pas nécessairement perdu; ils sont là où ils devraient être. Maintenant établissez-les sur une base.»
>
> Henry David Thoreau

Parce que nous avons vécu dans le contexte de l'alcoolisme, plusieurs d'entre nous perdons de vue la perspective de la personne que nous sommes et de ce que nous pouvons ou ne pouvons pas faire. Nous acceptons, concernant nos propres limites, des idées qui ne sont pas basées sur la réalité. Al-Anon nous aide à trier le vrai du faux en nous encourageant à jeter sur nous-mêmes un regard neuf et objectif.

On m'avait toujours dit que j'avais une constitution frêle et que je devais éviter la surexcitation et le surmenage. Comme je croyais cela, j'évitais l'exercice, les sports, certaines tâches et même la danse, étant assurée que mon faible corps ne pouvait résister à la tension. Quand je recevais une invitation, je répondais le plus souvent: «Je ne peux pas.»

Dans Al-Anon, j'ai constaté que j'avais une fausse image de moi-même. Je n'avais jamais pensé remettre en question ce que je croyais, mais quand j'y ai regardé de plus près, j'ai découvert que c'était faux. Je suis aussi en forme que n'importe qui. J'ai commencé à me demander combien d'autres fausses affirmations me limitaient. Un tout nouveau mode de vie s'ouvrait à moi parce que j'avais le soutien et l'encouragement nécessaires pour jeter un regard neuf sur moi-même.

Pensée du jour

Je ne laisserai pas d'anciennes idées et d'anciens doutes me limiter sans les remettre en question. Je peux découvrir des forces et des talents qui n'ont jamais eu la chance de se révéler au grand jour. Aujourd'hui, en me défaisant d'idées désuètes, j'ai la chance d'apprendre des choses merveilleuses à mon sujet.

«Remettez vos limites en question car chose certaine, ce sont les vôtres.»

Richard Bach

Il me semble que plusieurs d'entre nous composons avec notre colère de façon inappropriée. En la niant, nous la refoulons, ou nous nous mettons dans une colère folle, déversant nos sentiments. Pour ma part, je choisis d'éviter tout conflit et alors je me transforme en paillasson.

Le programme Al-Anon m'encourage à reconnaître mes sentiments et à être responsable de la façon dont je les exprime. Le problème n'est pas que je me mette en colère, mais que je ne sache pas comment diriger ma colère de façon appropriée.

Depuis quelque temps, quand j'ai le goût de frapper quelqu'un, je prends mon oreiller et je me défoule en frappant sur mon lit. Quand j'ai le goût de faire disparaître quelqu'un, je m'attaque à la saleté de mon four. J'essaie de me libérer de ma colère aussitôt que je le peux afin de ne pas accumuler des ressentiments dont il me sera plus difficile de me débarrasser plus tard.

J'apprends aussi à exprimer ma colère. Il se peut que je ne le fasse pas gracieusement et que mes paroles ne soient pas bien accueillies. Cela comporte de faire face à l'affreux inconfort nommé conflit, mais je ne peux plus fuir.

Pensée du jour

Vivre nos sentiments est une partie importante du processus de rétablissement. Apprendre à équilibrer nos sentiments par des actes appropriés en est une autre.

> «Si vous êtes en colère, comptez jusqu'à dix avant de parler; si vous êtes très en colère, comptez jusqu'à cent.»
>
> Thomas Jefferson

La Cinquième Tradition dit: «...en encourageant et comprenant nos parents alcooliques...» Au début, cela me rendait perplexe. Après tout, est-ce qu'Al-Anon ne nous enseigne pas à nous concentrer sur nous-mêmes? Il semblait y avoir là une contradiction.

La raison de ma confusion réside peut-être dans ma tendance à penser en extrémiste. Ou je me concentrais sur moi-même en me séparant complètement de la vie des autres, ou j'étais absorbée par les autres au point de me perdre de vue. Al-Anon m'aide à revenir au juste milieu.

Je peux me concentrer sur moi et être quand même une personne aimante, bienveillante. Je peux, sans perdre mon identité, éprouver de la compassion pour les êtres que j'aime et qui souffrent soit de la maladie de l'alcoolisme, soit de ses conséquences. Témoigner de l'encouragement et de la bonté envers les autres est un moyen d'être bonne pour moi et je n'ai pas à me sacrifier en ce faisant.

Pensée du jour

J'apprends à avoir des relations plus saines et plus aimantes. Aujourd'hui, j'offrirai du support moral à ceux que j'aime tout en continuant à m'occuper de moi.

«Si vous voulez être aimé, aimez et soyez aimable.»

Benjamin Franklin

Combien de jours ai-je gaspillé dans ma vie? Je n'ai pas goûté les joies des premières années de mes enfants parce que j'étais préoccupée par l'alcoolique. Je rejetais des possibilités d'amitié avec des collègues de travail afin de pouvoir me tracasser continuellement de ce qui me préoccupait. Pas une seule fois durant tout ce temps je n'ai pensé que j'avais le droit de profiter de la journée présente.

Al-Anon m'a amenée à voir que j'avais le choix, particulièrement quant à mes attitudes. Je ne suis pas obligée de considérer ma vie comme une tragédie ni de me tourmenter avec les erreurs du passé ou les inquiétudes de l'avenir. La journée d'aujourd'hui peut être le centre de ma vie. Elle est remplie d'activités intéressantes si je me permets de la voir dans un esprit d'émerveillement. Quand mes soucis et mes chagrins m'obsèdent, la gaîté et les joies de la vie courante ne semblent pas appropriées à ce que je ressens. Qui n'est pas en harmonie — le reste du monde ou moi?

Pensée du jour

Aujourd'hui, je vivrai le moment présent et j'y trouverai quelque chose dont je peux me réjouir. S'il y a de la souffrance, je l'accepterai également. Mais ma souffrance ne doit pas assombrir complètement les petites parties agréables de ma réalité. Je contribuerai à tirer le meilleur parti possible de ma joie: je peux me joindre à une conversation au travail ou au cours d'une réunion, je peux raconter une histoire drôle à table, ou je peux rire avec un ami. Aujourd'hui seulement, je pourrais même me permettre de chanter.

«Contemple ce jour!
Parce qu'il est fait de vie, de l'essence même de la vie.»

— extrait du Salut au soleil, en sanskrit

Je ne savais pas à quel point ma culpabilité était un lourd fardeau jusqu'à ce que je fasse amende honorable et que j'en sois libérée. Je n'ai jamais voulu faire face au tort que j'avais causé dans le passé. Par conséquent, sans le savoir, la plupart du temps je traînais en moi de la culpabilité. Faire amende honorable m'a aidée à laisser le passé derrière moi et à aller de l'avant la conscience tranquille. Mon estime personnelle n'a jamais cessé de s'accroître depuis et j'ai une bien meilleure opinion de moi-même.

Mais j'avais un problème. La personne à qui je pensais devoir le plus d'amendes honorables était décédée. En mon for intérieur, je savais qu'elle avait compris et qu'elle m'avait pardonné, mais j'étais incapable de me pardonner le mal que j'avais fait. Comment pouvais-je réparer mes torts?

Après avoir longuement prié et réfléchi, je me suis rendu compte que je ne pouvais pas changer le passé. Tout ce que je pouvais faire, c'était de changer mon comportement actuel. Maintenant, quand je suis tentée d'esquiver une responsabilité, je peux me rappeler mon amie décédée et reconsidérer mon choix. Chaque fois que je m'adresse à un nouveau venu, que je préside une réunion ou que je donne mon témoignage, je répare mes torts envers mon amie.

Pensée du jour

Je suis incapable de faire disparaître mes erreurs passées, mais je peux prendre des mesures qui m'aideront à lâcher prise. Quand je fais amende honorable, je fais mon possible pour corriger la situation. Alors je peux mettre le passé à la place où il doit être et le laisser là.

> «Je dois me rappeler que la raison des amendes honorables, c'est la libération de mon esprit de tout malaise...»
>
> *Un dilemme: le mariage avec un alcoolique*

Chacun de nous fait son possible pour mettre le programme Al-Anon en pratique dans sa vie, avançant selon son propre rythme. C'est pourquoi j'évite de prononcer des paroles dures, d'employer des phrases comme: «Cesse de t'apitoyer sur ton sort» ou «Cesse de te plaindre.» Il se peut qu'une autre personne ait besoin de plus de temps que moi pour traverser une situation pénible. Son histoire peut me paraître répétitive, mais qui suis-je pour juger?

Quand je suis aux prises avec mes propres difficultés, je suis tellement reconnaissant qu'aucun membre Al-Anon ne me surveille, chronomètre en main, pour me dire que je prends trop de temps lorsque je suis lent à apprendre les leçons que je reçois. Une oreille qui m'écoute sans me juger peut s'avérer un grand bienfait et j'apprends à faire de même plus généreusement.

Pensée du jour

Aujourd'hui, j'essaierai de témoigner aux membres de la fraternité le respect, la patience et la courtoisie dont je veux qu'on fasse preuve à mon égard.

> «Ô Grand Esprit, aide-moi à ne jamais juger une autre personne avant d'avoir marché dans ses mocassins.»
>
> Prière indienne sioux

Un des bienfaits merveilleux bien qu'inattendus qu'apporte la pratique du programme Al-Anon, c'est d'apprendre à se détendre. Jusqu'à maintenant, la majeure partie de ma vie filait dans la frénésie des activités. Études, travail, projets, obligations, tout contribuait à centrer mon attention vers l'extérieur. De cette façon, il m'était impossible de m'arrêter assez longtemps pour voir à quel point ma vie familiale était épouvantable.

Il n'y a rien de mal à travailler fort et à obtenir des résultats, mais j'abusais de ces activités. Socialement, c'était des façons acceptables de nier mes sentiments. Tant ma famille que la société m'encourageaient à me cacher derrière ces activités jusqu'à ce que, vaincu et épuisé, je me joigne à Al-Anon. À ce moment-là, je n'aurais pu me détendre même si je l'avais voulu — je ne savais pas comment m'y prendre.

Dans Al-Anon, on m'a fait voir que je ne traiterais personne aussi durement que je me traitais. Je ne demanderais jamais à quelqu'un que j'aime de vivre sans se reposer, sans ralentir et sans jamais se divertir. Mais c'est exactement ce que j'exigeais de moi. Mon parrain m'a aidé à trouver des divertissements qui m'apportaient du plaisir et comment prendre les choses en douceur. Maintenant, la détente fait partie de ma routine quotidienne.

Pensée du jour

Il peut être fantastique de trimer dur et mes activités peuvent être extrêmement enrichissantes. Mais je m'efforce d'avoir un certain équilibre. Aujourd'hui, je regarderai comment j'occupe mon temps et je réserverai une partie de ce temps à la détente.

«Le temps qu'on prend plaisir à perdre n'est pas du temps perdu.»

Bertrand Russell

Deux personnes très proches de moi étaient des alcooliques qui débutaient dans leur réhabilitation. Durant les années de consommation d'alcool, ma vie était devenue tellement entrelacée à leur vie et à leur comportement autodestructeur que j'avais perdu de vue l'idée que je pouvais être heureux même s'ils étaient déprimés, que je pouvais mener une vie sereine même s'ils recommençaient à boire. J'ai franchi un point tournant de mon rétablissement dans Al-Anon quand quelqu'un m'a dit: «Il va falloir que tu apprennes à t'en sortir, que les alcooliques s'en sortent ou non.»

À partir de ce jour, j'ai essayé de garder à l'esprit que j'avais ma propre vie et ma propre destinée à vivre. Après avoir séparé mon bien-être de celui des alcooliques, il m'a été plus facile de me détacher des décisions qu'ils prenaient quant aux comment et où, quand et avec qui ils vivraient leur vie. Parce que mon destin — ma vie même — n'était plus lié directement à leur destin, j'étais capable de les accepter pour ce qu'ils étaient et d'écouter leurs idées et leurs inquiétudes sans essayer d'exercer un contrôle. Grâce à Al-Anon, je peux concentrer mon énergie là où *j'ai* vraiment un certain contrôle — sur ma propre vie.

Pensée du jour

Mon temps est trop précieux pour le gaspiller en vivant dans le futur ou en m'inquiétant de choses sur lesquelles je n'ai aucun pouvoir. Aujourd'hui, je me bâtis une vie merveilleuse.

«À mesure que je m'efforce de me concentrer sur moi-même, je suis soulagé de constater que je peux lâcher prise face aux problèmes des autres au lieu d'essayer de les résoudre.»

Al-Anon est pour les enfants adultes des alcooliques

Nous arrivons souvent à Al-Anon avec l'idée que si une chose est efficace, elle le sera encore plus et plus rapidement si nous mettons les bouchées doubles. Mais Al-Anon implique un processus de croissance et de changement à long terme. Nos efforts pour accélérer ce processus sont susceptibles d'en entraver le cours, nous laissant frustrés et déprimés. Dans Al-Anon, nous apprenons à «nous hâter lentement». Le travail se fait souvent quand nous cessons d'y mettre trop d'efforts.

À mes débuts dans Al-Anon, j'ai entendu dire que même si nous apprenons à remettre notre vie et notre avenir à une Puissance supérieure à nous-mêmes, nous devons également faire notre part. Avec mon ardeur habituelle, je me suis précipité pour faire «ma part». Je téléphonais au moins dix fois par jour à des membres Al-Anon et je faisais un effort frénétique pour mettre en pratique toutes les Douze Étapes en même temps. Ce n'est pas surprenant que j'aie été bientôt submergé — et épuisé.

Aujourd'hui, je sais que je peux mettre une semence en terre fertile, mais que je n'aide pas la plante à pousser en tirant dessus dans l'espoir d'accélérer sa croissance. Je dois laisser le processus se dérouler à son propre rythme.

Pensée du jour

Je prends au sérieux mon engagement en ce qui a trait à mon rétablissement, mais je ne peux pas m'attendre à me rétablir du jour au lendemain. Quand j'aborde ma vie avec, comme attitude, de «me hâter lentement», je traite le monde qui m'entoure et moi-même avec bonté et amour.

> «Quand nous essayons d'assimiler trop rapidement tous les principes Al-Anon, nous risquons de nous décourager... Nous serions sages d'y aller lentement et de nous concentrer sur une seule idée à la fois.»
>
> *Al-Anon un jour à la fois*

Al-Anon m'a appris à faire la différence entre les murs et les limites. Les murs sont solides et rigides; ils gardent les autres à l'extérieur et me confinent à l'intérieur. Les limites sont flexibles, modifiables, mobiles, de sorte qu'il n'en tient qu'à moi de déterminer à quel point je serai, à un moment donné, ouvert ou fermé. Elles me permettent de décider quel comportement est acceptable, non seulement de la part des autres mais aussi de la mienne. Aujourd'hui, je peux dire «non» avec amour au lieu de le dire avec hostilité, de sorte que ce «non» ne met pas un terme à mes relations.

J'ai compris la nature des limites grâce à la propre série de limites d'Al-Anon: les Douze Traditions. Même si elles ont pour but de protéger Al-Anon, en fait elles favorisent la croissance de la fraternité. Cela s'applique également à mes limites personnelles. À mesure que je décide ce qui, pour moi, est acceptable ou ne l'est pas, j'apprends à vivre en sécurité, sans mur.

Pensée du jour

Mes murs de protection sont-ils pour moi source de sécurité ou d'isolement? Aujourd'hui, je m'aimerai suffisamment pour chercher des façons plus saines de me protéger, des façons qui n'excluent personne.

«Les gens se sentent seuls parce qu'ils construisent des murs plutôt que des ponts.»

Joseph Fort Newton

Autrefois, beaucoup d'entre nous n'éprouvions que rarement de la joie. Notre rétablissement dans Al-Anon nous amène souvent à en éprouver plus fréquemment. Mais au lieu de profiter de ces moments agréables, nous avons tendance à nous accrocher désespérément au bonheur, essayant d'arrêter le temps et de tenir le changement à distance, comme si notre joie allait nous être ravie à jamais au moment même où nous laisserons tomber notre garde. Nous risquons de devenir trop occupés à éviter le changement pour pouvoir profiter des bienfaits que nous avons peur de perdre. En nous agrippant à ce que nous voulons le plus conserver, nous ne le perdons que plus rapidement.

Le changement est inévitable. Nous ne pouvons y échapper. Quand nous sommes disposés à accepter le changement, nous faisons de la place à un Dieu d'amour. En abandonnant nos efforts pour influencer l'avenir, nous sommes plus libres de vivre le présent, de ressentir tous nos sentiments à l'instant même où ils surviennent et de profiter plus pleinement de ces précieux moments de joie dont nous sommes gratifiés.

Pensée du jour

Aujourd'hui, j'essaierai d'avoir l'esprit ouvert afin de recevoir l'abondance que Dieu me réserve en vivant le présent et en laissant Dieu décider de l'avenir.

> «Plus nous essayons de retenir la minute présente, de saisir une sensation agréable... plus elle nous échappe... C'est comme essayer de retenir de l'eau entre nos mains — plus nos mains se referment, plus l'eau coule entre nos doigts.»

Alan Watts

«Les personnes que j'aime ne prendront pas soin d'elles-mêmes, par conséquent je dois le faire. Comment survivront-elles à moins que je...?» C'était ma façon de penser avant de connaître Al-Anon, mon excuse pour me mêler des affaires de tout le monde. Mes besoins me semblaient si peu importants comparés aux constantes situations de crise autour de moi. Al-Anon m'a dit que j'avais d'autres choix dont l'un était de «lâcher prise et de m'en remettre à Dieu».

Quand je pense à lâcher prise, je me rappelle qu'il y a un ordre naturel dans la vie — un enchaînement d'événements prévus par une Puissance Supérieure. Quand je lâche prise devant une situation, je permets à la vie de se dérouler selon ce plan. J'ouvre mon esprit et je laisse d'autres façons de penser ou de me comporter s'infiltrer en moi. Quand je lâche prise devant une autre personne, j'affirme son droit de vivre sa propre vie, de faire ses propres choix et de croître à mesure qu'elle expérimente les conséquences de ses actes. Les autres ont aussi une Puissance Supérieure. Mon intervention obsessive perturbe non seulement ma relation avec eux, mais aussi ma relation avec l'être spirituel que je suis.

Pensée du jour

Je suis ma priorité absolue. En gardant mon attention centrée sur moi, je lâche prise face aux problèmes des autres et je suis plus en mesure de m'occuper des miens. Qu'est-ce que je peux faire pour moi aujourd'hui?

> «Je me rappellerai... que je suis impuissant devant toute autre personne, que je ne peux vivre d'autre vie que la mienne. Apporter des changements en *moi* est la seule façon de trouver la paix et la sérénité.»
>
> *Un dilemme: le mariage avec un alcoolique*

La formule suggérée pour clore les réunions Al-Anon dit: «...vous éprouverez pour nous un attachement très spécial — même si tous ne peuvent pas vous plaire également — et vous nous aimerez comme déjà nous vous aimons.» En d'autres mots, chaque réunion Al-Anon peut s'avérer une occasion de placer les principes au-dessus des personnalités. La plupart d'entre nous sommes très conscients de la personnalité des personnes qui nous entourent. Au lieu de nous perdre dans des sympathies et des antipathies futiles, il est important de nous rappeler la raison pour laquelle nous assistons aux réunions. Nous avons tous besoin les uns des autres pour nous rétablir.

Je ne suis pas obligé d'aimer tout le monde, mais je veux regarder plus en profondeur pour trouver ce que nous avons en commun. Peut-être que je peux me retrouver en paix avec chacun en me rappelant ces choses qui nous lient — un intérêt commun, une croyance commune, un but commun. J'aurai alors une source de force plutôt qu'une cible pour mes pensées négatives. J'aurai placé les principes au-dessus des personnalités.

Pensée du jour

Je garderai l'esprit ouvert devant toutes les personnes que je rencontrerai aujourd'hui. Si je suis prêt à apprendre, n'importe qui peut être mon professeur.

> «La communication basée sur l'amour est la porte ouverte aux solutions valables. Une telle communication dépend de la connaissance et du respect... du bien-être de l'autre, (de) la bonne volonté d'accepter chez l'autre ce qui ne correspond pas à nos propres valeurs et aspirations.»
>
> *Un dilemme: le mariage avec un alcoolique*

Un changement miraculeux s'est produit à cause de mon engagement dans le programme Al-Anon: j'ai découvert que j'ai le sens de l'humour. Avant d'arriver dans ces salles de réunions, je ne souriais jamais et j'en voulais à quiconque souriait. Je ne pouvais comprendre pourquoi on riait tant au cours des réunions; je n'entendais rien de drôle! La vie était tragique et sérieuse.

Récemment, je racontais une série d'événements que j'avais trouvés extrêmement difficiles. Il s'agissait d'une de ces semaines où tout semblait aller mal. Ce qu'il y avait de curieux, c'est que maintenant que cela faisait partie du passé, je trouvais mon histoire traumatisante incroyablement drôle et la plupart des autres membres du groupe aussi.

Plus que tout autre changement que j'ai observé en moi, je trouve que celui-là est le plus merveilleux. Il me dit que je me vois et que je vois ma vie d'une façon plus réaliste. Je ne suis plus une victime, remplie d'apitoiement et décidée à contrôler tous les aspects de ma vie. Aujourd'hui, je ne me prends plus aussi au sérieux et il en est de même des circonstances de ma vie. Je peux même permettre que la joie et le rire fassent partie d'une expérience pénible.

Pensée du jour

Si je prends du recul et que je regarde ma journée comme si je regardais un film, j'y découvrirai sûrement au moins un moment où je pourrai apprécier le côté comique d'une situation.

«On grandit le jour où, pour la première fois, on rit vraiment — de soi.»

Ethel Barrymore

Chaque jour je prie pour connaître la volonté de Dieu à mon égard et pour avoir la force de l'exécuter (Onzième Étape). Ensuite j'essaie de croire que ma prière a été entendue et qu'elle sera exaucée. En d'autres mots, j'ai confiance qu'à un certain moment de ma journée, j'accomplirai la volonté de Dieu.

À mon avis, accomplir la volonté de Dieu ne signifie pas que je dois poser quotidiennement des gestes héroïques ; il s'agit plutôt, à un moment donné, de faire exactement ce qu'il y a à faire, comme humer le parfum d'une rose, vider la corbeille à papier ou laver la voiture.

J'ai une Puissance Supérieure Qui m'aime tel que je suis. Lorsque j'apprends à m'aimer comme ma Puissance Supérieure m'aime, je crois que je suis en train d'accomplir la volonté de Dieu.

Pensée du jour

Quel geste aimant puis-je poser aujourd'hui ? Peut-être que je me réserverai du temps pour faire une chose qui ne présente rien de pratique, sauf de me procurer du plaisir — voir un film, lire un bon livre ou prendre une bouffée d'air frais. Ou je m'occuperai peut-être de la paperasse que j'ai négligée. Je pourrais m'engager à bien manger et à prendre le repos dont j'ai besoin, ou à faire amende honorable pour quelque chose qui me tracasse. Un simple geste peut être le début d'une habitude d'amour de soi qui durera toute la vie.

«Dieu seul connaît le plan secret des choses qu'Il fera pour le monde en Se servant de moi.»

Toyohiko Kagawa

Après avoir laissé les gens profiter de moi durant des années, j'avais accumulé toute une réserve de colère, de ressentiment et de culpabilité quand j'ai découvert Al-Anon. Il m'arrivait tant de fois de vouloir me mordre la langue après avoir dit «oui», alors qu'en réalité je voulais dire «non». Pourquoi est-ce que je continuais à nier mes propres sentiments simplement pour obtenir l'approbation de quelqu'un d'autre?

À mesure que j'ai mis le programme Al-Anon en pratique, la réponse est devenue évidente: ce dont je manquais, c'était du courage. Dans la Prière de Sérénité, j'apprends que c'est ma Puissance Supérieure Qui m'accorde le courage; donc c'est de ce côté que je me suis d'abord tourné. Ensuite, il ne me restait qu'à faire ma part. Est-ce que j'étais disposé à apprendre à dire «non» quand je pensais non? Est-ce que j'étais disposé à accepter que ce changement ne plairait pas à tout le monde? Est-ce que j'étais disposé à faire face au vrai moi caché derrière cette image de la personne qui tentait de plaire à tout le monde? J'en avais assez de me laisser traiter comme un paillasson, alors j'ai redressé les épaules et j'ai répondu «oui».

Pensée du jour

Il n'est pas toujours approprié de révéler toutes mes pensées, surtout quand j'ai affaire à une personne alcoolique en phase active. Mais est-ce que je choisis consciemment les paroles que je dis? Et quand c'*est* approprié, est-ce que je dis ce que je pense et est-ce que je pense ce que je dis? Sinon, pourquoi? Tout ce que j'ai à offrir aux autres, c'est ma propre expérience de la vérité.

«Le prix à payer pour avoir la paix est trop élevé... Personne ne peut payer le prix du respect de soi.»

Woodrow Wilson

J'apprends à identifier les illusions qui rendent ma vie incontrôlable. Par exemple, je voulais cesser de contrôler les gens et les situations, mais plus j'essayais, plus j'avais l'impression de me frapper la tête contre un mur. C'est alors que quelqu'un a mentionné que je ne pouvais pas abandonner quelque chose que je n'avais pas. Peut-être que je pouvais essayer d'abandonner l'*illusion* de contrôler. Ayant constaté que mes tentatives pour exercer le pouvoir étaient basées sur l'illusion, il m'a été plus facile de «lâcher prise et de m'en remettre à Dieu».

Mon autre illusion consiste à penser que j'ai un grand vide à l'intérieur de moi et que je dois le remplir avec quelque chose venant de l'extérieur. Faire des achats compulsifs, me laisser obséder par certaines relations, essayer de régler les problèmes de tout le monde — ce sont là quelques-uns des moyens que j'ai utilisés pour essayer de combler ce vide. Toutefois le problème, c'est le vide spirituel et il doit être comblé de l'intérieur. J'ai commencé à me rétablir seulement lorsque j'ai percé l'illusion selon laquelle j'étais incomplet et que je devais chercher ma complétude à l'extérieur de moi.

Pensée du jour

Aujourd'hui, si je me surprends à penser que je ne suis pas à la hauteur ou que j'ai besoin de quelque chose de l'extérieur pour me sentir complet, je saurai que je suis sous l'emprise des illusions. Aujourd'hui, je peux téléphoner à un membre Al-Anon et revenir à la réalité.

> «...en changeant leur attitude intérieure, les êtres humains peuvent changer l'aspect extérieur de leur vie.»
>
> William James

Je prends à cœur ces mots de la formule suggérée pour clore les réunions: «Qu'il n'y ait ni commérages ni critiques.» J'essaie de laisser mon attitude de juge à la porte. Malheureusement, je la reprends au moment même où je remonte dans ma voiture après la réunion.

Personne ne conduit assez bien à mon goût. La voiture qui me précède avance trop lentement et je suis *forcé* de m'en rapprocher et de la serrer de près. Le conducteur qui me suit me fait la même chose. Pour ne pas le laisser m'intimider, je lui lance des injures et je conduis encore plus lentement. Ne connaissent-ils pas mon code de la route? En d'autres mots, avec mes sempiternelles critiques et tout ce que j'attends des autres, je m'isole et je me comporte en victime.

Qu'est-il advenu de la pratique des principes Al-Anon dans tous les domaines de ma vie? Est-ce que je crois vraiment pouvoir récolter absolument tous les bienfaits du programme en aimant de façon inconditionnelle durant une seule heure, deux ou trois fois par semaine? C'est peut-être un début, mais ce n'est qu'un début.

Pensée du jour

Je ne peux empêcher les idées de me passer par la tête, mais j'ai le choix d'entretenir ou non ces idées durant la prochaine heure. Est-ce que je fais les choix que je veux faire ou est-ce que ce sont mes habitudes qui choisissent à ma place? Un changement d'attitude signifie un changement dans ma façon de penser. J'examinerai les principes que je mets en pratique aujourd'hui.

> «Nous devons changer notre vie afin de changer notre cœur, car il est impossible de vivre d'une façon et de prier d'une autre.»
>
> William Law

Un tailleur de pierre peut frapper une pierre quatre-vingt-dix-neuf fois sans obtenir d'effets apparents, pas même une fissure superficielle. Toutefois, lors du centième coup, la pierre se fend en deux. Ce n'est pas le dernier coup qui a fendu la pierre, mais tous ceux qui l'ont précédé.

Il en va de même du rétablissement dans Al-Anon. Peut-être suis-je en train d'apprendre à accepter que l'alcoolisme est une maladie, ou d'apprendre à me détacher, ou peut-être suis-je en train de lutter contre l'apitoiement. Je peux poursuivre un but durant des mois sans résultat apparent et être convaincu que je perds mon temps. Mais si je continue d'assister aux réunions, de parler de mes efforts, de prendre les choses un jour à la fois et d'être patient envers moi-même, il se peut que je me rende compte que j'ai changé, apparemment du jour au lendemain. Soudainement j'ai l'acceptation, le détachement ou la sérénité que je cherchais. Les résultats peuvent se manifester brusquement, mais je sais que ce sont tous ces mois de foi et de dur labeur qui ont rendu ces changements possibles.

Pensée du jour

On nous dit souvent: «Reviens.» Aujourd'hui, je me rappellerai que la persévérance dans Al-Anon ne s'applique pas uniquement aux réunions, mais aussi à l'apprentissage de nouvelles attitudes et d'un nouveau comportement qui s'avèrent les bienfaits à long terme du rétablissement dans Al-Anon. Je ne constaterai peut-être pas les résultats aujourd'hui, mais je peux être assuré que je progresse.

> «Essaie d'être patient avec toi-même et ta famille. L'alcoolisme t'affecte ainsi que ta famille depuis longtemps et il se peut que le rétablissement soit long.»
>
> *L'adolescent et le parent alcoolique*

Al-Anon est un programme spirituel qui n'est basé sur aucune religion en particulier et aucune croyance religieuse n'y est requise. Pour ceux d'entre nous qui avons eu dans le passé des expériences pas très heureuses avec la religion, cette liberté est importante. La spiritualité n'implique pas nécessairement une philosophie particulière ou un code moral; elle suppose simplement qu'il y a une Puissance supérieure à nous-mêmes sur Qui nous pouvons compter. Peu importe que nous l'appelions Puissance Supérieure, Dieu, l'ordre universel, Allah, l'univers ou un autre nom, il est vital pour notre rétablissement d'en venir à croire en une Puissance supérieure à nous-mêmes (Deuxième Étape). Jusqu'à ce que nous y parvenions, le reste des Étapes n'aura pas beaucoup de sens.

Cette Puissance Supérieure pourrait être comparée à l'électricité qui nous donne les lumières essentielles à notre rétablissement et en alimente le mécanisme. Il n'est pas nécessaire de comprendre la nature de l'électricité pour en profiter — tout ce que nous avons à faire, c'est d'appuyer sur le bouton!

Pensée du jour

Il se peut que je sois à la recherche d'un Dieu plus aimant en Qui je peux placer ma confiance, ou que j'aie à faire face à un défi qui met à l'épreuve mes croyances de toujours, ou que j'aie à lutter contre l'idée même d'une Puissance Supérieure. Peu importe ce que je crois, je peux prier pour avoir une foi plus grande aujourd'hui. Ce simple petit geste de bonne volonté peut opérer des miracles.

> «Quand je finis par comprendre que mes problèmes sont trop grands pour que je puisse les résoudre seul... je n'ai pas besoin d'être seul avec mes problèmes si je consens à accepter l'aide d'une Puissance Supérieure.»
>
> *Les Douze Étapes & les Douze Traditions d'Al-Anon*

J'ai souvent entendu dire que le bonheur est un travail intérieur et que la plupart du temps, je peux être heureux dans la mesure où je décide de l'être. Toutefois, j'ai souvent trouvé que le bonheur était fugitif. Je sais que c'est peu réaliste que de m'attendre à être heureux tout le temps, mais je pense que je pourrais atteindre ce but beaucoup plus souvent si je prenais un engagement plus ferme dans ma décision d'être heureux. Au lieu de cela, je choisis le bonheur pour ensuite laisser tomber mon choix au premier signe de difficulté. À quel point mon engagement peut-il être profond si je permets au moindre obstacle de me ravir mon sentiment de bien-être?

L'engagement exige du travail; c'est une discipline. Quand je prends une décision, je dois me demander ce que je veux vraiment et si je suis disposé à travailler pour l'obtenir. Les anciennes habitudes sont difficiles à briser. Si depuis longtemps j'ai l'habitude d'aborder les problèmes avec l'impression d'être une victime démunie, il ne sera peut-être pas facile de m'en tenir à ma décision d'être heureux. Un changement d'attitude peut parfois aider: Peut-être que je peux considérer mes problèmes comme des occasions de m'engager plus profondément dans mes choix. En d'autres mots, chaque obstacle peut m'inciter à affirmer ce que je veux vraiment — je veux être heureux.

Pensée du jour

Quand je fais un choix et que je le maintiens, je me démontre que mon choix a vraiment du sens et que je suis digne de confiance. J'ai l'occasion de prendre un engagement envers un de mes choix aujourd'hui.

«Notre vie même dépend de tout ce qui revient constamment, jusqu'à ce que notre réponse provienne de l'intérieur.»

Robert Frost

L'entretien de la maison a toujours été une source de friction entre moi et l'alcoolique que j'aime. Je me sens habituellement tellement débordée par toutes les choses qui doivent être faites que je suis incapable d'organiser mon travail. Alors, quand il boit, il rage contre tout ce qui a besoin d'être épousseté, frotté ou ramassé.

Récemment, nous étions à nettoyer la cuisine après un gros déjeuner. Sans réfléchir, j'ai déplacé des contenants d'une clayette du réfrigérateur à une autre et j'ai essuyé un dégât. Ce n'était pas une grosse affaire, mais il y avait maintenant une partie du réfrigérateur qui était propre. J'ai pensé: «Peut-être que le ménage de la maison consiste uniquement à cela. Si je ne faisais qu'une petite tâche à la fois, j'arriverais à accomplir quelque chose.» Puis soudainement la lumière s'est faite dans mon esprit. C'est cela, la signification du slogan «un jour à la fois»! Quand j'aborde un jour, un moment, une tâche à la fois et que je m'y concentre vraiment, j'accomplis beaucoup plus de choses.

Pensée du jour

Quand je me sentirai débordé, ou incapable d'accomplir quoi que ce soit parce qu'il y aura tellement à faire que je ne saurai pas par où commencer, je m'arrêterai un instant et je me rappellerai d'aborder les choses une étape à la fois, une tâche à la fois, un jour à la fois.

«Nous rappeler que nous ne pouvons vivre qu'un jour à la fois nous libère du fardeau du passé et nous empêche de redouter l'avenir que personne, d'ailleurs, ne peut connaître.»

Voici Al-Anon

J'ai adhéré à Al-Anon afin de découvrir comment amener un être que j'aime à cesser de boire, espérant que ma vie redeviendrait alors normale. Dans Al-Anon, j'en suis venu à comprendre que je n'étais pas la cause de l'alcoolisme, que je ne peux y exercer aucun contrôle, pas plus que je n'en connais la cure. Mais je peux appliquer les Douze Étapes dans ma propre vie afin de trouver un équilibre mental et du contentement, que l'alcoolique boive encore ou non. C'est pourquoi, dans Al-Anon, je dois me concentrer sur moi.

J'ai tôt fait de découvrir que j'avais des problèmes personnels qui requéraient mon attention: J'avais effectué certains changements malsains en essayant d'affronter la maladie de l'alcoolisme. Ces changements étaient survenus si lentement, si subtilement que je ne m'en étais pas aperçu. J'en ai parlé ouvertement aux réunions Al-Anon et j'ai consenti à abandonner des attitudes qui ne semblaient plus appropriées. Avec l'aide de ma Puissance Supérieure, j'ai commencé à me défaire d'habitudes autodestructrices. Avec le temps, j'ai senti que j'avais retrouvé mon vrai moi. J'ai recommencé à croître.

Pensée du jour

Je réagis mal quand quelqu'un essaie de m'imposer sa volonté; pourquoi ai-je essayé d'imposer ma volonté à mon entourage? Je ne suis responsable que d'une seule personne et cette personne, c'est moi. Il n'y a qu'une seule personne qui peut rendre ma vie aussi remplie que possible — et cette personne, c'est encore moi.

> «Aujourd'hui, je n'interviendrai pas dans la vie des autres et je garderai mon attention axée là où elle doit être, c'est-à-dire sur moi.»
>
> *...dans tous les domaines de notre vie*

Mon irrésistible désir de contrôler devient plus qu'évident lorsque je suis tenté de contrôler mon groupe. Je décide que je sais ce qui est le mieux pour nous tous, ou que je suis la seule personne qui comprend vraiment les Traditions, ou que je sais ce que les nouveaux venus ont besoin d'entendre et que moi seul dois m'assurer qu'ils l'entendent. Je peux percevoir cela comme un sentiment de responsabilité hautement développé, mais mon attitude et mes actes se résument quand même à une forme de domination.

La Deuxième Tradition stipule: «Pour le bénéfice de notre groupe, il n'existe qu'une seule autorité — un Dieu d'amour tel qu'Il peut Se manifester à notre conscience de groupe. Nos dirigeants ne sont que des serviteurs de confiance — ils ne gouvernent pas.» Nous nous efforçons de tenir nos réunions comme une fraternité d'égaux et d'appliquer une rotation dans les fonctions. Aucun membre n'a le droit de tout prendre en charge.

Quand j'insiste pour imposer ma volonté, je fausse la nature spirituelle d'Al-Anon dans son ensemble. Tout comme ma Puissance Supérieure me guide dans ma vie quotidienne, une Puissance supérieure à moi-même est à l'œuvre dans mon groupe par la voix de ses membres.

Pensée du jour

Je ne suis qu'une voix dans une fraternité mondiale florissante. Quand je douterai, je m'en remettrai à la sagesse de la conscience de groupe.

> «Toute tentative pour gouverner ou diriger peut avoir des conséquences désastreuses sur l'harmonie du groupe.»
>
> *L'alcoolisme, un mal familial*

Il fut un temps dans ma vie où je refusais farouchement de reconnaître l'existence de l'alcoolisme dans ma famille. Nous étions des gens normaux; tout allait bien! Aujourd'hui, je sais que l'alcoolisme est un mal familial qui affecte non seulement les buveurs mais aussi leur entourage. La négation est un symptôme de ce mal familial.

Quand j'ai commencé à reconnaître que l'alcoolisme existait dans ma famille, mon malheureux passé est devenu le sujet de toutes mes conversations. Puis un membre Al-Anon m'a dit qu'il était possible de regarder le passé sans s'y attarder. Cette personne a souligné à quel point il peut être facile de perdre notre perspective, de nous sentir piégés, de cesser de vivre dans le présent. Libérer les secrets du passé peut apporter de nombreux bienfaits, mais le but de cette recherche est de nous rétablir des conséquences de l'alcoolisme et de continuer à vivre l'instant présent.

Aujourd'hui, avec l'amour, le soutien et l'encouragement des membres Al-Anon, je suis capable de faire face à la réalité du passé, non pour blâmer ou pour me complaire dans l'apitoiement, mais pour apprendre.

Pensée du jour

Il y a beaucoup à apprendre du passé, mais je ne peux pas permettre aux blessures de mon passé de couver et de détruire mon aujourd'hui. Au contraire, je peux demander à ma Puissance Supérieure de m'aider à utiliser mes expériences pour aller de l'avant et pour effectuer des choix plus sains, plus aimants que jamais auparavant.

«L'expérience, ce n'est pas ce qui nous arrive, c'est ce que nous faisons avec ce qui nous arrive.»

Aldous Huxley

La critique peut assurément m'apprendre quelque chose et je veux demeurer réceptif pour entendre ce que les autres ont à dire, mais ni ma popularité ni ma capacité de plaire aux gens avec qui je vis et travaille ne sont des mesures logiques pour établir ma valeur en tant qu'individu. Al-Anon m'aide à reconnaître que j'ai de la valeur simplement parce que je respire le souffle de l'humanité. À mesure que j'acquiers de l'estime personnelle, il m'est plus facile d'évaluer mon comportement de façon plus réaliste.

Le soutien que j'obtiens dans Al-Anon m'aide à trouver le courage de me connaître. À mesure que j'en viens à me sentir à l'aise avec moi-même et avec mes valeurs, avec ce que j'aime et ce que je n'aime pas, avec mes rêves et mes choix, je suis de plus en plus capable de risquer d'encourir la désapprobation des autres. Je suis également capable de respecter les autres quand ils choisissent d'être eux-mêmes, que j'aime ou non ce que je vois.

Pensée du jour

Avec l'aide d'un parrain aimant et le soutien de mes amis Al-Anon, j'apprends à trouver ma place dans ce monde — une place où je peux vivre dans la dignité et le respect de moi-même.

> «J'existe tel que je suis et cela suffit, même si personne d'autre au monde n'est conscient que je suis satisfait, et même si tout le monde est conscient que je suis satisfait.»

Walt Whitman

Le ressentiment a empoisonné la majeure partie de mon existence avant que je ne découvre Al-Anon. Je pouvais nourrir du ressentiment durant des jours ou des années, en justifiant constamment pourquoi j'éprouvais ce ressentiment. Aujourd'hui, même s'il est important que je tienne compte de mes sentiments, je ne suis pas obligé d'énumérer constamment mes griefs. Il n'est pas nécessaire que je revoie continuellement à quel point j'ai été blessé, que je trouve qui est à blâmer, ou que je détermine les dommages.

En définitive, je ne réglerai peut-être pas tout avec la personne en question — même s'il se pouvait que ce soit agréable si cela arrivait. Je veux seulement me débarrasser du ressentiment parce qu'il m'empêche d'éprouver de la joie. J'essaie de diriger plutôt mon énergie là où elle fera du bien. Je mets les Sixième et Septième Étapes en pratique parce qu'à mon avis, le moyen de cesser de faire du ressentiment, c'est de me tourner vers ma Puissance Supérieure. Je veux consentir pleinement à ce que ma Puissance Supérieure l'élimine et je demande humblement de l'aide.

Pensée du jour

Si je m'agrippe à un ressentiment, je peux simplement demander du soulagement, de la tranquillité d'esprit pour le moment présent. Je me rappellerai que ce soulagement se produira au temps choisi par Dieu. Je serai ensuite plus calme, plus patient, et je saurai attendre.

«Personne ne peut penser clairement quand il serre les poings.»

George Jean Nathan

J'ai rêvé que j'étais coincé dans une pièce en flammes. Une épaisse fumée remplissait la pièce et le feu bloquait la seule porte de sortie. Alors que je cherchais mon souffle, une main est apparue derrière les flammes, me faisant signe d'approcher. Je savais que la liberté, la lumière et l'air se trouvaient de l'autre côté de cette porte et qu'une mort certaine m'attendait si je restais. Pourtant, j'hésitais. Comment pouvais-je traverser les flammes ?

Il m'arrive parfois d'éprouver le même sentiment devant les défis que j'affronte dans ma vie. Même quand ma situation est sans espoir et que ma Puissance Supérieure me fait signe, m'exhortant à prendre un risque, j'hésite encore, espérant un miracle. J'oublie que le miracle est déjà là. Aujourd'hui, grâce à Al-Anon, j'ai une Puissance Supérieure Qui est toujours à ma disposition, m'aidant à affronter mes peurs et à trouver de nouvelles solutions efficaces à mes problèmes. Ainsi, je suis amené au-delà des problèmes qui m'ont déjà tenu en otage. Je suis libre d'agir ou de ne pas agir, d'encourir un risque, de m'abstenir de prendre une décision, de faire des choix qui me semblent sensés.

Pensée du jour

Il faut du courage pour aller au-delà de ce qui est confortable, prévisible et connu. Le courage est un cadeau de ma Puissance Supérieure que je trouve dans les salles de réunions Al-Anon et dans le cœur de ses membres.

«Le courage fait face à la peur et par là même, la maîtrise.»

Martin Luther King, fils

J'ai entendu mes amis Al-Anon parler des Dixième, Onzième et Douzième Étapes comme étant des Étapes d'«entretien». Mais je ne veux pas me contenter de rester là où j'en étais quand j'ai terminé ma Neuvième Étape. Ce n'est pas le temps de stagner! Je les qualifie plutôt d'Étapes de «croissance». Peu importe quel âge j'atteindrai, ces trois dernières Étapes me permettront de continuer à me mettre en question.

J'ai vérifié cette théorie quand mon conjoint et moi avons pris notre retraite. J'ai maintenant plus de temps pour m'immiscer dans les affaires des autres, m'inquiéter de notre santé, de nos finances, de la situation mondiale ou, pour parler franchement, retourner à mon ancienne «façon de penser malsaine». Mais avec l'aide de ces Étapes, je découvre que j'ai aussi plus de temps pour prendre conscience des extraordinaires bienfaits de la croissance personnelle, grâce à ma Puissance Supérieure Qui est toujours là pour me guider et me donner de la force. C'est seulement par ce contact conscient de plus en plus grand avec mon Dieu que je peux vivre aujourd'hui comme je le veux.

Pour couronner le tout, j'ai plus de temps pour transmettre le message de ce merveilleux mode de vie. Quelques-uns de mes souvenirs les plus agréables, sans mentionner mes périodes de plus grande croissance, proviennent de ce partage avec d'autres personnes et du travail de service au niveau de mon groupe et d'Al-Anon dans son ensemble.

Pensée du jour

Avec l'aide des Étapes, je n'aurai jamais besoin de m'enliser de nouveau.

«N'ayez pas peur de progresser lentement, craignez seulement de rester stagnant.»

Proverbe chinois

Dans la Sixième Étape, je songe à ma vie en plein changement — un énorme changement. Voici ma plus grande peur: Si je me défais de plusieurs traits de caractère qui me nuisent, que me restera-t-il? C'est comme si je faisais face à un grand vide, à un inconnu terrifiant. Cependant, quand je regarde le bout de chemin que j'ai parcouru, je peux voir à quel point je *veux* changer. Le désir de progresser et de me rétablir m'a amené à mon inconfortable situation actuelle, parce que j'en ai assez de la personne que j'ai été. Ma Puissance Supérieure est là pour me guider quand j'y consens.

Je trouve de la consolation dans le fait que la Sixième Étape ne me demande pas de changer quoi que ce soit; je dois simplement me préparer à changer. Je peux prendre tout le temps nécessaire. C'est cette latitude que je cherchais en tout premier lieu. Maintenant elle fait partie de ma vie.

Pensée du jour

Je n'ai pas à juger la rapidité avec laquelle je change mes anciennes habitudes ou façons de penser. Si mon ancien comportement me rend mal à l'aise, je suis déjà, en quelque sorte, en train de le changer. Le changement ne s'effectuera pas à moins que je ne sois prêt. Je dois seulement avoir confiance que lorsque le temps viendra d'aller de l'avant, je le saurai.

> «Rappelez-moi chaque jour que la course n'est pas toujours l'apanage des plus agiles; que la vie vaut davantage qu'une accélération constante. Fasse que je regarde le chêne majestueux et sache qu'il a acquis sa taille et sa force en grandissant lentement et sûrement.»
>
> Orin L. Crain

Avant mon arrivée à Al-Anon, je n'avais jamais eu l'impression que je pouvais être moi-même avec les autres. J'étais trop occupé à essayer d'être ce que je pensais que les autres voulaient que je sois, craignant que les gens ne m'acceptent pas tel que j'étais.

Mais dès ma première réunion Al-Anon, je me suis senti à l'aise. Les membres ont parlé de traits de caractère que nous avions en commun et que je reconnaissais en moi. «Ils parlent d'eux-mêmes, mais c'est moi qu'ils décrivent!» ai-je pensé. «Je ne suis pas fou après tout!» Les réunions m'ont aidé à me rendre compte qu'il y avait beaucoup de personnes comme moi dans ce monde — des gens qui avaient été affectés par l'alcoolisme d'une autre personne. Je n'avais pas à mentir aux gens qui assistaient à ces réunions et à la longue, j'ai appris que je n'avais pas à mentir à qui que ce soit nulle part. J'en suis venu à voir que je peux vivre ma vie pour acquérir la paix intérieure et non en fonction des apparences extérieures.

Pensée du jour

Vivre des joies et des problèmes confirme mon appartenance à la race humaine. Ce qui me démarque, c'est la voie dans laquelle j'ai été placé. Personne ne peut la parcourir à ma place, pas plus que je ne peux changer ma voie pour accommoder quelqu'un d'autre.

> «La coquille qui avait enfermé ma vie, qui m'avait empêché de vivre et d'aimer a craqué et le pouvoir du programme Al-Anon remplit le vide qui m'a éloigné de la vie durant des années.»
>
> *Tel que nous Le concevions...*

Lors d'une réunion Al-Anon, nous avons discuté comment nos habitudes dans l'entretien de la maison reflétaient les conséquences de l'alcoolisme. Un membre nous a confié que sa vie lui semblait complètement incontrôlable à moins que sa maison ne soit étincelante de propreté. Une maison à l'ordre lui donnait l'illusion de contrôle.

D'autres membres, dont j'étais, parlaient de planchers tellement encombrés de vêtements, de livres et de papiers qu'ils étaient incapables de traverser la pièce sans marcher ou trébucher sur quelque chose. J'avais toujours considéré cela uniquement comme une mauvaise habitude jusqu'à ce que j'entende quelqu'un dire que ce fouillis était son moyen de tenir les gens à distance — de s'isoler.

Puis je me suis rappelé que dans la maison où j'avais grandi, le fouillis avait justement servi à cela: j'avais toujours peur d'inviter des amis chez moi parce qu'il y avait trop de désordre. Je me suis sentie mal à l'aise de constater qu'une fois adulte, je répétais ce même comportement qui m'avait gardée isolée lorsque j'étais enfant.

Pensée du jour

En jetant un regard neuf sur ce que je croyais n'être qu'une mauvaise habitude, je peux aujourd'hui libérer ma vie d'un certain désordre. Je peux considérer les motivations cachées d'une habitude sans condamner ma famille ou moi-même. Le désordre n'a pas besoin d'être évident; je peux trouver des domaines de ma vie mentale, spirituelle ou émotionnelle qui sont en désordre. Je peux me rétablir sans porter un jugement moral sur les autres ou sur moi-même.

> «...le programme (Al-Anon) peut me faire voir mon univers dans une nouvelle perspective en m'aidant à mieux me connaître...»
>
> *Al-Anon un jour à la fois*

Quand j'ai l'impression que je ne peux tout simplement pas affronter le monde et que je ne veux rien d'autre que m'enfouir la tête sous les couvertures, je sais que j'ai besoin d'une réunion Al-Anon! Je devrai peut-être me pousser dans le dos pour sortir, mais je me sens toujours mieux — plus saine d'esprit — quand je romps l'isolement et que je demande de l'aide. Je me sens habituellement soulagée au moment même où j'entre dans une salle de réunions Al-Anon, même s'il s'agit d'un groupe où je ne suis jamais allée auparavant. Dans ces salles de réunions, je trouve une Puissance apaisante, réconfortante, une Puissance supérieure à moi-même. Et parce que ma Puissance Supérieure me parle par l'intermédiaire des autres membres, j'entends souvent exactement ce que j'avais besoin d'entendre.

Nous traversons tous des périodes de tristesse, de léthargie et de chagrin — cela fait partie de la vie. Mais l'état dépressif peut devenir une habitude qui se perpétue, à moins que je n'intervienne en agissant dans mon meilleur intérêt. Al-Anon ne peut pas résoudre tous les problèmes et si mon état dépressif persiste, je devrai peut-être songer à chercher une aide professionnelle. Mais plus souvent qu'autrement, ce que j'ai besoin de faire, c'est de me transporter de corps à une réunion Al-Anon. Je sais que peu importe ce que je ressens, si je prends des mesures pour obtenir de l'aide, je me rends réceptive à la Puissance Supérieure présente dans ces salles de réunions.

Pensée du jour

Quand je serai dans le doute, j'assisterai à une réunion Al-Anon et j'inviterai ma Puissance Supérieure à faire pour moi ce que je suis incapable de faire moi-même.

«Il arrive parfois que je doive souffrir pendant la durée d'une situation et quand cela se produit, je n'ai pas le choix entre souffrir ou ne pas souffrir, mais j'ai le choix dans ce que je peux faire pendant que je souffre.»

...dans tous les domaines de notre vie

Un incident en particulier me rappelle le sentiment d'abandon que je ressens quand je mets véritablement la Troisième Étape en pratique et que je confie ma volonté et ma vie aux soins de Dieu. Il y a quelques années, ma sœur a découvert qu'elle avait une tumeur au cerveau. Le diagnostic initial était désastreux — et heureusement, erroné. Quand ma sœur m'a dit quel traitement elle avait choisi, j'ai pensé qu'elle aurait dû explorer certaines voies qu'elle avait écartées. Je suis devenu de plus en plus intolérant devant son choix jusqu'à ce que je lise un commentaire d'une personne que je respecte, laissant supposer que les moyens que j'avais préconisés pouvaient faire plus de tort que de bien.

C'est alors que j'ai constaté les limites de ma propre compréhension. J'ai vu que mon sentiment d'urgence provenait non d'une certitude mais de la peur. J'ai découvert que ma seule ligne de conduite honnête consistait à remettre ma peur et mon amour aux soins de ma Puissance Supérieure. Je ne pouvais plus prétendre savoir ce qui était le mieux.

Pensée du jour

Je ne suis ni un savant en aéronautique, ni un philosophe, ni un magicien. Même si j'étais tout cela, je me retrouverais encore à dépasser le champs de ma compréhension pour plonger dans un vaste inconnu. À mesure que je reconnais mes propres limites, je suis plus reconnaissant que jamais d'avoir une Puissance Supérieure dépourvue de telles restrictions.

> «...le temps modifiera et changera même complètement plusieurs de vos opinions actuelles. Par conséquent, abstenez-vous, pendant quelque temps, de poser en juge dans les sphères les plus élevées.»
>
> Platon

J'avais placé ma marraine sur un piédestal. Je recourais à elle pour avoir toutes les réponses et je la considérais comme ma mère, mon amie, mon guide — une déesse. Elle m'apparaissait comme une personne que je ne pourrais jamais être; elle était parfaite.

Un jour, elle a fait une erreur et est tombée du piédestal où je l'avais placée. Comment pouvait-elle être aussi humaine? Comment osait-elle afficher une telle imperfection? Au début, je me suis sentie effrayée et abandonnée. Mais quand ma marraine est tombée en disgrâce, cela m'a amenée à voir que j'étais responsable de mon propre programme Al-Anon.

J'ai constaté que les «réponses» qu'elle m'avait données étaient simplemenet son expérience, sa force et son espoir, ainsi que sa compréhension des Douze Étapes de rétablissement. J'ai appris que les outils du programme sont également à ma disposition. Et j'ai appris que même si elle était ma marraine, nous étions toutes les deux des membres Al-Anon en train de changer, de trébucher et de progresser. Plus important encore, j'ai appris que considérer un être humain comme étant parfait mène inévitablement à l'insuccès.

Pensée du jour

Ai-je placé quelqu'un sur un piédestal? Est-ce que j'encourage qui que ce soit à avoir une trop haute opinion de moi? Al-Anon m'aide à voir qu'alors que nous nous offrons mutuellement du soutien, nous devons apprendre à compter sur nous-mêmes. Aujourd'hui, je me rappellerai que mes réponses se trouvent en moi.

> «Le parrainage est une amitié entre deux membres qui apprennent l'un de l'autre, ...deux personnes qui apprennent un nouveau mode de vie — un jour à la fois.»
>
> *Le parrainage — et tout ce qu'il comporte*

Depuis mon adhésion à Al-Anon, j'ai pris conscience de certains choix dont j'ignorais jusqu'à l'existence. Si je me sens mal à l'aise de faire une certaine chose, j'ai appris que je ne suis pas nécessairement obligé de la faire. Je peux regarder au fond de mon cœur et essayer de découvrir mes vrais sentiments avant de prendre cette décision. Quelle liberté !

Est-ce que cela signifie que je ne devrais jamais faire une chose à moins que je me sente à l'aise dans cela ? Bien sûr que non. Si j'attendais d'en avoir l'inspiration, mes impôts ne seraient peut-être jamais payés, mon travail ne serait peut-être pas terminé et mes dents ne seraient peut-être pas brossées. Je dois parfois ressentir ce sentiment de malaise et ensuite passer à l'action quand même.

Je crois que c'est la raison pour laquelle notre signet « Aujourd'hui seulement » suggère que je fasse chaque jour deux choses que je n'aime pas faire, simplement pour me discipliner. Afin de me créer une vie équilibrée, je dois pratiquer une certaine autodiscipline. De cette façon, je peux prêter attention à mes sentiments sans en être esclave.

Pensée du jour

Aujourd'hui, je ferai quelque chose qui est bon pour moi même si cela m'est désagréable.

« L'autodiscipline, c'est de l'auto-affection. »

M. Scott Peck

Après avoir vécu dans le chaos d'une relation avec une personne alcoolique, il peut s'avérer difficile de faire la différence entre un inconvénient mineur et une crise majeure. Le slogan Al-Anon «est-ce si important?» en aide plusieurs d'entre nous à retrouver un certain sens des proportions.

Quand des projets tombent à l'eau, quand des factures inattendues arrivent, quand je suis déçu de la réaction de quelqu'un, je peux me demander: «Est-ce si important?» La plupart du temps, je constate que ce que j'aurais pu considérer comme un désastre est en réalité sans importance. Si j'essaie de garder mon attention centrée sur la journée présente au lieu de m'inquiéter des conséquences futures possibles, je peux remettre ma déception ou mon irritation dans leur juste perspective et refuser d'en faire un drame.

Grâce à ce slogan tout simple, plusieurs jours que j'aurais autrefois perçus comme étant tragiques sont maintenant remplis de sérénité et de confiance.

Pensée du jour

Aujourd'hui, si je fais face à une situation bouleversante, je me demanderai avant de réagir: «Est-ce si important?» Je jugerai peut-être que cela n'est pas suffisamment important pour y sacrifier ma sérénité.

«Il est presque aussi important de savoir ce qui n'est pas grave que de savoir ce qui l'est.»

John Kenneth Galbraith

Durant des périodes de tension, peut-être sommes-nous tentés de sauter un repas, de dépasser nos limites jusqu'à épuisement total et en général, d'ignorer nos besoins fondamentaux. Au milieu d'une situation de crise, prendre le temps d'aller à une réunion Al-Anon, d'appeler notre marraine ou notre parrain, ou de prendre une bouffée d'air frais peut sembler une perte de notre temps si précieux. Il semble ne pas y avoir assez d'heures dans une journée et qu'il faut couper quelque part. Mais notre choix est-il judicieux?

Au moment précis où nous avons le plus besoin de bien prendre soin de nous-mêmes, nous faisons probablement le contraire. Si nous décidons que nos besoins sont sans importance ou que nous sommes trop occupés, nous sabotons nos meilleurs intérêts. Dans des situations de crise, nous devons être en pleine forme. En faisant un effort supplémentaire pour prendre des repas nutritifs, pour nous accorder du sommeil, pour aller chercher du soutien dans Al-Anon, pour nous détendre, et pour nous réserver des moments de calme avec notre Puissance Supérieure, nous nous renforçons sur les plans physique, émotif et spirituel. Cela peut rendre une situation difficile un peu plus facile.

Pensée du jour

Je suis la seule personne qui peut accorder la priorité à mon bien-être. Je me dois d'accorder de l'attention aux besoins de mon corps, de mon esprit et de mon âme.

«Faire "l'essentiel d'abord" durant des périodes difficiles signifie souvent trouver n'importe quel moyen possible pour mettre mon fardeau de côté, même si ce n'est qu'un instant, pour me consacrer du temps.»

...dans tous les domaines de notre vie

Certains parmi nous croyons que la plupart de nos défauts de caractère sont simplement des traits distinctifs dont nous n'avons plus besoin. Beaucoup d'entre nous avons développé d'astucieuses méthodes de survie dans une situation impliquant l'alcoolisme, comme nier les faits ou garder le secret. Mais une fois que nous avons le soutien du programme Al-Anon, nous pouvons découvrir que nos anciennes méthodes font plus de mal que de bien. Ce qui autrefois nous a permis de fonctionner dans une situation presque impossible à vivre constitue maintenant un obstacle à la poursuite de notre croissance. Un bénéfice est devenu un déficit.

D'autres personnes définissent les défauts de caractère comme des qualités qui sont devenues disproportionnées. Par exemple, un désir profond d'aider un être cher peut se transformer en un besoin impérieux de régler ses problèmes à sa place.

Vu dans cette optique, nous ne faisons pas face à la décourageante tâche de déraciner la moindre parcelle de ce défaut ; nous nous en remettons seulement à notre Puissance Supérieure pour que cette qualité disproportionnée puisse devenir équilibrée ou soit éliminée, parce qu'elle ne comble plus nos besoins.

Pensée du jour

Au lieu de me condamner lorsque je prends conscience d'un défaut de caractère, je peux considérer ma croissance. J'ai reconnu qu'un trait distinctif qui m'a déjà permis de survivre n'est plus nécessaire, ou qu'une qualité qui est devenue disproportionnée rend ma vie incontrôlable. Au lieu de s'avérer une maladie, voilà qui démontre un désir de faire face à la réalité et une disposition d'esprit à choisir la santé.

« Parfois nous devons nous accepter, avec tous nos défauts, avant que ceux-ci ne soient éliminés. »

...dans tous les domaines de notre vie

La Sixième Tradition nous dit: «Nos Groupes familiaux Al-Anon ne devraient jamais ni endosser ni financer aucune entreprise extérieure, ni lui prêter notre nom, de peur que les questions d'argent, de propriété et de prestige ne nous détournent de notre but spirituel premier.»

J'ai eu l'occasion de me référer à cette Tradition à plusieurs reprises en faisant du travail de service à notre bureau local d'information Al-Anon. Je reçois souvent des demandes sollicitant l'appui d'Al-Anon pour divers projets de recherches, organismes de charité et programmes de rétablissement. Ces demandes soulèvent toujours mon intérêt et plusieurs semblent valables.

En tant qu'individu, je suis libre de participer à toute cause que j'appuie. En tant que membre Al-Anon, je suis libre d'envoyer des renseignements sur notre fraternité à des organismes extérieurs. Mais je ne peux pas songer à affilier mon groupe à ces entreprises extérieures, si valables soient-elles. Agir ainsi pourrait nous détourner du but spirituel premier de notre fraternité, qui consiste à aider les familles et les amis des alcooliques à se rétablir des conséquences de l'alcoolisme.

Pensée du jour

Je fais partie d'Al-Anon pour recevoir les bienfaits spirituels des réunions, des principes et de la solidarité. Je désire faire ma part pour voir à ce que nous ne soyons pas détournés de notre but premier.

> «Nous devons toujours nous rappeler la raison pour laquelle nous sommes ici et ne jamais nous servir du groupe pour promouvoir nos projets favoris, ou nos intérêts personnels dans des causes extérieures.»
>
> *Les Douze Étapes et les Douze Traditions d'Alateen*

Il y avait une partie de la réalité que je ne voulais jamais voir: J'aimais quelqu'un à qui on ne pouvait pas se fier. À maintes reprises, j'ai été déçue par les promesses brisées, les contradictions et les mensonges flagrants. Chaque fois, je me sentais écrasée, trahie, insultée. Néanmoins, des heures ou parfois des jours plus tard, je chassais l'incident de mon esprit. Quand une autre promesse m'était faite, j'accordais ma confiance sans hésitation et de tout mon cœur.

Je continue à trouver difficile d'accepter que je ne peux pas croire aux promesses de quelqu'un que j'aime. Je vois cependant que la plus grande partie de mon chagrin provient de mon propre refus d'accepter la réalité. Al-Anon m'aide à faire davantage confiance à mes expériences qu'aux paroles contradictoires des autres.

J'apprends à ne pas dépendre de quelqu'un qui a été régulièrement peu digne de confiance, mais en même temps je me rends compte que ce n'est pas une excuse pour désespérer de toute la race humaine. Regarder la réalité en face implique le fait d'accepter que mes nombreuses expériences dans Al-Anon démontrent qu'*il y a* des gens sur qui je peux compter.

Pensée du jour

Aujourd'hui, je m'engage à être honnête avec moi-même. En faisant face à la réalité, je deviens quelqu'un sur qui je peux compter.

> «Il est tellement plus bénéfique pour moi d'être conscient que de me fermer à tous les sentiments, de me couper des gens, de me retirer de la vie. Peu importe la rigueur de la vérité ou quelle que soit la nature des faits, je préfère connaître, voir et accepter cette journée.»

Tel que nous Le concevions...

On peut lire ceci sur un panneau d'affichage de ma ville: «Certaines personnes viennent à la fontaine de la connaissance pour boire, d'autres pour se gargariser.» Avant de connaître Al-Anon, ce message m'aurait fait rire, mais j'aurais éprouvé une certaine anxiété en me demandant si j'y allais pour boire ou pour me gargariser. La vie était soit noire soit blanche et afin de me sentir à l'aise, je devais savoir quel extrême s'appliquait à moi. Mais peu importe l'étiquette que je m'octroyais, j'avais toujours l'impression d'avoir tort et alors, je me débattais pour régler mon problème.

Maintenant, grâce à Al-Anon, j'accepte plus facilement l'idée que parfois je bois, parfois je me gargarise et parfois je trébuche sur la fontaine et me cogne l'orteil. Je ne suis pas *obligé* de faire mieux ou différemment. Faire mon possible suffit. Je peux me détendre et m'amuser de cette plaisanterie.

Pensée du jour

Al-Anon m'incite à examiner mes pensées et mes actes, mais cela se veut un acte d'amour de soi, non une arme à utiliser contre moi-même. Quand je commencerai à m'accepter exactement tel que je suis, la vie me semblera beaucoup plus agréable.

«Nous faisons parfois des efforts tellement grands que nous ne voyons pas que la lumière recherchée est à l'intérieur de nous...»

Tel que nous Le concevions...

Il m'a été facile de suivre certaines suggestions d'Al-Anon, comme celle de me trouver une marraine par exemple, parce que j'ai de la facilité à suivre des instructions spécifiques. Mais je ne savais pas comment appliquer le slogan «vivre et laisser vivre». Al-Anon m'a aidée à «laisser vivre» en m'apprenant ce qu'est le détachement et en m'aidant à voir que plusieurs de mes problèmes provenaient du fait que je me mêlais des affaires de tout le monde sauf des miennes. Mais comment faire pour tourner les yeux sur soi et *«vivre»* pour la première fois de sa vie?

Quand j'ai posé cette question à ma marraine, elle m'en a posé une à son tour — qu'est-ce que j'avais fait plus tôt dans la journée? Même si j'avais été très occupée toute la journée, je pouvais à peine me rappeler ce que j'avais fait. Ma marraine m'a suggéré de commencer à apprendre à vivre en prenant davantage conscience de ma vie, telle que je la vivais présentement. Je serais alors plus en mesure de faire des choix sur la façon dont j'aimerais vivre.

Chercher ma véritable personnalité, vivre en fonction de mes besoins et m'aimer comme si j'étais une nouvelle amie, tout cela a constitué les bienfaits les plus enrichissants du programme Al-Anon. Curieusement, ce sont les derniers bienfaits que j'aurais imaginé recevoir quand j'ai débuté dans Al-Anon.

Pensée du jour

Aujourd'hui, je peux choisir d'assumer la responsabilité de ma propre vie. Si je ne me mêle pas des affaires des autres et que je prends davantage conscience des miennes, j'ai de bonnes chances de trouver un peu de sérénité.

«La vie de chaque homme représente une voie vers lui-même.»

Hermann Hesse

Mon rétablissement dans Al-Anon implique que je prenne conscience de ce qui motive mes choix. J'ai été consternée de découvrir que la peur dominait ma vie! Il me semblait que j'avais peur de tout! J'avais peur de dire «non», de montrer que j'étais blessée ou en colère, d'être confuse. Les dents serrées, un sourire accroché aux lèvres, je disais: «Non, non, tout va bien», pendant que je pensais: «Un jour, je vais me venger.» Même cela me faisait peur parce que je craignais ma propre colère!

Plusieurs de mes amies Al-Anon utilisaient les slogans pour affronter leurs peurs, mais quand la peur s'emparait de moi, tout ce qui me venait à l'esprit, c'était: «Nous en sommes venus à croire...» J'étais incapable de terminer l'énoncé de la Deuxième Étape, mais ces quelques mots me suffisaient. Donc, quand le téléphone sonnait, que j'étais alarmée et que je commençais à imaginer le pire, je prenais une profonde respiration et je me disais: «Nous en sommes venus à croire...» Alors il m'était possible de décrocher le téléphone. Et je raccrochais toujours en me sentant le cœur plus léger parce que *nous* avions fait face à la situation!

Pensée du jour

Avant d'agir, je n'ai besoin que de me rappeler que je suis entre les mains d'une Puissance Supérieure. Que les mots que j'utilise soient «À l'aide!» ou «Lâcher prise et s'en remettre à Dieu» ou «Nous en sommes venus à croire», je sais que ma Puissance Supérieure et moi pouvons affronter quoi que ce soit qui se présente à nous.

> «Nous remettons notre volonté et notre vie aux *soins* de Dieu tel que nous Le concevons. Une Puissance Supérieure, c'est comme une amie qui a vraiment de la sollicitude pour nous et qui veut partager nos problèmes.»

Alateen — un jour à la fois

J'ai développé une peur terrible de faire des erreurs. Il me semblait crucial de prévoir tout ce qui pouvait arriver, parce que mes erreurs me valaient souvent une avalanche d'accusations et beaucoup de violence de la part de l'alcoolique — et finalement de ma part. Mon estime personnelle diminuait parce que l'erreur la plus minime me semblait énorme et que j'étais incapable de lâcher prise. Alors j'ai commencé à camoufler et à justifier mes erreurs, tout en essayant désespérément de maintenir l'apparence du parfait contrôle de moi-même.

Dans Al-Anon, j'ai appris à démolir ce mur rigide de semblant de perfection, à admettre honnêtement mes erreurs et à m'ouvrir à la croissance. La Dixième Étape, où je poursuis mon inventaire et où j'admets promptement mes torts, m'a libérée parce qu'elle me lance quotidiennement le défi de l'honnêteté. Cela me met parfois au supplice, mais je sais que lorsque je dis la vérité, je suis libérée des mensonges qui m'empêchaient d'avancer. Comme le disait Mark Twain: «Quand on dit la vérité, on n'a pas besoin de se souvenir de rien.»

Pensée du jour

Je ferai probablement une erreur quelconque chaque jour de ma vie. Si je la considère comme un échec personnel ou si je prétends qu'aucune erreur n'a été commise, je rends ma vie incontrôlable. Quand je cesse de lutter pour être parfait et que j'admets mes torts, je peux cesser de me sentir coupable et d'avoir honte. C'est une raison de me réjouir.

> «Aide-les à considérer l'échec, non comme une mesure de leur valeur, mais comme une occasion de recommencer à neuf.»
>
> *Livre du rituel anglican*

Je suis habituellement une personne tellement douce et accommodante que vous ne croiriez jamais ce qui arrive quand je suis en colère. J'éclate de rage, ma pression artérielle semble doubler et je profère des litanies de jurons. Après des années dans Al-Anon, ma colère est encore un problème, mais mon comportement s'est grandement amélioré.

Il y a quelque temps, mon chien s'est emmêlé les pattes dans un fil électrique et a brisé un vase magnifique. Ma colère a éclaté et j'ai vociféré des paroles cinglantes. Ce qui m'a aidée à changer ce comportement, ce fut le regard blessé et ahuri de mon toutou face à mon changement soudain et violent. Si un petit animal pouvait réagir de cette façon, quel effet avaient mes explosions de colère sur les gens dans ma vie qui comprenaient toutes mes paroles méchantes ?

Pensée du jour

Je suis un être humain et je me mets en colère, mais je n'ai pas à exprimer ma colère de façon destructrice. Je n'ai pas le droit de me défouler sur les autres. Que ma réaction habituelle soit de crier, de garder un silence boudeur ou de lancer des paroles cruelles, aujourd'hui je peux examiner ce que je fais quand je me mets en colère. Peut-être que la prochaine fois j'essaierai quelque chose de nouveau.

> « Nous pouvons préparer le chemin d'une communication calme et raisonnable... seulement si nous trouvons d'abord une issue saine à nos propres sentiments négatifs. »
>
> *Un dilemme : le mariage avec un alcoolique*

Quand des élèves débutent dans l'étude du piano, on leur apprend habituellement à utiliser une seule main et uniquement quelques notes. Ensuite, ils utilisent leurs deux mains pour finalement apprendre à jouer toutes les notes, tant les hautes que les basses. En fait, une partie du plaisir de jouer consiste à entendre le son sourd des notes les plus basses et le son cristallin des notes les plus aiguës.

Aujourd'hui, dans Al-Anon, j'apprends à jouer d'un nouvel instrument — moi-même. Je suis une personne ayant la capacité d'éprouver une large gamme d'émotions, allant de l'amour à la joie, puis à l'émerveillement. Je suis profondément reconnaissant des rires et de la bonne humeur — et aussi de la colère et de la peur, parce que tous ces sentiments font partie de ce qui me rend une personne à part entière. Je crois que ma Puissance Supérieure veut que je vive pleinement et que je sois pleinement conscient de tous mes sentiments: l'éclatant crescendo de ma grande colère, le doux chant de ma sérénité, les hauteurs de l'émerveillement et les nouvelles prises de conscience qui me gonflent le cœur et l'esprit, tout comme mes doigts s'étirent pour atteindre toutes les notes d'un accord difficile. J'apprends des harmonies plus riches dont je n'avais jamais soupçonné l'existence.

Pensée du jour

Aujourd'hui, j'apprécierai la gamme complète des émotions que je peux éprouver. Elles enrichissent vraiment mon expérience de vie.

> «J'ai parfois été extrêmement, désespérément et profondément misérable... mais à travers tout cela, je sais encore avec certitude que *le simple fait d'être en vie* est une chose magnifique.»
>
> Agatha Christie

En regardant mon passé, je me suis souvent adressé le reproche suivant: «Comment as-tu pu ne pas te rendre compte de ce qui se passait?» L'alcoolisme laissait de vilaines traces partout dans ma vie et cependant je ne les voyais pas. Comment était-ce possible?

La négation est l'un des symptômes majeurs de ce mal familial qu'est l'alcoolisme. Certains parmi nous nient que la personne qui boit a un problème; d'autres ne sont que trop désireux de la blâmer pour tous leurs problèmes, niant leur propre participation. Pourquoi? Parce que seuls, nous ne pouvons pas vaincre cette maladie, aussi inventons-nous des moyens pour survivre aux constantes situations de crise, aux promesses brisées, aux espoirs perdus et aux embarras de toutes sortes. Un moyen de faire face à la situation consiste à nier la désagréable ou terrifiante réalité.

Dans Al-Anon, nous apprenons des façons plus efficaces de faire face à l'alcoolisme, des façons qui ne nous font pas perdre notre estime personnelle. Grâce au soutien des autres membres ainsi qu'aux outils et aux principes du programme qui nous donnent une orientation, nous devenons capables de faire face à ce qui se passe vraiment. Nous allons au-delà de la simple survie et nous commençons à revivre.

Pensée du jour

En tout temps, j'ai fait du mieux que j'ai pu. Si ma seule façon de faire face à une situation difficile était de la nier, je peux repenser avec compassion à cette personne qui ne voyait pas d'autre alternative à l'époque. Je peux me pardonner et compter les bienfaits que j'ai reçus depuis pour avoir parcouru un aussi long chemin.

> «Les regrets constituent une épouvantable perte d'énergie; on ne peut rien bâtir sur eux, on ne peut que s'y complaire.»
>
> Katherine Mansfield

Lors de ma première réunion Al-Anon, j'ai été déçu quand on m'a donné les Douze Étapes au lieu d'une liste de choses «à faire et à ne pas faire» pour changer l'alcoolique. Néanmoins, j'étais assez désespéré pour essayer quand même les Étapes.

Lors de ma deuxième réunion Al-Anon, j'ai cru avoir bien saisi ces trois premières Étapes — j'avais reconnu mon impuissance, je croyais en Dieu et j'étais disposé à donner mes problèmes à qui voudrait bien les prendre. En continuant d'assister aux réunions, j'ai commencé à voir que je n'admettais pas vraiment mon impuissance, sans quoi je ne continuerais pas à essayer de contrôler tout et tout le monde autour de moi. D'accord, j'avais donc omis la partie suggérant de lâcher prise et de s'en remettre à Dieu.

Aujourd'hui, je suis tellement content d'avoir un Dieu patient, parce que lorsque finalement je dis: «Que Ta volonté soit faite et non la mienne», Dieu intervient et règle les choses en utilisant des façons que je n'aurais jamais imaginées. Les trois premières Étapes ne sont pas aussi faciles que je le croyais autrefois, mais dans Al-Anon j'ai appris à viser le progrès, non la perfection.

Pensée du jour

Quand je faisais face à l'alcoolisme sans l'aide d'Al-Anon, j'ai développé des mécanismes pour affronter les situations. Ils ne sont plus suffisants. Al-Anon m'apprend de nouveaux et meilleurs mécanismes. Je m'efforcerai d'être patient envers moi-même. Et j'y parviens.

«Tant que vous vivrez, continuez d'apprendre à vivre.»

Sénèque

Je n'avais jamais osé faire confiance à une autre personne comme je l'ai fait avec ma première marraine Al-Anon. Ma confiance en moi était chancelante lorsque je lui avais demandé d'être ma marraine: J'étais dans un état lamentable, accepterait-elle de s'occuper de moi? J'étais certaine qu'elle refuserait parce que je ne croyais pas en valoir la peine. Sa réponse positive m'a vraiment surprise.

Elle m'a doucement guidée dans les Étapes. Je voulais si désespérément me sentir mieux que j'étais prête à essayer n'importe quel outil d'Al-Anon ou idée qu'elle me suggérerait. Je vivais Al-Anon, j'en respirais et j'en mangeais.

Un jour où je me sentais seule, je lui ai téléphoné, m'écriant dans mon désespoir que jamais je n'arriverais à me sentir mieux. Voici ce qu'elle m'a dit en ce moment critique: «Je ne connais aucune personne qui soit aussi désireuse que toi de mettre le programme en pratique.» Mon moral a remonté en flèche! Elle m'avait dit ce que j'étais incapable de me dire, mais je savais que c'était vrai — j'*étais* remplie de bonne volonté. En ce moment de prise de conscience, j'ai su que je réussirais, parce que j'avais ce qu'il fallait. Avec le temps, son exemple m'a aidée à apprendre à m'accorder ce genre d'approbation.

J'avais pris une chance. J'avais fait confiance. Et comme résultat, j'ai appris que je valais la peine qu'on s'occupe de moi!

Pensée du jour

Apprendre à m'accorder de la valeur peut commencer en ayant le courage de me trouver une marraine et d'y avoir recours.

«Rien de ce que nous faisons, si vertueux que ce soit, ne peut être accompli seuls; donc, c'est l'amour qui nous sauve.»

Reinhold Niebuhr

Depuis mon enfance, j'ai été obsédé par ces fois où j'ai dit ou fait certaines choses qui avaient causé de la peine à quelqu'un. Ce sont de mauvais souvenirs que je ne croyais jamais voir disparaître un jour. Cependant, avec la Huitième Étape, je découvre un moyen de me libérer de mon implacable culpabilité.

Cette Étape me demande de dresser une liste de toutes les personnes que j'ai lésées et de consentir à leur faire amende honorable. Finalement, je peux mettre un mot sur tous mes souvenirs et toute ma souffrance. Quand je les vois en toutes lettres devant mes yeux, ils semblent presque contrôlables et j'ai bon espoir de me libérer de leur poids à mesure que je consens à faire amende honorable. Je n'ai pas besoin d'en faire davantage présentement. Tout ce qui m'intéresse pour le moment, c'est le tort que j'ai causé aux autres, la culpabilité que je me suis imposée et le désir de faire ce que je peux pour m'en libérer complètement.

Pensée du jour

La culpabilité est un fardeau qui m'empêche de me consacrer pleinement et librement au moment présent. Je peux commencer à libérer mon esprit de la culpabilité en admettant calmement où et quand j'ai fait tort à quelqu'un, y compris à moi-même.

> « Al-Anon m'a montré une autre façon de vivre que j'aime. La vie peut être soit un fardeau et une corvée, soit un défi et une joie. Un jour à la fois, je peux affronter les défis de la vie la tête haute au lieu de courber l'échine. »

Tel que nous Le concevions...

Normalement, quand je me sentais déprimé, mon parrain me recommandait de dresser une liste des choses qui méritaient ma gratitude, mais un jour, alors que je me plaignais d'une situation familiale, il m'a suggéré de dresser une liste de toutes les choses qui me rendaient malheureux. Quelques jours plus tard, mon état dépressif était passé et lorsque j'ai dit à mon parrain à quel point je vivais une journée magnifique, il m'a suggéré de dresser une liste inspirée par la gratitude. Il pensait que cela pourrait m'aider si j'y référais la prochaine fois que j'aurais le cafard. Je trouvais cela très sensé, alors je m'y suis conformé.

Quand je suis allé porter cette nouvelle liste dans le tiroir où je garde mes papiers, j'ai vu la liste précédente et je l'ai relue. À ma grande surprise, ma liste de doléances était presque identique à celle inspirée par la gratitude — les mêmes personnes, la même maison, la même vie. Rien dans les circonstances de ma vie n'avait changé sauf ce que je ressentais à leur sujet. Pour la première fois, j'ai vraiment compris à quel point mon attitude me dicte ma façon de percevoir le monde.

Pensée du jour

Aujourd'hui, je reconnais combien mon esprit peut être puissant. Je ne peux pas toujours me sentir bien et je n'ai aucun intérêt à camoufler mes difficultés en m'accrochant un sourire aux lèvres. Mais je peux reconnaître que j'exerce constamment des choix sur ma façon de percevoir mon monde. Avec l'aide d'Al-Anon et de mes amis dans la fraternité, je peux faire ces choix d'une façon plus consciente et plus effective que jamais auparavant.

«Changez vos pensées et vous changerez votre monde.»

Norman Vincent Peale

J'ai souvent essayé de changer les autres pour qu'ils correspondent à mes désirs. Je connaissais mes besoins et s'ils n'étaient pas comblés, c'était la faute de l'autre. Je cherchais quelqu'un qui serait toujours à ma disposition mais qui ne m'en demanderait pas trop. Quand je regarde en arrière, j'ai l'impression que je cherchais un petit animal de compagnie au lieu d'un être humain. Naturellement, cette attitude mettait mes relations à rude épreuve.

Dans Al-Anon, j'ai appris qu'il y avait une différence entre mes attentes et mes besoins. Personne ne peut être *tout* pour moi.

Encore une fois je me retrouve à examiner mes propres attitudes. Quelles sont mes attentes et est-ce qu'elles sont réalistes ? Est-ce que je respecte l'individualité des autres — ou seulement ce qui fait mon affaire ? Est-ce que j'apprécie ce que je reçois ?

Pensée du jour

Essayer de changer les autres est futile, insensé, et dénote certainement un manque d'amour. Aujourd'hui, au lieu de présumer que ce sont eux qui constituent le problème, je peux me regarder et voir ce qui doit être changé en moi.

> «Le commencement de la charité consiste à laisser ceux que nous aimons être parfaitement eux-mêmes et à ne pas les déformer pour qu'ils cadrent avec notre propre image.»

Al-Anon un jour à la fois

Après avoir fait un bon inventaire, notre tout petit groupe a découvert que nous nous étions enlisés dans notre routine sans nous en rendre compte. Il y avait longtemps que nous n'avions pas eu de nouveaux membres, que nous n'avions pas eu de sang neuf. Et toutes nos réunions, qui étaient soit des discussions de table ronde, soit basées uniquement sur notre livre, *Al-Anon un jour à la fois,* semblaient traiter des mêmes sujets, sans grand changement.

Nous avons consulté notre conscience de groupe et avons décidé d'essayer à quelques réunions d'utiliser d'autres publications Al-Anon. Nous avons entrepris une série d'échanges de conférenciers avec d'autres groupes locaux. Il n'a pas fallu beaucoup de temps pour que les choses commencent à s'améliorer. Le nombre de nos membres a triplé en moins d'un an. Nous avons eu bientôt tellement de nouveaux venus que nous avons mis sur pied des séries de réunions pour débutants comme extension de notre réunion régulière. Chacun de nous a personnellement bénéficié de ce que nous ayons consenti à faire un inventaire de groupe.

Pensée du jour

Chaque groupe, tout comme chaque membre, vit des changements. Mais nous n'avons pas à faire face à ces changements seuls. La Deuxième Tradition nous rappelle qu'un Dieu d'amour S'exprime par notre conscience de groupe. Quand chacun de nous est disposé à progresser, nous en bénéficions tous.

> «Il est réconfortant de savoir que le groupe n'est pas guidé par les membres individuellement, mais par la volonté du groupe de suivre la sagesse collective qui peut s'exprimer à travers les membres...»
>
> *Al-Anon face à l'alcoolisme*

Durant mes années dans Al-Anon, j'ai beaucoup réfléchi à la Première Étape; dernièrement, j'ai aussi ressenti beaucoup de choses au sujet de cette Étape. Ces sentiments peuvent se résumer principalement en un mot: chagrin. Quand je me rappelle la rapide progression de l'alcoolisme d'un ami, qui est passé d'une santé assez bonne et d'un bonheur apparent à une cirrhose et à la mort, je ressens du chagrin.

Aujourd'hui, je ne déteste pas nécessairement cette maladie, mais je perçois fortement dans ma vie sa présence puissante, débilitante. Je me rappelle les préjudices causés à ma famille, à mes amis et à moi-même. J'ai du chagrin pour la perte de l'amour et de la vie causée par l'alcoolisme. J'ai du chagrin pour les années perdues que j'ai passées à suivre les hauts et les bas de cette maladie. J'admets que je suis impuissant devant l'alcool et que ma vie a été totalement incontrôlable chaque fois que j'ai été aux prises avec cette maladie.

Pensée du jour

J'ai subi de nombreuses pertes à cause de l'alcoolisme. Lorsque j'admets les conséquences de cette maladie dans ma vie, j'admets par le fait même mon chagrin. En faisant face à l'impact de l'alcoolisme dans ma vie, je commence à me libérer de son emprise et à entrer dans une vie pleine de promesses et d'espoir.

> «Il n'est pas facile d'admettre la défaite et de capituler devant cet adversaire puissant, l'alcoolisme. Pourtant, cette capitulation est absolument nécessaire si nous voulons connaître de nouveau une vie saine et heureuse...»
>
> *Al-Anon, c'est aussi pour les hommes*

Avant d'adhérer à Al-Anon, je m'étais bâti toute une vie de rêves et de promesses qui étaient réservés pour cette journée spéciale entre toutes appelée «un jour». Un jour, je commencerai — ou terminerai — ce projet. Un jour, je téléphonerai à cet ami que j'ai perdu de vue. Un jour, je leur dirai ce que je ressens. Un jour, je serai heureux. Je ferai ce voyage, je décrocherai cet emploi, je dirai le fond de ma pensée... Un jour! Attendez, vous verrez.

Attendez — tout comme j'ai attendu que l'alcoolique se remette d'une cuite, que l'inspiration amène à ma porte des amis intéressants et des perspectives de carrière, et que tout le monde change. Mais Al-Anon m'a aidé à voir qu'*aujourd'hui* peut être ce «un jour» que j'ai toujours attendu. Il n'y pas assez de temps durant ces vingt-quatre heures pour faire tout ce que j'ai toujours espéré faire, mais il y assez de temps pour commencer à réaliser mes rêves. En demandant à ma Puissance Supérieure de me guider et en faisant un petit pas dans la direction de mon choix, je serai capable d'accomplir plus de choses que je ne l'aurais jamais cru possible.

Pensée du jour

Aujourd'hui, je n'attendrai pas la pleine lune, une journée pluvieuse, ni un vingt-neuf février, ni «un jour» pour accomplir de bonnes choses dans ma vie.

> «Chaque indécision comporte ses propres délais et on perd des journées à se lamenter sur les journées perdues... Ce que vous pouvez faire ou croyez pouvoir faire, commencez-le. Car l'audace comporte de la magie, de la puissance et du génie.»
>
> Johann Wolfgang von Gœthe

À mesure que nous avons laissé tomber l'obsession, l'inquiétude, et que nous avons cessé de centrer notre attention sur tout le monde sauf sur nous-mêmes, beaucoup d'entre nous avons été perplexes devant le calme qui s'est installé de plus en plus dans notre esprit. Nous savions comment vivre dans un état de crise, mais il nous a souvent fallu un peu d'adaptation pour être confortables dans cette quiétude. Le prix à payer pour obtenir la sérénité a été l'apaisement du constant verbiage mental qui avait accaparé tellement de notre temps; soudainement nous avons eu beaucoup de temps à notre disposition et nous nous sommes demandé comment l'occuper.

Ayant acquis de plus en plus de sérénité comme résultat de la pratique du programme Al-Anon, j'ai été surpris de m'apercevoir que je m'agrippais encore à d'anciennes peurs comme si je voulais demeurer en situation de crise. J'ai constaté que je ne savais pas comment me sentir en sécurité à moins d'avoir l'esprit occupé. Quand je m'inquiétais, je me sentais impliqué — et par conséquent je détenais un certain contrôle.

En guise d'exercice, mon parrain m'a suggéré d'essayer de maintenir mon calme intérieur même quand je ressentais de la peur ou du doute. Ce faisant, je me suis rassuré à maintes reprises, me disant que j'étais en sécurité entre les mains d'une Puissance supérieure à moi-même. Aujourd'hui, je sais que ma santé mentale et ma sérénité sont des cadeaux que j'ai reçus pour mes efforts et ma foi. Avec de la pratique, j'apprends à me sentir en confiance quand je vis des périodes de paix.

Pensée du jour

Aujourd'hui j'apprécierai ma sérénité. Je sais que je peux en profiter en toute sécurité.

«Sois calme et sache que je suis avec toi.»

Prière anglaise

Quand j'ai commencé à étudier la Septième Étape, laquelle dit: «Nous Lui avons humblement demandé de faire disparaître nos déficiences», ma liste de déficiences comportait un long répertoire de sentiments. J'ai humblement demandé à Dieu de faire disparaître ma colère, ma peur et ma culpabilité. J'avais hâte au jour où je ne vivrais plus jamais aucune de ces émotions.

Bien sûr, ce jour n'est jamais arrivé. J'ai plutôt appris que ces sentiments ne sont pas des déficiences. La véritable nature de mon problème était mon refus obstiné de reconnaître mes sentiments, de les accepter *et* de lâcher prise. J'ai très peu de pouvoir sur ce qui soulève ces sentiments, mais je suis responsable de ce que je choisis de faire à leur sujet.

Aujourd'hui, je suis capable d'accepter mes sentiments, d'en parler avec d'autres, de reconnaître que ce sont des sentiments, non des faits, pour ensuite lâcher prise. Je ne suis plus prisonnier d'un état de rage ou d'apitoiement apparemment interminable, car lorsque je m'accorde la permission de ressentir mes sentiments, quels qu'ils soient, ces sentiments s'estompent. Mes émotions ne m'ont pas été enlevées; j'ai plutôt été libéré des déficiences qui m'empêchaient de m'accepter.

Pensée du jour

Quand je fais ma Septième Étape, je prie pour que tout ce qui m'empêche d'accomplir la volonté de ma Puissance Supérieure à mon égard soit éliminé. Je n'ai pas à détenir toutes les réponses. Je n'ai qu'à faire preuve de bonne volonté.

> «Nous n'avons pas nécessairement obtenu les résultats escomptés, mais d'une certaine manière nous avons toujours semblé obtenir ce dont nous avions besoin.»
>
> *...dans tous les domaines de notre vie*

Un rédacteur d'un journal local a récemment soutenu que la plupart des gens passent plus de temps à faire des projets de vacances qu'à réfléchir à ce qui est vraiment important dans leur vie. Il est sûr que les vacances ont une certaine importance, mais comme le dit notre slogan: «Est-ce si important?»

Dans mon cas, le point principal de mon activité mentale est habituellement tout problème, chagrin ou irritation que j'éprouve au moment présent. «Maintenant, me dis-je, je me concentre sur ce qui est vraiment important!» Mais, «est-ce si important?» Quand je repenserai à cela dans deux ans, ou le mois prochain, est-ce que cela sera encore important?

Al-Anon m'aide à m'occuper de ce qui compte vraiment dans ma vie. Par exemple, comment puis-je établir un meilleur contact avec ma Puissance Supérieure? Est-ce que je prends le temps de profiter du moment présent? Est-ce que je deviens la personne que je veux être? De quoi puis-je être reconnaissant aujourd'hui?

Pensée du jour

Ai-je mis de l'ordre dans mes priorités? Suis-je occupé à des petites choses de peu d'importance à un point tel que je manque de temps pour des questions vraiment importantes? Aujourd'hui, je prendrai le temps de réfléchir à ce qui importe réellement.

«Aujourd'hui je mettrai en pratique le slogan: "Est-ce si important?" Il m'aidera à réfléchir avant d'agir et il me donnera une meilleure image de ce qui *est* réellement important dans ma vie.»

Alateen — un jour à la fois

Je n'avais jamais beaucoup réfléchi à la Septième Tradition, laquelle stipule que chaque groupe devrait subvenir entièrement à ses besoins. Je croyais que cela touchait uniquement le paiement du loyer. Mais récemment, j'ai fait partie d'un groupe qui subvenait à ses besoins financiers mais qui, cependant, ne subvenait pas entièrement à ses besoins parce que personne ne s'engageait dans le service. Je détenais déjà plusieurs fonctions et lorsque mes différents mandats ont été terminés, personne n'a accepté de me remplacer. J'ai fait quand même ce que je considérais comme un choix responsable de ma part et je me suis retiré. Le groupe a fermé ses portes. À mon avis, un groupe dont les membres ne peuvent assumer les fonctions de service ne subvient pas entièrement à ses besoins.

Aujourd'hui, dans d'autres groupes en plein essor, j'ai une meilleure compréhension de ma responsabilité face à cette Tradition. Je crois qu'à mesure que nous comblons les besoins de nos groupes, nous comblons nos propres besoins et nous nous en donnons les moyens. Nous *pouvons* apporter notre contribution; nous *pouvons* faire des choix qui favorisent tant notre rétablissement que celui des autres.

Pensée du jour

Il ne suffit pas de payer le loyer pour subvenir entièrement aux besoins d'un groupe Al-Anon. La continuité dans le service est importante pour notre bien commun. Aujourd'hui, je réfléchirai à ma contribution dans mon groupe régulier.

> «Je peux subvenir aux besoins de mon groupe d'une foule de façons. Lors de la collecte, je peux donner selon mes moyens. Ce qui est tout aussi important, je peux donner mon temps et mon support moral pour faire de notre groupe le genre de groupe auquel je *veux* appartenir.»
>
> *Alateen — un jour à la fois*

Y a-t-il quelque chose qui s'oppose à ce que je fasse confiance à ma Puissance Supérieure ? Quels sont les obstacles qui m'empêchent de confier ma volonté et ma vie à Dieu ? En ce qui me concerne, la réponse est évidente : je veux des garanties. Je résiste, pensant que je trouverai une nouvelle solution à mes problèmes même si j'ai essayé et échoué à maintes reprises. Le risque de faire preuve de foi me semble tellement grand. Si je remets une situation à ma Puissance Supérieure, j'en perdrai le contrôle. Je ne peux pas être certain que j'aurai ce que je veux.

Pourtant, je veux me rétablir. Si je continue à faire ce que j'ai toujours fait, je continuerai d'obtenir ce que j'ai toujours obtenu. Je veux les bienfaits que ce programme spirituel a à offrir. Par conséquent, je dois prendre un risque et « lâcher prise et m'en remettre à Dieu ».

Peut-être que la foi m'apportera les résultats que je recherche, peut-être que non. Même s'il n'y a aucune garantie, les bienfaits que je retire en établissant une relation solide avec une Puissance Supérieure peuvent m'aider à devenir plus confiant, plus fort et plus en mesure d'affronter tout ce qui pourra survenir longtemps après que la crise que je traverse aura été résolue.

Pensée du jour

Aujourd'hui, je contribuerai à ma croissance spirituelle. Je tenterai d'identifier les obstacles qui nuisent à ma foi.

« La compréhension est la récompense de la foi. Par conséquent, ne cherchez pas à comprendre afin de pouvoir croire, mais croyez afin de pouvoir comprendre. »

Saint Augustin

Il m'arrive parfois d'assister à une réunion Al-Anon et de ne pas savoir comment demander de l'aide. Je peux me retrouver prisonnier de ma souffrance. Une chose innommable semble me déchirer intérieurement. Je fige, pensant que si je ne bouge pas, la chose partira. Alors je ne demande rien, je ne parle pas et ma souffrance s'intensifie.

Mon visage semble-t-il calme? Ne soyez pas dupe. J'ai tout simplement peur de vous laisser voir la vérité. Vous pourriez penser que je suis stupide ou faible. Vous pourriez me rejeter. Alors je me tais et ma souffrance persiste.

Mais j'écoute. Et grâce aux autres membres, ma Puissance Supérieure fait pour moi ce que je suis incapable de faire moi-même. Quelqu'un, à la réunion, partage son expérience et exprime les mêmes sentiments que j'ai peur de formuler. Soudainement, mon univers s'élargit et je me sens un peu plus en sécurité. Je ne suis plus seul.

Pensée du jour

L'aide que je reçois m'arrive souvent quand j'en ai le plus grand besoin et constitue un des miracles que j'ai vécus dans Al-Anon. Quand je suis incapable de me résoudre à tendre la main pour avoir de l'aide, elle vient parfois à moi. Quand je ne sais pas quoi dire, les mots nécessaires sortent de ma bouche. Et quand je dis ce que j'ai au fond de mon cœur, il se peut que j'exprime ce que quelqu'un d'autre est incapable d'exprimer. Aujourd'hui, j'ai une Puissance Supérieure Qui connaît mes besoins.

«Pendant que je marche, que je marche,
L'univers marche avec moi.»

— extrait de la cérémonie de la danse de la pluie des Indiens Navajo

Ma négation était si profonde à mon arrivée à Al-Anon que je ne savais même pas qu'il y avait des alcooliques dans ma vie. Al-Anon m'a apporté assez de sécurité pour regarder la vérité. À mesure que ma négation a commencé à s'estomper, les mensonges que j'avais racontés tant à moi-même qu'aux autres m'ont horrifié.

Mais je suis passé d'un extrême à l'autre et je me suis mis à dire la vérité d'une façon compulsive. C'était devenu pour moi une mission d'informer qui voulait bien m'entendre de ce qui se passait *vraiment*. J'appelais cela de «l'honnêteté», mais à vrai dire j'exprimais ma colère et mon mépris à l'égard de l'alcoolique — et je criais à l'aide.

Al-Anon m'a appris que ma vision d'une situation n'est seulement que «la vérité» telle que vue de mon petit coin de l'univers. Je ne peux effacer ma négation passée en blâmant l'alcoolique d'avoir une maladie qui a affecté nos deux vies, ni en affirmant avec amertume que je connais maintenant la *vraie* vérité. Mais je peux me pardonner mes réactions extrêmes à des situations extrêmes, sachant que j'ai fait de mon mieux à l'époque. Aujourd'hui, je peux être honnête tout en faisant preuve de bonté envers moi-même.

Pensée du jour

Quand je cesse de m'inquiéter de la manière dont les autres voient les choses et que je me concentre sur moi, j'acquiers plus de sérénité que je n'en ai jamais eue. Je suis incapable de contrôler la maladie de l'alcoolisme, mais je peux m'écarter de son emprise en examinant honnêtement mes motivations et mes sentiments.

> «Quiconque combat les monstres devrait veiller à ne pas devenir lui-même un monstre en cours de route.»
>
> Friedrich Nietzsche

Durant tout le temps où j'ai fait ma Quatrième Étape (l'inventaire moral, sérieux et courageux de moi-même), j'ai éprouvé une exaspérante impression de ne pas bien la faire. Avec l'aide de ma Puissance Supérieure, j'ai finalement constaté que le problème, ce n'était pas que j'avais mal fait ma Quatrième Étape, c'était que je ressentais le même sentiment d'incompétence concernant toute ma vie. *Quoi que* je fasse, j'ai tendance à croire que je le fais mal, que même si je fais de mon mieux, ce n'est jamais assez bien. Et ce n'est tout simplement pas vrai. J'agis comme il faut.

La prise de conscience que j'ai faite dans ma Quatrième Étape place le doute sur moi-même dans sa véritable perspective. Ce doute n'est qu'une conséquence des années passées auprès de buveurs problèmes. Alors, quand ce sentiment se manifeste, je le reconnais, j'en parle, j'accepte de l'éprouver et ensuite, je cesse de m'en faire à ce sujet. Je ne présume plus qu'il a quelque importance.

Pensée du jour

La Quatrième Étape m'offre une occasion de trouver un certain équilibre. Elle m'aide à identifier les choses que je me suis racontées à mon sujet et à savoir si oui ou non ces choses sont vraies. Aujourd'hui, je prendrai une des suppositions que j'entretiens envers moi-même et je la mettrai en pleine lumière. Je trouverai peut-être qu'elle provient de l'habitude plutôt que de la réalité.

«Que je sois conscient... que le doute et la haine de soi sont des défauts de caractère qui entravent ma croissance.»

Un dilemme: le mariage avec un alcoolique

Quand nous faisons face à un changement, à un problème ou à une découverte, la prise de conscience est souvent suivie d'une période d'acceptation avant que nous puissions passer à l'action. Ce processus est parfois appelé «les trois A» — avoir conscience, accepter, agir.

Il peut être extrêmement embarrassant de faire face à une nouvelle prise de conscience et la plupart d'entre nous désirons ardemment nous épargner souffrance ou malaise. Toutefois, jusqu'à ce que nous acceptions la réalité à laquelle nous sommes confrontés, nous ne serons probablement pas capables de prendre des mesures efficaces en toute confiance.

Nous pouvons quand même hésiter à accepter une réalité désagréable parce que nous croyons qu'en acceptant, nous fermons les yeux sur quelque chose d'intolérable. Mais ce n'est pas le cas. Comme le dit si éloquemment notre livre *Al-Anon un jour à la fois,* «accepter ne veut pas dire se soumettre à une situation dégradante. C'est accepter d'abord la situation telle qu'elle est, puis décider comment nous allons y remédier.» L'acceptation peut nous conférer du pouvoir parce qu'elle nous donne la possibilité de choisir.

Pensée du jour

Avant d'agir, je m'accorderai du temps pour accepter ma situation. Des options imprévues peuvent se présenter quand j'accepte la réalité.

«Car nous n'avons pas peur de la vérité, peu importe où elle peut mener.»

Thomas Jefferson

Chaque moment de la journée est précieux et je ferai en sorte de rendre cette journée profitable. J'utiliserai ce temps pour enrichir ma vie et pour améliorer ma relation avec ma Puissance Supérieure, avec les autres et avec moi-même. Chacune des Douze Étapes peut m'aider à poursuivre ce but indépendamment des circonstances de ma vie. Les réunions, les appels téléphoniques aux membres Al-Anon et la documentation Al-Anon, tout cela m'aide à mettre les Étapes en pratique dans ce qui arrive présentement dans ma vie. En ce moment même, je peux effectuer un changement positif.

Je considérerai peut-être le temps comme un genre spécial de compte courant. J'ai vingt-quatre heures à dépenser. Aujourd'hui, en mettant les principes Al-Anon à l'œuvre dans ma vie, je choisis d'utiliser ces heures pour progresser, profiter de ma journée et m'améliorer. J'ai même l'occasion d'apprendre de mes erreurs, étant donné qu'une toute nouvelle période de vingt-quatre heures peut commencer à tout moment.

Pensée du jour

La journée présente m'offre une occasion de prendre un tout nouveau départ dans la vie. Comment puis-je en faire le meilleur usage possible?

« Nous commençons avec des cadeaux. Notre mérite provient de ce que nous en faisons. »

Jean Toomer

La vie dans le contexte de l'alcoolisme m'a appris qu'il était préférable de ne rien espérer. Les leçons étaient trop pénibles — je m'enthousiasmais pour quelque chose, seulement pour voir ensuite mes espoirs détruits. À mesure que le temps a passé et que l'espoir a diminué, je me suis enfoncé dans le désespoir. À la longue, j'ai fait taire mes sentiments et j'ai refusé de m'intéresser à quoi que ce soit ou d'espérer quoi que ce soit.

Grâce aux Douze Étapes d'Al-Anon, je découvre une spiritualité qui me permet de croire qu'il y a de bonnes raisons d'espérer. Avec l'aide de ma Puissance Supérieure, indépendamment des circonstances, je peux me sentir pleinement en vie en ce moment même et apprécier ce sentiment. Les pénibles leçons de toute une vie ne se désapprennent pas du jour au lendemain, mais Al-Anon m'aide à apprendre que je peux en toute sécurité éprouver des sentiments, espérer et même rêver.

Pensée du jour

Manifester de l'intérêt pour quelque chose comporte des risques — il se peut que je sois déçu. Mais en essayant de me protéger de la souffrance, je pourrais me priver d'une multitude de petites joies que la vie offre. Aujourd'hui, je vivrai plus pleinement.

«Les années peuvent rider la peau, mais la perte de l'enthousiasme ride l'âme.»

Samuel Ullman

Nuit après nuit, je ne trouvais pas le sommeil, me tournant et me retournant dans mon lit, et m'inquiétant. Pourquoi étais-je incapable de dormir? Qu'est-ce qui m'arrivait? Il y avait de la tension dans ma vie, mais pas plus que d'habitude. J'avais essayé le lait chaud, la lecture au lit, la musique douce, même une consultation chez le médecin, mais je ne parvenais toujours pas à dormir plus d'une couple d'heures. J'étais prise de panique.

J'ai parlé de ce qui me tourmentait au cours d'une réunion Al-Anon et un autre membre a rapporté un problème semblable. Ce qui l'avait aidé, c'était d'avoir accepté totalement la situation et d'avoir admis qu'il était incapable par lui-même d'arriver à dormir. Avec le recul, a-t-il dit, il a constaté que ses insomnies avaient été une bénédiction; elles l'avaient maintenu trop fatigué pour s'attirer des ennuis.

J'ai pris conscience que c'était la même chose dans mon cas. Au lieu de m'inquiéter d'une façon compulsive de la sobriété d'un être cher, de surveiller et de fureter malgré de multiples tentatives pour me mêler de mes affaires, dernièrement j'ai été trop fatiguée pour m'occuper outre mesure de *quoi que ce soit* qui ne me regardait pas. J'avais souvent prié pour être délivrée de mon inquiétude obsessive et maintenant, d'une façon inattendue, mes prières semblent avoir été exaucées.

Pensée du jour

Les dons de ma Puissance Supérieure prennent parfois des formes inhabituelles. Peut-être qu'une chose que je considère comme un problème est, en réalité, une forme d'aide.

> «Rien n'est ni bon ni mauvais. C'est la pensée qui fait foi de tout.»
>
> Benjamin Franklin

Devant des problèmes apparemment insolubles, il est facile de croire que nos pensées les plus négatives reflètent la vérité. Elles plaident pour les pires scénarios d'une façon très convaincante, jusqu'à ce qu'il semble presque futile de considérer une issue positive. Toutefois la voix la plus forte n'est pas nécessairement la plus juste.

Peu importe à quel point un sentiment peut persister, ce n'est qu'un sentiment, non une prophétie. Nous ne savons jamais aujourd'hui ce qui arrivera demain. S'attendre à une tournure particulière des événements peut mener à la déception, mais parfois il est bon de se rappeler qu'une issue positive est tout aussi probable qu'une issue négative.

Nous sommes impuissants devant les résultats de nos actes. Nous pouvons essayer de faire un choix judicieux aujourd'hui, mais ce qui arrivera dans l'avenir n'est pas entre nos mains. Étant donné que nous ne pouvons pas savoir à quoi nous attendre, pourquoi ne pas avoir confiance qu'une Puissance Supérieure peut utiliser tout ce qui arrive pour favoriser notre croissance ?

Pensée du jour

Aujourd'hui, je placerai l'avenir entre les mains de ma Puissance Supérieure. J'ai foi qu'en le Lui confiant, il ne peut servir qu'à mon propre bien.

> « Le moment présent, comme tout autre moment, est un moment très favorable, si seulement nous savons quel usage en faire. »
>
> Ralph Waldo Emerson

La plupart des êtres humains ressentent un besoin instinctif de s'intégrer. Le désir ardent d'appartenance, de garder la paix, nous aide à être en harmonie avec les autres et à faire partie de la société. Cet instinct a permis à plusieurs civilisations de survivre et il n'est pas nuisible à moins que je ne perde mon sens de l'équilibre.

Le besoin de plaire à tout le monde devient destructeur quand j'ignore mes propres besoins et que je sacrifie continuellement mon bien-être au profit de celui des autres. Al-Anon m'aide à trouver un compromis qui me permet de répondre à mes sentiments, incluant mon désir d'appartenance, tout en continuant à prendre soin de moi.

La meilleure façon de conserver cet équilibre, c'est de développer mon estime personnelle. Quand je me traite avec bonté et respect, je suis plus en mesure d'être en harmonie avec les autres.

Pensée du jour

J'apprécierai le fait que tous mes instincts et tous mes sentiments ont leur raison d'être. Aujourd'hui, au lieu d'essayer de bannir ces sentiments, je m'efforcerai de trouver un équilibre.

> «Si je ne prends pas pour moi, qui donc prendra pour moi? Et si je prends uniquement pour moi, qui suis-je alors? Et si je ne le fais pas maintenant — quand le ferai-je?»
>
> Hillel

Quand je suis inquiet de ce que l'avenir me réserve, je regarde le chemin que j'ai parcouru. Quand j'étais un tout nouveau membre Al-Anon, je disais: «Je suis mieux maintenant que je ne l'étais avant de connaître Al-Anon. Je vais continuer d'assister aux réunions.» Quand je suis devenu frustré à cause de tous les changements que je voulais effectuer en moi, j'ai dit: «Au moins, je suis conscient des problèmes. Maintenant, je sais à quoi j'ai affaire.» Et récemment, je me suis surpris à dire: «Il y a un an, si quelqu'un m'avait dit que je serais là où j'en suis aujourd'hui, je n'aurais pas cru cela possible.»

Le temps me donne la preuve que le programme Al-Anon est efficace — je constate la croissance dans ma vie. Plus il y a longtemps que je vis selon ces principes, plus j'en ai la preuve. L'accroissement de cette conviction me procure un solide soutien dans les périodes de doute et m'aide à renforcer mon courage dans les périodes de peur.

Pensée du jour

Quand je me sens incapable de progresser, ou quand je suis rempli de peur, j'ai un merveilleux cadeau pour m'aider à voir clair — celui de la mémoire. Trop souvent, mes souvenirs m'ont apporté de la tristesse, me rappelant mes blessures et ma honte d'autrefois. Mais maintenant, je peux utiliser ma mémoire pour constater les progrès que j'ai faits et pour connaître la joie de la gratitude. Ma propre expérience m'apprend à faire confiance à ce merveilleux processus de rétablissement. Tout ce que j'ai à faire, c'est d'y apporter mon attention.

«Dieu nous a donné la mémoire pour que nous puissions voir des roses en décembre.»

James M. Barrie

En dressant une liste de toutes les personnes que nous avons lésées (Huitième Étape), certains noms nous viennent tout de suite à l'esprit, alors que d'autres demandent plus de réflexion. L'inventaire suggéré dans la Quatrième Étape peut nous aider à nous rafraîchir la mémoire. Nous pouvons nous poser des questions concernant les situations dans lesquelles nos défauts de caractère pourraient nous avoir amenés à agir de façon préjudiciable, et ajouter les noms des personnes concernées à notre liste faite dans la Huitième Étape.

Nous pouvons aussi étudier les noms déjà inscrits sur la liste et nous demander si nous nous sommes comportés de façon similaire envers d'autres personnes. Le fait d'écrire cette liste a amené plusieurs d'entre nous à découvrir que nous avions des modes de comportement destructeur antérieurement cachés. Même quand nos défauts n'étaient pas en cause, il se peut que nous ayons lésé d'autres personnes malgré nos meilleures intentions. Ces noms doivent aussi être sur la liste.

Une fois que nous avons fait la lumière sur les torts que nous avons causés, il nous devient possible d'effectuer des changements et de faire amende honorable afin que nous puissions nous sentir plus à l'aise concernant notre comportement et la manière dont nous établissons des rapports avec les autres.

Pensée du jour

Une liste telle que suggérée dans la Huitième Étape m'aide à me débarrasser de la culpabilité et des regrets qui proviennent de mon passé et que je traîne peut-être encore avec moi. J'aborderai cette Étape avec amour et douceur parce que je la fais pour ma propre libération.

> «...nos actes ont des conséquences et il arrive parfois que d'autres personnes soient blessées. En appliquant la Huitième Étape, nous reconnaissons ce point et nous consentons à faire amende honorable.»
>
> *...dans tous les domaines de notre vie*

Pour essayer de suivre une suggestion que j'avais entendue aux réunions Al-Anon, j'ai écrit consciencieusement une liste des choses pour lesquelles j'étais reconnaissant. J'ai noté sur cette liste des choses comme ma santé, mon emploi, la nourriture qu'il m'est possible d'avoir sur ma table. Quand j'ai eu fini, je n'*éprouvais* pas beaucoup de gratitude; mon esprit était encore alourdi par ma façon de penser négative qui résultait de ma vie dans le contexte de l'alcoolisme. Mais j'avais posé un geste et la semence de la gratitude était en terre.

J'ai graduellement appris à apprécier les petites réalisations de ma vie quotidienne. Peut-être que j'étais capable d'éviter une dispute futile en récitant la Prière de Sérénité, ou d'aider un nouveau venu en discutant avec lui, ou de terminer une chose que j'avais négligée. Je commençais à changer. Je me suis fait un devoir de reconnaître les petits changements et mon estime personnelle s'est accrue. L'application quotidienne des principes Al-Anon m'a aidé à approfondir mon sentiment de gratitude et à remplacer mes pensées négatives et harcelantes. J'ai finalement été capable de revenir à ma première liste et d'éprouver véritablement de la gratitude pour des choses que j'avais tenues pour acquises.

Pensée du jour

Je dois me nourrir de gratitude. Aujourd'hui, je peux m'appliquer à apprécier mon univers, ma Puissance Supérieure, ainsi que moi-même.

> «Je me couchais le soir et je récitais l'alphabet, énumérant toutes les choses dont je pouvais être reconnaissant, en commençant par la lettre A... Cela a fait un grand changement dans ma vie.»
>
> *Tel que nous Le concevions...*

En vivant dans le contexte de la maladie de l'alcoolisme, je suis devenue une personne craintive qui redoutait le changement. Même si ma vie n'était que chaos, il s'agissait d'un chaos familier, qui me donnait l'impression de détenir un certain contrôle. C'était une illusion. Dans Al-Anon, j'ai appris que je suis impuissante devant l'alcoolisme et bien d'autres choses. J'ai aussi appris que le changement est inévitable.

Je n'ai plus à présumer que le changement est mauvais, parce que je peux regarder en arrière et voir des changements qui ont eu un effet très positif sur moi, comme adhérer à Al-Anon.

J'ai encore de nombreuses peurs, mais le programme Al-Anon m'a démontré que ma Puissance Supérieure m'aidera à les surmonter. Je crois qu'il y a une Puissance supérieure à moi-même et je choisis de croire que cette Puissance sait exactement ce dont j'ai besoin et quand j'en ai besoin.

Pensée du jour

Aujourd'hui, je peux accepter les changements qui se produisent dans ma vie et vivre plus à l'aise avec eux. J'aurai foi en Dieu tel que je Le conçois et mes peurs diminueront. Cela me détend de savoir que tous mes besoins sont comblés quand j'écoute ma voix intérieure.

> «Nous nous demandons peut-être comment nous allons venir à bout de tous ces stades et ces phases, de ces niveaux de croissance et de réhabilitation... Savoir que nous ne sommes pas seuls calme souvent nos peurs et nous aide à obtenir une meilleure perspective.»
>
> *La sobriété: un nouveau départ*

La Cinquième Étape («Nous avons avoué à Dieu, à nous-mêmes et à un autre être humain la nature exacte de nos torts») est une expérience très personnelle, où nous faisons part de nos pensées et de nos expériences les plus intimes à quelqu'un d'autre. On a beaucoup parlé de la liberté que cette Étape offre à la personne qui se confie, mais elle peut aussi être extrêmement enrichissante pour la personne qui écoute.

La plupart d'entre nous se sentent grandement honorés d'être choisis pour partager une expérience aussi délicate et aussi personnelle. C'est une merveilleuse occasion de faire preuve d'un amour et d'un appui inconditionnels simplement en écoutant. Plusieurs d'entre nous entendons des récits semblables à ce que nous avons vécu; d'autres peuvent souvent s'identifier aux sentiments qui sont exprimés. Cela nous rappellera peut-être ce que nous avons été et tout le chemin que nous avons parcouru. Nous constatons également que malgré nos différences extérieures, nous avons beaucoup de choses en commun avec les autres.

Que nous mettions cette Étape en pratique en écoutant ou en parlant, nous devenons d'une certaine manière des canaux pour notre Puissance Supérieure. Plus souvent qu'autrement, nous entendons quelque chose qui jette de la lumière sur notre propre situation.

Pensée du jour

Quand je réponds à une demande d'aide pour mettre le programme Al-Anon en pratique, je m'aide par la même occasion.

> «Il n'y a pas de meilleur moyen de garder les bienfaits spirituels reçus que de les transmettre avec amour, libres de toute attente et sans poser de conditions.»
>
> *...dans tous les domaines de notre vie*

Un de mes défauts de caractère consiste à rendre la pareille devant un comportement qui me touche directement — à réagir aux insultes par plus d'insultes, à la rudesse par de la rudesse. Je n'avais jamais songé à agir autrement jusqu'à ce que je commence à me rendre à mon travail avec un membre Al-Anon de longue date. Chaque jour, quand mon amie arrêtait pour acheter le journal du matin, la personne derrière le comptoir répondait d'un ton bourru et hostile. Peu importe avec quelle rudesse elle était traitée, mon amie se comportait immanquablement avec courtoisie. J'étais outrée ! Al-Anon ne nous dit-il pas que nous ne sommes pas obligés d'accepter un comportement inacceptable ? J'ai fini par lui en parler.

Elle m'a dit qu'étant donné que c'était le seul kiosque à journaux des alentours, elle préférait se détacher de ce comportement plutôt que de se passer de son journal du matin. Elle m'a expliqué qu'elle était impuissante devant l'attitude des autres, mais qu'elle n'avait pas à leur permettre de l'inciter à abaisser ses propres valeurs. Autant que possible, elle choisit de traiter tous les gens qu'elle rencontre avec courtoisie. Les autres sont libres de faire leurs propres choix.

Pensée du jour

Aujourd'hui, je ferai en sorte que «ça commence par moi». Je ne suis pas obligé d'accepter un comportement inacceptable ; je peux commencer par ne pas me permettre ce même comportement. Je peux choisir de me comporter avec courtoisie et dignité.

> «...ma liberté et mon indépendance ne dépendent vraiment pas d'aucun acte de défi ou de confrontation. Elles dépendent de mes propres attitudes et sentiments. Si je réagis constamment, je ne suis jamais libre.»
>
> *Al-Anon est pour les enfants adultes des alcooliques*

J'ai un ami Al-Anon qui dit: «J'ai tendance à considérer mon expérience avec l'alcoolisme comme une épopée, un film en technicolor, une superproduction avec mon nom au néon sur l'affiche, mais ce n'est pas vraiment le cas. Il ne s'agit que de cinéma amateur.» Il m'est arrivé, de temps à autre, de partager la vision exagérée de mon ami, mais bien sûr, quand je le faisais, c'était mon nom qui apparaissait en néon.

Je suis arrivé à la fraternité avec une histoire à raconter qui semblait remplir l'écran géant. Je l'ai racontée et racontée jusqu'à ce qu'un jour, je remarque que j'étais assis dans une salle en compagnie d'autres membres, et que je projetais un film maison.

Aujourd'hui, je suis heureux de faire partie du spectacle, mais mon rôle a changé. Je ne suis plus le martyr, me sacrifiant bravement au monde froid et cruel du mélodrame. Le réalisme a pris le dessus. Mon rôle est important, mais il n'est pas unique et je ne m'attends pas à voir mon nom écrit au néon.

Pensée du jour

Al-Anon m'a donné une occasion de partager mon film maison avec d'autres personnes. Ma situation n'est ni la meilleure ni la pire. Même si je suis unique à certains égards, je suis plus semblable aux autres que je ne l'avais jamais soupçonné. Aujourd'hui, j'apprécierai ce sentiment d'appartenance.

> «...à mesure que nous apprenons à mettre notre problème dans sa véritable perspective, nous découvrons qu'il perd le pouvoir de dominer nos pensées et notre vie.»
>
> Formule de bienvenue suggérée aux groupes Al-Anon

Il m'arrive de faire la Troisième Étape à maintes et maintes reprises. Malheureusement, j'attends souvent d'être dépassé par un problème avant de finir par abandonner et le remettre à ma Puissance Supérieure. Néanmoins, aujourd'hui je m'efforce de placer entièrement ma volonté et ma vie entre les mains de ma Puissance Supérieure avec le désir d'accepter Sa volonté à mon égard, quelle qu'elle soit.

L'état de conscience que j'ai acquis dans Al-Anon me permet de voir que ma façon de faire a rarement été efficace dans le passé. C'est seulement lorsque je lâche prise et que je fais confiance à ma voix intérieure qui m'invite doucement à suivre la direction choisie par ma Puissance Supérieure que ma vie devient profondément satisfaisante.

Pensée du jour

Y a-t-il un domaine de ma vie que je considère trop important pour le confier à une Puissance Supérieure? Est-ce que mes efforts pour contrôler ce domaine de ma vie la rendent meilleure et plus contrôlable? Font-ils un bien quelconque? Je peux m'agripper à ma volonté jusqu'à ce que la situation devienne si pénible que je sois forcé de me soumettre, ou je peux mettre mon énergie là où elle peut me faire un peu de bien immédiatement et m'abandonner aux soins de ma Puissance Supérieure.

«J'ai tenu une foule de choses entre mes mains et je les ai toutes perdues; mais tout ce que j'ai placé entre les mains de Dieu, je le possède encore.»

Martin Luther

Lors de ma première réunion Al-Anon, je croyais que la colère, le ressentiment, la jalousie et la peur étaient de «mauvais» sentiments. Le programme m'a aidé à apprendre que les sentiments ne sont ni bons ni mauvais — ils font tout simplement partie de la personne que je suis.

J'en suis venu à me rendre compte que ces sentiments ont parfois donné de bons résultats. La colère a été à l'origine de certains changements constructifs dans ma vie. Le ressentiment m'a rendu si mal à l'aise que j'ai dû apprendre à le combattre — comme résultat, j'ai appris à prier pour les autres. La jalousie m'a enseigné à me taire quand je sais que je ne dirai que des paroles irrationnelles, destructrices. Et la peur a peut-être été mon cadeau le plus précieux, parce qu'elle me force à établir un contact conscient avec ma Puissance Supérieure.

Maintenant que le négatif est devenu du positif, je suis plus en mesure d'accepter l'ensemble du tableau. Il n'est plus nécessaire de me juger ni de me détester uniquement parce que j'éprouve un sentiment humain.

Pensée du jour

Il se peut que mes sentiments ne soient pas agréables, mais ils ne sont pas mauvais pour autant. Si je change d'attitude, je peux choisir ce que je ferai de mes sentiments. Tout peut contribuer à mon bien si j'y consens. Reconnaître cette occasion peut requérir toute mon imagination, mais c'est peut-être la raison primordiale pour laquelle Dieu m'a donné de l'imagination.

> «Mes sentiments ne sont ni bons ni mauvais, mais ils sont importants du seul fait que ce sont les miens...»
>
> *...dans tous les domaines de notre vie*

Je pense secrètement: «Si seulement je possédais une sagesse infinie.» «Si seulement je pouvais voir tout ce qui m'attend, voir clairement la route à suivre, savoir comment je dois passer chaque instant de ma vie!» Mais réunion après réunion, on me rappelle dans Al-Anon que je ne peux travailler qu'avec ce que j'ai aujourd'hui. Je ne sais pas ce que demain me réserve. De plus, il est probablement préférable que je ne le sache pas. Si je savais ce qui m'attend, j'imagine que je passerais tout mon temps à essayer d'éviter les expériences pénibles au lieu de vivre. Je laisserais passer tellement de choses merveilleuses.

Je peux avoir confiance que ma Puissance Supérieure me fera traverser la présente journée pour me préparer à l'avenir quand il se présentera et pour être en mesure de fonctionner avec ce qu'il m'apportera. Cela me laisse du temps pour profiter des nombreux bienfaits que la vie offre, du temps qui, autrement, serait employé à m'inquiéter.

Pensée du jour

Un vieux proverbe dit: «Le soleil brillera en son temps.» Si je suis disposé à écouter, je recevrai tous les renseignements nécessaires en temps opportun. «Aujourd'hui seulement», je saurai que je suis entre bonnes mains.

> «Aujourd'hui seulement, j'essaierai de ne vivre que la présente journée et de ne pas m'attaquer à tous mes problèmes à la fois.»
>
> *Aujourd'hui seulement*

J'ai appris une importante leçon sur la manière de lâcher prise un soir, lors d'une réunion d'affaires de mon groupe Al-Anon. Il m'a fallu beaucoup de courage pour suggérer à mon groupe régulier d'inclure, dans l'ouverture de la réunion, la récitation au complet de la Prière de Sérénité. Un autre membre a suggéré que nous lisions les Traditions plus régulièrement.

La conscience de groupe a approuvé la motion touchant les Traditions alors que mon petit projet concernant la Prière de Sérénité a été rejeté. J'étais assis là, gonflé d'orgueil meurtri, mais quelque chose que j'avais appris dans Al-Anon continuait à résonner dans ma tête: «placer les principes au-dessus des personnalités». Soudainement, le rejet de ma suggestion n'avait plus d'importance. Nous faisions tous partie de la fraternité et c'est tout ce qui importait.

Dans la sécurité de mon groupe Al-Anon, j'ai appris à renoncer à mon besoin de toujours gagner mon point. Avec de la pratique, je suis capable d'appliquer cette leçon à toutes mes relations.

Pensée du jour

Il est important que j'exprime mes idées. Il est également important que j'accepte ce qui en résulte. Je peux être fier de moi pour avoir pris le risque d'exprimer mon opinion, tout en sachant que les résultats de mes actions ne m'appartiennent pas. Aujourd'hui, je choisis de confier ces résultats à ma Puissance Supérieure.

> «Votre devoir, c'est uniquement d'*agir* et non de vous préoccuper des *résultats* de l'action. Rejetez donc tout désir et toute peur des résultats et faites votre devoir.»
>
> *Le Bhagavad-gîta*

Certains alcooliques deviennent violents, particulièrement quand ils sont ivres. Comment se comporter devant la violence? Que pouvons-nous faire à ce sujet?

Al-Anon ne donne pas d'opinion spécifique concernant nos relations — nous ne recommandons pas de mettre fin ni de poursuivre une relation. Il vaut mieux laisser chacun prendre ses décisions lorsqu'il en sera capable. Cependant, nous mettons l'accent sur notre propre responsabilité de prendre soin de nous. Si nous savons que nous sommes en danger physiquement, nous pouvons l'admettre et prendre les mesures nécessaires pour nous protéger, du moins temporairement. Nous pouvons prévoir un endroit sûr où nous réfugier à n'importe quelle heure en cas de besoin. Il peut être sage de garder de l'argent et les clés de l'auto à portée de la main. Peut-être que nous chercherons aussi de l'aide professionnelle ou que nous discuterons avec un policier des choix qui s'offrent à nous.

Personne n'a le droit d'abuser physiquement de qui que ce soit, en aucune circonstance. Nous pouvons faire l'inventaire de notre propre comportement pour voir si nous contribuons au problème en provoquant une personne ivre et nous pouvons travailler à changer ce comportement. Mais ce n'est pas nous qui rendons une autre personne violente ou abusive.

Pensée du jour

Je n'ai pas le pouvoir de changer une autre personne. Si je fais face à la violence, c'est à moi d'apporter des changements. Je commencerai en étant honnête concernant ce qui se passe.

> «Il y a de l'espoir, il y a de l'aide, et j'ai droit d'une façon inaliénable à la dignité humaine.»
>
> *...dans tous les domaines de notre vie*

Aujourd'hui seulement, je peux essayer un nouveau comportement. Je peux adopter le point de vue que, peut-être, toute une vie m'a été donnée pour apprendre à me connaître. La vie est peut-être une suite d'expériences dont certaines réussissent et d'autres échouent — et où les échecs autant que les succès ouvrent la voie à de nouvelles expériences.

Aujourd'hui seulement, je pourrais essayer d'effectuer un léger changement dans la façon de me comporter qui me cause très souvent des problèmes, simplement pour voir ce qui arrivera. Par exemple, si j'ai l'habitude de réagir de façon négative à une personne ou à une situation en particulier — sortir du lit, travailler, demander de l'aide, transiger avec des figures d'autorité — je peux essayer une réaction différente, plus positive. Je peux considérer cela comme un genre de recherche et apprendre de tout ce qui arrive.

Aujourd'hui est la seule journée sur laquelle je peux travailler. Le passé est révolu et demain est hors de ma portée. J'essaierai de me rappeler que ce jour peut être un magnifique cadeau et je le vivrai pleinement.

Pensée du jour

Aujourd'hui seulement, je chercherai des façons de profiter de la vie — je m'arrêterai devant un jardin, j'essaierai un nouveau passe-temps, ou je téléphonerai à un bon ami. Je peux rechercher l'humour. Je peux apprécier l'amour. Je peux explorer quelque chose de nouveau. Peut-être qu'aujourd'hui seulement, j'essaierai de me tenir sur la tête pour voir si j'aime les choses vues sous cet angle.

> « Aujourd'hui seulement, je me réserverai un peu de temps pour me détendre et pour prendre conscience de ce que la vie est et peut être ; je prendrai le temps de penser à Dieu et d'avoir une meilleure perspective de moi-même. »
>
> *L'alcoolisme, un mal familial*

Soudainement, je suis conscient de pensées qui me trottent dans la tête et se heurtent à une vitesse alarmante — des souvenirs, des promesses brisées, la peur de l'avenir, des attentes déçues face à moi-même et aux autres. C'est un chaos qui m'est familier et que je peux maintenant reconnaître. C'est un signal que ma vie est, pour le moment, devenue incontrôlable.

Quand cela arrive, je retrouve souvent ma sérénité par un simple appel téléphonique. Le seul fait de reconnaître ce chaos l'atténue immédiatement. Je prends du recul, je me retire de cette folie et tout de suite, le chaos disparaît ou s'éparpille dans les innombrables directions d'où il est venu. Les pièces de mon chaos retournent à leur place respective, là où je peux soit les ignorer, soit choisir de les affronter une à la fois.

Pensée du jour

Si des problèmes surgissent aujourd'hui, j'essaierai de les reconnaître pour ensuite insérer un petit espace spirituel entre mes problèmes et moi. Si je peux en parler à une autre personne, cela diminuera encore davantage leur pouvoir. Reconnaître que ma vie est incontrôlable est le premier pas pour en reprendre le contrôle.

«...lorsque nous exposons les faits au grand jour, ils perdent leur pouvoir sur nous.»

...dans tous les domaines de notre vie

C'est essentiel à mon rétablissement que j'aide mon groupe Al-Anon en acceptant une quelconque des diverses responsabilités nécessaires à son bon fonctionnement. Peut-être que la principale raison pour laquelle le service est si vital, c'est qu'il me met fréquemment en contact avec des nouveaux venus. Je peux m'enliser dans les menus problèmes de la vie quotidienne et perdre de vue les nombreux cadeaux que j'ai reçus depuis mon adhésion à Al-Anon. Parler avec des nouveaux venus me ramène à la réalité. Quand je place la documentation, que je fais le café ou que j'anime une réunion, je deviens un membre avec qui le nouveau venu pourrait désirer s'entretenir.

Je me rappelle la frustration que j'éprouvais quand je luttais seul contre l'alcoolisme. Je n'avais aucun outil, ni personne à qui parler. Al-Anon a changé tout cela. Maintenant, peu importe à quel point la situation peut sembler difficile, j'ai les membres de la fraternité et un mode de vie pour m'aider à y faire face. Je ne suis plus seul.

Aujourd'hui, j'ai une foule de choses dont je suis reconnaissant, mais je dois me rappeler tout le chemin parcouru afin que des problèmes relativement sans importance ne me fassent pas tomber dans le négativisme. Le service m'aide à me souvenir.

Pensée du jour

Le programme Al-Anon était là pour moi quand j'en ai eu besoin. Je ferai mon possible pour m'assurer qu'il continuera à s'étendre. Je sais que tout travail de service que j'effectuerai contribuera à mon propre rétablissement.

> «Dieu a fait pour moi ce que j'étais incapable de faire moi-même. Il m'a guidée vers le travail de service... Le service a sauvé ma vie, ma famille, ma raison.»
>
> *...dans tous les domaines de notre vie*

À vrai dire, je ne savais pas ce qu'était la compassion, mais je savais ce qu'elle n'était pas. La compassion consistait à ne pas chercher vengeance, à ne pas nourrir de ressentiment, à ne pas injurier les autres, pas plus qu'à hurler et à lancer des objets sous l'effet de la colère. Cependant, c'était la façon dont je me comportais fréquemment avec la personne que je prétendais aimer. En ce qui me concerne, c'est en éliminant de tels comportements que j'ai commencé l'apprentissage de la compassion.

Même si j'ai encore beaucoup de difficulté à définir la compassion, je crois qu'elle commence par le fait de reconnaître que j'ai à composer avec une personne malade, une personne qui, parfois, présente les symptômes d'une maladie. Je ne suis pas obligé de me sentir visé personnellement quand ces symptômes, comme la violence verbale, se manifestent, pas plus que je n'ai le droit de punir qui que ce soit d'être malade.

Je suis un être humain qui a de la valeur. Je ne suis pas obligé de rester là et d'accepter la violence. Mais je n'ai pas le droit de faire de même non plus.

Pensée du jour

Je passerai, au cours de toute ma vie, plus de temps avec moi qu'avec qui que ce soit d'autre. Fasse que j'apprenne à être le genre de personne que j'aimerais avoir comme amie.

«Celui qui aimerait avoir de magnifiques roses dans son jardin doit avoir de magnifiques roses dans son cœur.»

S.R. Hole

J'ai entendu dire que dans Al-Anon, nous essayons de nous concentrer sur nos ressemblances plutôt que sur nos différences. Cela ne signifie pas que nous n'avons pas de différences ou que nous ne devrions pas reconnaître ces différences. Cela suggère, en fait, qu'en nous rappelant la raison pour laquelle nous sommes tous ici, nous n'avons jamais à nous sentir seuls.

Comme tant d'autres, je suis arrivé à Al-Anon avec l'impression que mes problèmes me plaçaient à part de tout le monde. À mesure que le temps a passé, je me suis rendu compte que c'était ma peur et ma honte, et non les détails embarrassants de mes problèmes qui me gardaient à distance. J'ai appris que lorsque je ne m'attardais pas à ces détails, je pouvais être solidaire des autres personnes affectées par l'alcoolisme et ainsi, trouver de l'aide.

Nous sommes tous aussi uniques que nos empreintes digitales, mais quand nos mains se joignent pour la prière finale, chacun de nous fait partie d'un cercle d'espoir qui est plus grand que n'importe quelle de nos différences individuelles.

Pensée du jour

Même si nous avons tous nos propres qualités, nous avons tous un cœur qui bat dans notre poitrine. Votre cœur touche le mien quand vous partagez votre vécu et votre foi. Je sais que vous garderez dans votre cœur cette partie de moi que je partage avec vous. Aujourd'hui, je chérirai notre force collective.

> «Car le corps est un et comporte plusieurs membres, mais tous les membres de ce corps, bien qu'étant nombreux, ne forment qu'un seul et même corps.»
>
> *La Bible*

Il m'arrive parfois d'être tellement enlisé dans l'insatisfaction que je suis incapable de voir où j'en suis ni où je vais. Quand je prends le temps de «penser», je me rends compte que le négativisme garde ma vie au point mort. Al-Anon m'a aidé à découvrir que, bien qu'il soit bon de reconnaître tout ce que je ressens, j'ai le choix de porter mon attention là où je veux. Je suis au défi de me trouver des qualités, d'en trouver aux autres êtres humains et dans les situations que je vis. Lorsque j'assiste aux réunions, que je dresse une liste des choses dont je suis reconnaissant et que je parle avec d'autres membres Al-Anon, ces qualités deviennent apparentes — si je suis disposé à les voir.

Je crois que j'ai une belle âme qui a été créée dans un but précis. Les personnes et les situations auxquelles je fais face tous les jours ont aussi leur beauté et leur raison d'être. Je peux commencer à rechercher ce qu'il y a de positif dans tout ce que je fais et vois. La perspective que j'ai acquise en agissant ainsi m'a démontré que certaines des périodes les plus difficiles de ma vie ont produit les plus merveilleux changements.

Pensée du jour

Il peut s'avérer difficile de briser une longue habitude d'état dépressif, de langage pessimiste et de plaintes, mais l'effort en vaut la peine. Aujourd'hui, je remplacerai une attitude négative par une attitude positive.

«Parfois je m'apitoie sur moi-même
et pendant tout ce temps,
de magnifiques nuages me font traverser le ciel.»

Dicton des Indiens Ojibway

Bien que la situation de crise qui nous a amenés à Al-Anon puisse être terminée, il y a toujours quelque chose de nouveau à apprendre, même après des années de rétablissement. Nous changeons. Les occasions de croissance spirituelle, tout autant que les nouveaux défauts de caractère, surgissent comme les mauvaises herbes dans un gazon fraîchement coupé, et nous nous tournons vers les Étapes pour y jeter un regard nouveau.

J'ai vécu cela un jour quand j'ai remarqué que j'étais en colère la plupart du temps. Je pensais que mon entourage et les situations étaient à blâmer, mais j'ai décidé de me concentrer sur mon propre rôle en l'occurrence. J'ai fait par écrit un inventaire de mes souvenirs, de mes sentiments et du comportement que j'avais chaque fois que je perdais ma sérénité, et je l'ai ensuite lu à haute voix à quelqu'un en qui j'avais confiance. À mesure que je lisais, leur point commun — la nature exacte de mes torts — me sautait aux yeux. Mon orgueil et ma suffisance me causaient des problèmes, non la situation. Mon besoin d'avoir raison me privait de ma sérénité dans toutes sortes de situations.

Peu importe combien de temps je mettrai le programme Al-Anon en pratique, je ne cesserai jamais de trouver de nouvelles façons de l'appliquer dans ma vie. C'est un bienfait, car cela signifie que ma vie continuera à s'améliorer.

Pensée du jour

Il y a quelque chose de nouveau que je peux apprendre aujourd'hui. J'ouvrirai mon esprit et mon cœur aux enseignements que ma Puissance Supérieure me donnera.

«L'important, c'est de ne pas cesser de se poser des questions.»

Albert Einstein

J'avais l'impression que ma vie était stagnante. Je voulais du changement; je l'attendais; j'essayais même de le *provoquer*. Mais je n'avais pas le pouvoir de réaliser aucun des changements que je souhaitais. J'étais frustré. Je suis une personne d'action, donc je me sens mieux quand je suis occupé et productif. *Il y a* un temps pour agir. Mais dans Al-Anon, j'ai appris qu'il y a aussi un temps pour *ne pas* agir — pour arrêter et attendre. Comme le dit mon parrain: «Cesse de te démener dans le seul but de faire quelque chose; reste tranquille.»

Que de fois il m'arrive encore d'être impatient devant le rythme de la vie. Mais aujourd'hui, quand les choses ne se produisent pas selon l'horaire que j'avais prévu, je peux accepter qu'il y a peut-être une raison à cela et je peux apprendre à m'adapter à la réalité. Il est possible que je vive de grands changements intérieurement, même si cela est peu évident extérieurement. Je peux garder à l'esprit que le temps d'attente n'est pas nécessairement du temps perdu. Même les périodes de tranquillité ont quelque chose à m'apprendre.

Pensée du jour

Je suis invité chaque jour à vivre pleinement ma vie. Aujourd'hui, je suis capable d'accepter le rythme du changement, sachant qu'il m'apportera tant des périodes d'engagement intense que des périodes d'attente paisible. Je laisserai les surprises de la journée se révéler à moi.

«En plus de l'art noble de mener les choses à bonne fin, il y a aussi l'art noble de laisser les choses inachevées. La sagesse de la vie consiste à éliminer ce qui n'est pas essentiel.»

Lin Yutang

Ma vie est un miracle ! Quand je me suis senti seul et sans aucun espoir, j'ai été guidé vers Al-Anon où j'ai appris qu'aucune situation n'est vraiment désespérée. D'autres membres avaient vécu la souffrance de faire face à l'alcoolisme d'un être cher. Eux aussi avaient connu la frustration, la colère, la déception, l'anxiété et cependant, ils avaient appris à vivre une vie sereine et même heureuse. Grâce au programme, les outils qui mènent à la sérénité et le cadeau du rétablissement sont à ma portée en même temps que le soutien dont j'ai besoin. Tout comme j'ai été guidé vers Al-Anon, je suis guidé dans mon rétablissement et ma transformation se poursuit.

Je vois que des miracles se produisent fréquemment dans ma vie. Peut-être en a-t-il toujours été ainsi, mais je ne les voyais pas. Aujourd'hui je suis conscient de ces nombreux cadeaux et nombreuses merveilles parce que je pratique activement la gratitude. Donc je remercie ma Puissance Supérieure pour les petites choses comme pour les grandes. Je suis reconnaissant que mon réveille-matin ait une touche de répit qui me donne quelques minutes supplémentaires de sommeil, ainsi que pour le toit que j'ai au-dessus de la tête, pour les vêtements que je porte et pour ma capacité de donner et de recevoir de l'amour.

Pensée du jour

Quand je prends le temps d'avoir de la gratitude, je perçois un monde meilleur. Aujourd'hui, j'apprécierai les miracles qui m'entourent.

> « Même les moments les plus sombres peuvent être affrontés avec un cœur reconnaissant, sinon pour la crise elle-même, du moins pour la croissance qu'elle peut susciter avec l'aide de notre Puissance Supérieure. »
>
> *...dans tous les domaines de notre vie*

J'avais l'habitude de considérer Dieu comme mon adversaire. Nous étions engagés dans une bataille de volonté et il n'était pas question que je baisse pavillon. Vous pouvez imaginer avec quelle rapidité cette attitude m'a amené à atteindre le fond de l'abîme sur le plan émotif! J'ai adhéré à Al-Anon, mais j'étais réticent à admettre que j'étais impuissant. Je savais que c'était vrai — de toute évidence je n'avais pas vaincu l'alcoolisme — mais je n'allais pas me soumettre à mon ennemi!

Je suis tellement reconnaissant envers Al-Anon de m'aider à apprendre à m'abandonner. J'y ai mis beaucoup de temps, mais j'ai fini par comprendre qu'abandon ne veut pas dire soumission — cela veut dire que je consens à cesser de combattre la réalité, à cesser d'essayer de jouer le rôle de Dieu, et que je suis disposé à assumer mon propre rôle.

Quand je cueille des fleurs ou que je m'émerveille devant les beautés de la nature, je ne perds pas la face en concédant que je n'y suis pour rien. Il en est de même pour tout dans ma vie. Le meilleur moyen que j'ai trouvé pour en arriver à la sérénité, c'est de reconnaître que le monde est entre bonnes mains.

Pensée du jour

Aujourd'hui, je peux être reconnaissant que la terre continue de tourner sans aucune aide de ma part. Je suis libre de vivre ma propre vie, en toute sécurité, sachant qu'une Puissance Supérieure prend soin du monde, des êtres que j'aime et de moi-même.

> «La Première Étape nous prépare à une vie nouvelle à laquelle nous ne pouvons aspirer sans lâcher prise devant ce que nous ne pouvons pas contrôler. Pour parvenir à cette vie nouvelle, nous devons entreprendre, un jour à la fois, la tâche monumentale de remettre de l'ordre dans notre univers en changeant notre manière de penser.»
>
> *Al-Anon un jour à la fois*

Le chemin menant à ma ville natale serpentait une colline abrupte. Quand j'étais enfant, j'avais souvent peur que notre voiture ne prenne mal un virage et ne passe par-dessus le parapet. J'avais l'habitude de m'agripper à la poignée de la portière arrière pour essayer de prévenir cet accident. J'étais trop jeune pour comprendre que mon geste ne pouvait influencer la trajectoire de la voiture. Il m'arrive encore souvent d'avoir une approche semblable devant mes peurs d'adulte et de continuer à poser des gestes futiles.

Al-Anon m'aide à accepter ce que je ne peux changer et à changer ce que je peux. Même si je ne peux pas contrôler la façon dont l'alcoolisme a affecté ma vie, que je ne peux pas contrôler une autre personne et faire en sorte que ma vie se déroule selon mes plans, je peux admettre mon impuissance et me tourner vers ma Puissance Supérieure pour obtenir de l'aide.

Quand je suis au volant, j'ai la responsabilité de me tenir à distance raisonnable du bord de la route. Il n'en tient qu'à moi de prendre mon rétablissement au sérieux, de rectifier mon attitude, de prendre soin de mon esprit, de mon corps et de mon âme, de faire amende honorable quand j'ai causé du tort — bref, de changer les choses que je peux.

Pensée du jour

Parfois la seule façon pour moi de déterminer ce que je dois accepter et ce que je dois changer, c'est de faire des essais. Les erreurs peuvent être des occasions d'acquérir la sagesse d'en connaître la différence.

> «Et si une crise surgit, ou qu'un problème me déroute, je l'examine à la lumière de la Prière de Sérénité et j'extrais l'aiguillon avant qu'il ne me blesse.»

Al-Anon un jour à la fois

À mes débuts dans Al-Anon, on m'a suggéré de me renseigner sur la maladie de l'alcoolisme et je me suis mis à lire avidement sur le sujet. À partir de mes lectures, j'ai commencé à tout analyser: Est-ce qu'Al-Anon était une philosophie ou un système philosophique? Quel résultat logique la foi en une Puissance supérieure à moi-même pouvait-elle apporter? Et quand au juste l'alcoolique aurait-il un réveil spirituel?

Ces questions et d'autres de même nature gardaient mon esprit occupé et ne contribuaient pas à mon rétablissement. Heureusement, j'ai continué d'assister aux réunions Al-Anon et j'ai lu, relu et répété les Douze Étapes et les Douze Traditions. Graduellement, j'ai commencé à comprendre. Quand j'ai cessé d'essayer d'analyser et de tout expliquer, et que j'ai commencé à vivre selon les principes, les appliquant vraiment dans des situations de tous les jours, le programme Al-Anon a soudainement fait du sens — et j'ai commencé à changer.

Pensée du jour

L'analyse de ma situation m'apporte-t-elle d'utiles prises de conscience ou est-elle une tentative pour contrôler l'incontrôlable? Est-ce que je procède à mon inventaire ou est-ce que j'évite de faire ce qui doit être fait en gardant mon esprit occupé? J'ai entendu dire que savoir, c'est pouvoir. Mais parfois, ma soif de connaissance peut se révéler une tentative pour exercer un pouvoir là où je suis impuissant. Au lieu de cela, je peux faire ma Première Étape.

«On ne peut comprendre la vie qu'en regardant en arrière, mais on doit la vivre en regardant en avant.»

Soren Kierkegaard

Il *fallait* que mon mari devienne sobre afin que nous puissions vivre heureux jusqu'à la fin des temps, parce que j'étais incapable de faire face à cette affreuse maladie qui assombrissait tous les aspects de notre relation, et j'étais incapable d'affronter le vide que je ressentais dans ma propre vie. C'était tellement plus agréable de penser à un avenir de bonheur suprême, si seulement il changeait.

Dans Al-Anon, j'ai dû désapprendre beaucoup de ce romantisme insensé afin de trouver dès maintenant une vie satisfaisante. Quand nous nous sommes séparés, mon mari et moi, mes rêves ont été détruits, mais avec le soutien du programme, j'ai appris à chercher le bonheur en moi et mon enrichissement personnel dans ma vie réelle. Deux ans plus tard, quand nous nous sommes réconciliés, j'ai dû me défaire d'une autre illusion, cette fois-là concernant le rétablissement. Ma conception de la santé était maintenant basée sur le fait de vivre seule. J'ai dû apprendre à trouver l'équilibre entre prendre soin de moi et être là pour mon conjoint; j'ai dû réapprendre à aimer.

Pensée du jour

Le rétablissement peut consister autant à désapprendre qu'à apprendre. Ma sécurité ne peut reposer sur l'apprentissage de «règles» parce qu'une fois que je les ai vraiment comprises, elles changent. Avec l'aide de ma Puissance Supérieure, je trouverai une certaine sécurité en étant exactement là où je suis aujourd'hui.

> «Les Douze Étapes de notre programme m'ont amenée aujourd'hui à une foi en Dieu qui est basée sur l'acceptation du monde tel qu'il est. Je ne me tourmente plus pour savoir comment le monde devrait être.»
>
> *Tel que nous Le concevions...*

Les réunions Al-Anon m'ont ouvert les yeux sur une chose à laquelle je n'avais jamais pensé auparavant: Crier et claquer les portes n'étaient pas la meilleure façon de faire face à une situation déjà difficile. Bien qu'il n'y ait aucun mal à se défouler à l'occasion en élevant la voix, crier peut devenir une habitude destructrice. Je n'avais jamais pensé à me demander si c'était de cette façon que je désirais me comporter. Ce comportement me procurait-il ce que je voulais? Ou m'aidait-il à me sentir bien avec moi-même?

Quand j'y ai regardé de plus près, j'ai constaté que la réponse à cette question était «non». Exprimer ma colère en parlant fort et en posant des gestes bruyants démontrait ma frustration et écartait tout espoir de solutions pacifiques à mes problèmes.

«Se hâter lentement» est le slogan qui m'aide à revenir à un état d'esprit rationnel. Quand je me sers de ce slogan pour me calmer intérieurement, il m'est plus facile de me calmer aussi extérieurement.

Pensée du jour

Je recherche une approche plus saine de tout ce que je rencontre dans ma vie. Les slogans peuvent être des sources précieuses de bon sens dans des situations chaotiques. Aujourd'hui, si je suis tenté d'agir sous le coup de la colère ou de la frustration, je me rappellerai de «me hâter lentement».

> «J'essaierai d'appliquer notre slogan "se hâter lentement" chaque fois que se produira un incident susceptible d'augmenter la tension et de provoquer une explosion.»
>
> *Al-Anon un jour la fois*

Un vieux patriarche disait: «Ne cherchez point la vérité, cessez seulement de chérir vos opinions.» Selon moi, cesser de chérir mes opinions s'insère dans la Dixième Étape. Une grande partie de ce que je considère comme allant mal dans ma vie est lié à mes opinions — c'est-à-dire à mes préjugés, mes suppositions, ma suffisance, mes attitudes.

Par exemple, je continue de présumer que je suis le mieux placé pour savoir comment tout devrait être fait et que les autres ont une vision trop limitée pour reconnaître cette grande vérité. La réalité me prouve que j'ai tort. Il m'arrive aussi de penser qu'il est pratique et même souhaitable d'ignorer mes sentiments. Cela aussi est faux. Et j'agis comme si je pouvais diriger ma vie sans faire confiance à ma Puissance Supérieure. Faux, encore une fois.

Je suis reconnaissant que la Dixième Étape me rappelle que je dois poursuivre mon inventaire personnel et effectuer de fréquentes corrections, surtout dans les domaines où j'ai tendance à répéter mes erreurs.

Pensée du jour

Ce n'est pas une tâche facile de changer la façon dont j'ai pensé toute ma vie, même quand j'ai la certitude de vouloir changer. La Dixième Étape me permet de prendre conscience que je retombe dans une façon de penser erronée. Je n'ai pas à m'en vouloir quand cela se produit — cela ne m'aide aucunement. En admettant promptement mes torts, je fais ce que je peux pour changer.

> «Nous ne devons plus accumuler des fardeaux de culpabilité ou de ressentiment qui deviendront plus lourds et plus puissants avec le temps. Chaque jour, chaque nouveau moment peut s'avérer une occasion d'assainir l'air et de recommencer, libres et dispos.»
>
> *...dans tous les domaines de notre vie*

Le pardon a été la forme de détachement dénotant le plus d'amour que j'ai trouvée. Au lieu de considérer le pardon comme une efface pour nettoyer l'ardoise de l'autre personne, ou comme un maillet pour déclarer cette personne «non coupable», je vois le pardon comme une paire de ciseaux. Je m'en sers pour couper les cordons du ressentiment qui me lient à un problème ou à une vieille blessure. En laissant aller le ressentiment, je me libère.

Quand je suis rongé par un sentiment négatif provoqué par le comportement d'une autre personne, je perds mon objectif. Je n'ai pas à tolérer ce que je considère inacceptable, mais me complaire dans le négativisme ne changera rien à la situation. S'il y a des mesures à prendre, je suis libre d'agir. Là où je suis impuissant à changer la situation, je la remettrai à ma Puissance Supérieure. En lâchant vraiment prise, je me détache et je pardonne.

Quand mes pensées ne sont qu'amertume, peur, apitoiement et rêves de vengeance, il y a peu de place pour l'amour ou pour la petite voix intérieure qui me guide. Je suis disposé à m'aimer suffisamment pour admettre que le ressentiment me nuit et alors, je peux lâcher prise.

Pensée du jour

Chaque fois que j'essaie de resserrer le nœud du ressentiment autour du cou de quelqu'un, en réalité c'est seulement moi que j'étouffe. Aujourd'hui, je pratiquerai plutôt le pardon.

> «Une partie de moi veut s'accrocher à mes ressentiments d'autrefois, mais je sais que plus je pardonne, meilleure est ma vie.»
>
> *...dans tous les domaines de notre vie*

Quand j'essaie de m'attaquer à un problème difficile ou de faire face à une situation tendue, et que j'ai fait tout mon possible pour le moment, qu'est-ce que je fais ensuite? Je peux faire quelque chose qui nourrira mon esprit, mon corps ou mon âme. J'irai peut-être faire une promenade ou j'écouterai de la musique. J'irai peut-être prendre un café avec une amie et jaser un peu. Je pourrais manger quelque chose de nourrissant, ou m'asseoir tranquille et méditer, ou lire un livre.

Al-Anon est un programme d'action où nous reconnaissons que nous avons le choix de décider ce que nous ferons de notre temps. Un bain moussant, un massage, un appel téléphonique à une amie Al-Anon, une randonnée à bicyclette, ou une sieste peuvent être des façons constructives d'occuper le temps qui, autrement, serait peut-être gaspillé en inquiétude.

Même si je suis impuissante à changer les circonstances de ma vie, je ne suis certainement pas démunie. Je peux utiliser mon temps à faire quelque chose de bon pour moi. Quand je me traite avec amour et tendresse, je suis plus en mesure de faire face aux défis que la vie apporte. J'ai l'occasion de me sentir bien, même au milieu d'une situation de crise.

Pensée du jour

Une de mes responsabilités premières consiste à prendre soin de moi. Aujourd'hui je trouverai moyen de faire un petit quelque chose pour mon esprit, mon corps et mon âme.

> «...une partie de mon rétablissement consiste à respecter mes besoins et mon droit d'abandonner et de me détendre.»
>
> *...dans tous les domaines de notre vie*

En tant que nouveaux venus, plusieurs d'entre nous avons été surpris de l'absence de règlements dans Al-Anon. Avant que nous trouvions comment nous rétablir des conséquences de l'alcoolisme, un sens de l'ordre rigoureux a peut-être été notre unique moyen de sentir que nous avions un certain contrôle. Naturellement, nous nous attendions à ce qu'un programme aussi efficace qu'Al-Anon soit encore plus rigide que nous l'étions!

Au lieu de cela, en tant que nouveau venu on m'a dit que j'étais libre de mettre les Étapes en pratique à mon propre rythme. Je pouvais m'adresser à n'importe quel membre et poser des questions au moment où elles me venaient à l'esprit. Personne n'était responsable du groupe et cependant, tout le monde en était responsable. Cela semblait impossible, toutefois je pouvais voir le groupe œuvrer plus efficacement que n'importe quel organisme où je m'étais engagé antérieurement.

À mesure que j'assiste aux réunions Al-Anon, j'apprends à croire que le groupe est guidé par une Puissance Supérieure Qui S'exprime par notre conscience de groupe. J'observe les Traditions à l'œuvre; elles nous guident par des suggestions plutôt que des règlements. Et j'apprends à faire confiance aux membres, alors que chacun contribue au bien-être de notre fraternité et là où personne ne prend tout en charge.

Pensée du jour

Si je prends des responsabilités au niveau du service dans mon groupe, cela ne veut pas dire que c'est moi maintenant qui détiens l'autorité. Aujourd'hui, je me rappellerai que l'autorité ultime est une Puissance Supérieure Qui travaille par l'intermédiaire de nous tous.

> «Nos groupes, comme tels, ne devraient jamais être organisés; cependant, nous pouvons constituer des centres de service ou des comités directement responsables envers ceux qu'ils servent.»
>
> Neuvième Tradition

À mesure que nous poursuivons notre rétablissement, nous pouvons rencontrer des occasions d'approfondir l'apprentissage que nous avons commencé il y a longtemps. Peut-être avons-nous déjà appris à nous détacher d'un problème en particulier. Maintenant, des mois ou des années plus tard, quand nous avons encore une fois besoin de nous détacher, il se peut que nous ayons l'impression d'avoir oublié tout ce que nous savions. Il est important de nous rappeler en de tels moments que malgré le fait que les sentiments puissent être les mêmes, *nous* ne sommes plus les mêmes.

Mon rétablissement est important. Aujourd'hui, toute l'expérience, toute la force et tout l'espoir que j'ai accumulés en moi guident mes choix. Il se peut que je ne le reconnaisse pas tout de suite, mais j'ai progressé et je continue à progresser à chaque pas que je fais. Peut-être suis-je en train d'apprendre de nouveau quelque chose que j'ai déjà appris auparavant; j'ai sans doute besoin de l'approfondir. Cette fois-ci, je traverserai peut-être le processus avec une conscience accrue, ou je me tournerai vers ma Puissance Supérieure plus rapidement et plus facilement, ou je n'hésiterai pas à demander de l'aide à un ami Al-Anon.

Pensée du jour

Au lieu de présumer que j'ai échoué parce que j'apprends de nouveau une leçon difficile, je pourrais considérer l'expérience comme faisant partie d'un processus de rétablissement à long terme qui demande répétition et pratique. J'ai confiance qu'à la longue j'apprendrai si bien que cela deviendra une réaction automatique, saine et dénotant de l'assurance.

«L'esprit humain progresse continuellement, mais il s'agit de progrès en spirale.»

Madame de Staël

Récemment, on m'a rappelé que je ne suis pas responsable du fonctionnement de l'univers entier. Une mutation d'emploi imprévue m'a amené dans une autre ville et je n'avais qu'une semaine pour trouver un logement pour ma famille. Après trois jours de recherches infructueuses, j'ai commencé à être pris de panique. Je faisais partie d'Al-Anon depuis assez longtemps pour savoir que j'avais besoin d'une réunion. En écoutant les autres membres affirmer que nous devons assumer nos responsabilités et avoir confiance qu'une Puissance Supérieure Se chargera du reste, cela m'a rappelé que je ne pouvais que faire mon possible. Je pouvais effectuer les démarches, mais je ne pouvais pas faire apparaître une maison. Je devais «lâcher prise et m'en remettre à Dieu». Le dernier jour de ma recherche, j'ai trouvé un merveilleux logement.

Mon agitation et mon inquiétude ne m'ont pas aidé à résoudre mon problème. Ce qui m'a aidé, ce fut de faire ma part et de confier le reste à ma Puissance Supérieure.

Pensée du jour

Ce que je suis incapable de faire, ma Puissance Supérieure le peut. Quand je «lâche prise et que je m'en remets à Dieu», je suis libre de prendre des risques et de faire des erreurs. Je sais que je suis impuissant devant de nombreuses choses. Aujourd'hui je trouve rassurant de savoir que je n'ai pas le pouvoir de gâcher les projets de Dieu.

> «Aie du courage devant les grands chagrins de la vie et de la patience devant les petits; et quand tu auras laborieusement accompli ta tâche quotidienne, dors en paix. Dieu veille.»
>
> Victor Hugo

Quand j'étais enfant, je me tenais de longs moments à quatre pattes, uniquement pour observer une chenille qui rampait. Elle ne semblait jamais aller très loin, cependant j'attendais toujours patiemment au cas où elle ferait quelque chose de spectaculaire. Cela n'est jamais arrivé, mais je ne m'en faisais pas, parce que le seul fait d'observer cette créature bizarre me rendait heureux.

Lorsque je me rappelle cela, je me demande combien de moments précieux passent inaperçus simplement parce que mon attention est tellement centrée sur d'autres choses. Avant Al-Anon, j'ai passé des années à ignorer les beautés de la vie parce que j'étais trop occupé à essayer de faire cesser tous les alcooliques de boire et au cours de mon rétablissement, j'ai perdu des heures incalculables à attendre de résoudre un problème ou d'être libéré d'un défaut de caractère. Aujourd'hui, j'apprends à réserver une place dans ma vie pour les merveilles que la vie a à offrir.

Pensée du jour

J'apprends à choisir où je vais centrer mon attention. Apprécier les petits cadeaux de la vie demande un peu de pratique, mais à mesure que je deviens davantage conscient de la beauté qui m'entoure, il m'est plus facile d'apprécier la beauté en moi.

> « Aujourd'hui seulement, je n'aurai pas peur. Surtout, je n'aurai pas peur d'apprécier ce qui est beau. »

Aujourd'hui seulement

J'ai souvent dit: «Comme j'aimerais avoir la foi.» Et plusieurs membres Al-Anon très sages m'ont répondu: «Remets ton manque de foi à ta Puissance Supérieure et demande-Lui la foi.»

Je disais: «Je sais que je suis impuissant, mais je me sens si démuni, si effrayé et si désespéré», et on m'a dit que j'avais le choix de laisser aller ces sentiments et de demander ce dont j'avais besoin. Être impuissant ne veut pas dire être démuni. En fait, l'impuissance peut nous mener à une source de force énorme — la force d'exécuter la volonté de Dieu.

J'ai également dit: «Je n'ai aucune idée de ce que Dieu veut que je fasse, même si j'ai prié pour qu'Il me guide.» Mon aimable parrain me dit toujours: «Dieu ne parle pas en code. Demande-Lui d'être éclairé et ensuite aie confiance que cela se fera en temps opportun.»

Quand j'ai des doutes, j'apprends que la réponse consiste à demander.

Pensée du jour

Après avoir demandé durant des années d'avoir une solution particulière à un problème comme: «De grâce, fais que l'alcoolique cesse de boire!» — je dois apprendre une meilleure façon de demander de l'aide. Aujourd'hui, je méditerai durant quelques minutes à ce dont j'ai besoin et ensuite, je demanderai à une Puissance supérieure à moi-même de m'aider.

> «Même si nous avons lutté contre l'idée d'une Puissance Supérieure, nous avons appris qu'il est bénéfique de demander de l'aide...»
>
> *...dans tous les domaines de notre vie*

Quand j'ai finalement trouvé le courage de parler lors d'une réunion Al-Anon, mon témoignage s'est limité aux problèmes que j'avais déjà résolus. J'ai caché mes véritables sentiments en racontant des anecdotes drôles sur moi-même et sur l'alcoolique parce que je ne faisais pas suffisamment confiance à qui que ce soit pour laisser voir ma lutte et ma souffrance. J'avais déjà assez de difficulté à y faire face tout seul. Mais je ne semblais pas me rétablir. Ce n'est que lorsque j'ai été capable de cesser de faire le clown et que j'ai admis mes déficiences que j'ai vraiment commencé à bénéficier de la croissance spirituelle promise dans les Douze Étapes.

Le paradoxe de l'honnêteté envers moi-même, c'est que j'ai besoin de l'aide des autres pour y parvenir. J'ai besoin de leur soutien pour explorer mes sentiments et mes motivations; j'ai besoin de voir que d'autres ont tiré profit du fait de prendre ce grand risque.

Pensée du jour

En vivant dans l'entourage d'une personne alcoolique, j'avais de bonnes raisons de cacher mes sentiments, de prendre les situations graves à la légère, d'être un bourreau de travail, d'être extrémiste, de placer mon attention sur tout sauf sur moi-même. Aujourd'hui j'ai d'autres choix. Je peux commencer à écouter ce que mon cœur essaie de me dire et je peux chercher une personne en qui j'ai confiance afin de pouvoir me confier.

> «Cela peut paraître un risque énorme, mais une honnête discussion de la situation est la clé de l'apaisement.»
>
> *...dans tous les domaines de notre vie*

Quand l'alcoolique que j'aimais est devenue sobre, j'étais certain que le cauchemar était terminé! Mais sans l'effet apaisant de l'alcool, elle est devenue violente verbalement. Elle accusait, attaquait, insultait et je passais mon temps à me défendre. Il me semblait crucial qu'elle comprenne. Mais il n'en était rien, peu importe à quel point je disputais, suppliais ou insultais à mon tour. Je me sentais piégé et désespéré.

La sobriété amène des changements, mais elle n'enlève pas tous les problèmes. Al-Anon m'aide à apprendre que je n'ai pas à accepter l'inacceptable, pas plus que je n'ai à répliquer ou à convaincre une autre personne que je suis innocent ou que j'ai raison. Je peux commencer à reconnaître les moments où je fais face à la démence de l'alcoolisme et je peux me détacher. Je n'ai certainement pas à réagir en doutant de moi-même.

Pensée du jour

Quand des paroles cruelles jaillissent de la bouche d'une autre personne, ivre ou sobre, Al-Anon m'aide à me rappeler que des choix s'offrent à moi. Je peux réciter intérieurement la Prière de Sérénité, ou refuser de discuter davantage du sujet. Je peux écouter sans croire que ces paroles me visent personnellement; je peux quitter la pièce, changer de sujet, téléphoner à un membre Al-Anon, ou explorer d'autres solutions. Mon parrain peut m'aider à découvrir les options qui semblent me convenir.

«Si nous en avions rédigé le scénario, nous n'aurions peut-être jamais fait les choix que nous avons faits, mais nous avons toujours des choix à faire.»

...dans tous les domaines de notre vie

On a comparé le processus de rétablissement dans Al-Anon à un oignon qu'on pèle. Nous enlevons une pelure à la fois, souvent en versant quelques larmes.

Mais le rétablissement me fait toujours penser à l'écorce du bouleau. L'écorce est nécessaire à la protection du bouleau, cependant à mesure que l'arbre croît, l'écorce pèle naturellement, peu à peu. Si elle est enlevée prématurément — par un chevreuil frottant ses bois ou un porc-épic cherchant de la nourriture — l'arbre est blessé et devient vulnérable à l'infection, aux champignons et aux insectes.

Comme le bouleau, je peux être blessé si on m'enlève prématurément mes défenses. La plupart d'entre nous passons beaucoup de temps à essayer de vivre avec ces blessures du passé plutôt qu'à croître et à changer. Mais dans Al-Anon, on m'encourage à progresser à mon propre rythme. Ce faisant, je trouve que mes défenses et mes idées sont trop contraignantes, trop limitatives. Et alors je m'en débarrasse, tout comme le bouleau se libère de sa vieille écorce. Elles ne sont plus nécessaires.

Pensée du jour

J'ai une capacité innée de rétablissement et de croissance. Je n'ai pas besoin de me forcer à changer. Tout ce que j'ai à faire, c'est d'aller aux réunions et d'avoir de la bonne volonté. Quand je serai prêt, les changements s'effectueront facilement.

> «...nous possédons tous nos propres réponses en nous et...nous pouvons les trouver avec l'aide du programme Al-Anon et d'une Puissance Supérieure.»
>
> *...dans tous les domaines de notre vie*

Un de mes défauts de caractère consiste à faire des choix de façon passive — à laisser les choses arriver au lieu d'agir. Par exemple, je regardais mes enfants subir de la violence, sans intervenir, parce que j'étais incapable de prendre une décision et d'y donner suite. J'avais été gravement affectée par l'alcoolisme et je n'étais pas capable d'agir autrement à l'époque. C'était ce que je pouvais faire de mieux dans les circonstances, mais mes enfants ont subi des torts et je dois faire amende honorable.

Une façon de réparer mes torts, c'est de corriger mon défaut. Dans tous les domaines de ma vie, je peux me poser les questions suivantes: Est-ce que j'endosse la responsabilité des choix que je fais aujourd'hui? Est-ce que je participe activement aux réunions, ou est-ce que je présume que quelqu'un d'autre s'occupera de tout? À la maison, au travail et dans la société, est-ce que j'exerce des choix dont je peux être fière, ou est-ce que je laisse les choix s'imposer d'eux-mêmes?

Pensée du jour

Al-Anon n'a aucune opinion sur les questions étrangères à la fraternité. Al-Anon ne définit pas mes responsabilités ni ne choisit mes valeurs — c'est à moi de le faire. Al-Anon m'encourage à déterminer mes valeurs, à assumer la responsabilité de mes choix et à faire amende honorable là où j'ai causé du tort. Je n'ai pas à me considérer comme une victime de forces invisibles qui donnent naissance à des désastres. Aujourd'hui, je peux prendre une part active dans les choix que j'ai à faire.

> «Faire amende honorable ne consiste pas uniquement à dire: "Je regrette". Cela signifie une réaction différente découlant de notre nouvelle compréhension.»

Tel que nous Le concevions...

Je me souviens très clairement des paroles peu aimables des autres. Les critiques me bouleversaient. Les moqueries me paralysaient durant des jours. Il ne m'est jamais venu à l'idée qu'on abusait de ma crédulité ou que les paroles blessantes pouvaient être fausses. Tout le monde semblait savoir à quel point je n'étais pas correct et mon identité était étroitement liée à la honte. Mon estime personnelle sombrait de plus en plus profondément.

À mon tour, je traitais les autres avec cruauté. Je m'amusais follement à attaquer les défauts de caractère de quelqu'un d'autre quand j'étais en compagnie d'amis. Je me sentais mieux durant quelques minutes — mais pas pour longtemps et seulement aux dépens des autres. Le commérage n'a jamais enrichi le caractère de qui que ce soit. Ce n'était qu'une excuse pour éviter de me concentrer sur moi.

Pensée du jour

Plusieurs parmi nous avons tendance à réagir au lieu d'agir. Quand nous souffrons, nous pouvons avoir envie de frapper et de faire souffrir quelqu'un d'autre. Dans Al-Anon, nous apprenons qu'il est possible d'interrompre ce réflexe automatique assez longtemps pour décider quel comportement nous voulons vraiment adopter.

La méchanceté d'une autre personne n'est pas une raison pour que j'abaisse le niveau de mon propre comportement. Quand j'endosse la responsabilité de mes actes, sans me soucier de ce que les autres font, je deviens quelqu'un dont je peux être fier. Quand je me sens bien face à moi-même, il m'est beaucoup plus facile de ne pas me sentir visé personnellement par les insultes.

« Si quelqu'un vous lance du sel, cela ne vous fera aucun mal à moins que vous n'ayez une blessure. »

Proverbe latin

Par une étouffante journée d'été, j'essayais de fuir la chaleur sur une plage des environs. Étendu sur le sable, limonade en main, je regardais tout le monde profiter pleinement du soleil. Peu importe le nombre de personnes qu'il y avait sur cette plage, il y aurait suffisamment de soleil pour tout le monde. J'ai constaté qu'il en était de même pour l'amour et l'aide de Dieu. Peu importe le nombre de personnes qui cherchent l'aide de Dieu, il y en a toujours suffisamment pour tous. Pour quelqu'un qui croyait qu'il n'y avait jamais assez de temps, d'argent, d'amour ou de n'importe quoi d'autre, c'était une révélation stupéfiante !

Cette prise de conscience a été mise à l'épreuve à une réunion Al-Anon lorsque quelqu'un a parlé de sa Puissance Supérieure avec un amour personnel et une intensité comparables à ce que je ressentais. J'avais l'impression que son intimité avec Dieu me laisserait moins d'amour. Mais je crois que c'est le contraire qui est vrai. Je me sens souvent plus près de Dieu quand j'entends les autres dire comment une Puissance Supérieure a pris soin d'eux. Aujourd'hui, j'essaie de me rappeler qu'il y a assez d'amour pour nous tous.

Pensée du jour

Je n'ai peut-être pas tout ce que je veux, mais aujourd'hui j'ai tout ce dont j'ai besoin. Je chercherai des preuves d'abondance et je me rappellerai que l'amour de ma Puissance Supérieure est suffisamment grand pour englober tous ceux qui ont le courage de se prévaloir de cet amour.

> « Je peux apprendre à me prévaloir de l'immense, de l'infinie puissance de Dieu, pourvu que je sois disposé à être *constamment* conscient de Sa présence. »
>
> *Al-Anon un jour à la fois*

Il est étonnant de voir à quel point mon attitude envers les autres a tendance à revenir vers moi comme une balle de basket-ball qui rebondit sur le panneau. Mon impatience envers les autres génère souvent encore plus d'impatience envers moi-même et mon petit monde. Quand je suis désagréable envers quelqu'un, je me mets sur la défensive et je m'attends à ce que les autres soient désagréables avec moi. De la même manière, quand j'accepte quelqu'un sans condition, je découvre que mon monde est plus sûr.

Donc, il est dans mon meilleur intérêt de traiter les autres comme j'aimerais être traité. J'essaie d'imaginer que mes paroles et mes actes s'adressent à moi, parce qu'à la longue je reçois généralement ce que je donne.

Si je n'aime pas ce que je reçois, je pourrais essayer de regarder en moi pour voir si j'ai ce même comportement. Il ne prend peut-être pas exactement la même forme, mais je m'aperçois que ce que je déteste chez quelqu'un d'autre est une chose que je déteste en moi. Le contraire est également vrai: Ce que j'admire chez les autres reflète probablement une qualité admirable en moi.

Pensée du jour

Dans toute interaction, j'ai quelque chose à apprendre des autres. Aujourd'hui je ferai un effort supplémentaire pour prendre note de mon attitude envers les autres et de celle des autres envers moi, parce que cela peut m'apprendre quelque chose sur moi.

«Même si nous parcourons le monde entier en quête de beauté, nous devons l'avoir en nous sans quoi nous ne la trouverons pas.»

Ralph Waldo Emerson

Récemment, je me suis disputée avec quelqu'un que j'aime. Il m'avait fait en public certaines remarques sur mon poids et j'ai trouvé cela plus que déplaisant. Plus tard, quand je lui ai dit que j'en avais été blessée, il a soutenu qu'il n'avait rien fait de mal — que ce qu'il avait dit était vrai et que je ne devrais pas me sentir offensée.

Combien de fois ai-je justifié mon propre manque de gentillesse, ou mon intervention dans des choses qui ne me regardaient pas, en apportant ce même argument? Cela m'est arrivé trop souvent, surtout durant la période où l'alcoolique que j'aimais a bu. Je prétendais qu'après tout, j'avais raison: L'alcool détruisait notre vie et il était de mon devoir de le dire — encore et encore.

J'apprends à renoncer à la certitude que je sais ce que les autres devraient faire. Dans Al-Anon, j'ai entendu un membre résumer cela en ces termes: «Je peux avoir raison, ou je peux être heureux.» Je n'ai pas à façonner qui que ce soit à mon image. Avec de l'aide, je peux «vivre et laisser vivre».

Pensée du jour

Je ne suis pas une personne insensible, mais il m'arrive parfois de justifier un comportement dénué de sensibilité en prétendant que j'ai raison. Je peux respecter le droit des autres de faire leurs propres choix, même si je suis fortement en désaccord. Mes relations s'amélioreront si je peux m'aimer suffisamment pour laisser les autres être eux-mêmes.

> «Seigneur, quand nous avons tort, rends-nous consentants à changer. Et quand nous avons raison, rends-nous d'agréable compagnie.»
>
> Peter Marshall

Lorsque j'étais un nouveau venu dans Al-Anon, je me souviens avoir entendu des membres dire qu'ils éprouvaient de la gratitude d'avoir un alcoolique dans leur vie. Nul besoin de dire que je les pensais fous ! La personne alcoolique n'était-elle pas la cause de tous leurs ennuis? Je ne pouvais pas croire que ces gens avaient *quoi que ce soit* leur inspirant de la gratitude. Ils semblaient pourtant heureux malgré leurs problèmes (lesquels semblaient exactement comme les miens).

Aujourd'hui je découvre que je suis reconnaissant d'avoir trouvé Al-Anon. J'avais besoin moi aussi d'atteindre en quelque sorte le fond de l'abîme, de ressentir de la souffrance et de tendre la main pour avoir de l'aide avant de pouvoir trouver quelque bonheur durable. Grâce à Al-Anon, je suis en relation avec une Puissance Supérieure dont j'ignorais jusqu'à l'existence et j'ai des amis qui m'apportent un réel soutien. J'ai appris que la gratitude et le pardon sont nécessaires à ma tranquillité d'esprit. Maintenant je peux vraiment dire que je suis un membre Al-Anon reconnaissant.

Pensée du jour

Aujourd'hui je ferai preuve de gratitude. Je réfléchirai à quelques-unes des choses, grandes ou petites, pour lesquelles j'éprouve de la gratitude. Peut-être même que j'écrirai cette liste ou que j'en ferai part à un ami Al-Anon. Il arrive parfois qu'une toute petite action puisse se révéler un grand pas me permettant de voir ma vie avec une joie accrue.

> «Lorsque tout semble noir, il m'est possible de faire paraître la situation sous un meilleur jour par la compréhension et la reconnaissance.»
>
> *Al-Anon un jour à la fois*

Beaucoup des choix que j'ai faits dans ma vie ont été des réactions à la peur. Des changements s'effectuent dans mon monde: un être aimé cherche la sobriété, une amie est déçue de quelque chose que j'ai dit, on me donne une nouvelle tâche au travail, il n'y a plus de poulet à l'épicerie — et la panique s'empare de moi. Je suis assaillie par des pensées de désastre. J'imagine l'échec, les tourments, l'agonie. Et alors je passe à l'action. Je fais quelque chose d'irréfléchi ou d'inutile pour mettre du baume sur la situation, parce que la chose dont j'ai le plus peur, c'est d'avoir peur.

La peur peut devenir une puissance supérieure à moi-même. Je ne suis peut-être pas capable de la surmonter ou de la faire disparaître. Mais aujourd'hui, avec une Puissance Supérieure Qui est supérieure à mes peurs, je n'ai plus à laisser ces peurs diriger ma vie ni faire des choix à ma place. Je peux saisir la main de ma Puissance Supérieure, faire face à mes peurs et les surmonter.

Pensée du jour

Al-Anon est un programme dans lequel nous trouvons des solutions spirituelles à des choses que nous sommes impuissants à changer. Aujourd'hui, au lieu de chercher un soulagement à ma peur en essayant de la combattre, je me tournerai vers ma Puissance Supérieure.

«Que les oiseaux de l'inquiétude et du tourment survolent votre tête, vous n'y pouvez rien changer. Mais vous pouvez les empêcher de faire leur nid dans vos cheveux.»

Proverbe chinois

Il arrive parfois qu'un cheval refuse d'obéir aux commandements de son cavalier et s'emballe. Cela arrive également à mes pensées quand je tente avec frénésie, à maintes reprises, de résoudre un problème difficile. Mes leçons d'équitation m'ont appris à ne pas toujours répéter le même commandement de plus en plus fort, mais à arrêter le cheval, à capter son attention et à recommencer.

De la même façon, quand mes pensées deviennent hors de contrôle, je dois m'arrêter. Je peux y arriver en respirant profondément et en regardant autour de moi. Cela peut m'aider à remplacer mes pensées obsessives par quelque chose de positif, comme un slogan Al-Anon, la Prière de Sérénité, ou un autre sujet apaisant qui n'a rien à voir avec le problème.

Plus tard, je voudrai peut-être réfléchir de nouveau au problème d'une façon plus sereine avec l'aide d'un ami Al-Anon ou de mon parrain. Quand je considère mon obsession avec du recul, je peux mieux voir ma situation sans perdre tout contrôle.

Pensée du jour

Parfois je dois lâcher prise devant un problème avant de pouvoir trouver une solution. Mes folles pensées peuvent faire tellement de vacarme qu'elles m'empêchent d'entendre ma voix intérieure qui tente de me guider. Calmer le vacarme est une habitude que je peux acquérir par la pratique. Au début, je devrai peut-être calmer mes pensées très souvent, mais dans Al-Anon, j'apprends que le progrès découle de la pratique, une minute, une pensée à la fois.

«Toute la misère de l'être humain provient du fait qu'il est incapable de se retirer seul dans le silence.»

Blaise Pascal

La Deuxième Étape dit: «Nous en sommes venus à croire qu'une Puissance supérieure à nous-mêmes pouvait nous rendre la raison.» Récemment, lors d'une réunion, j'ai entendu un membre commenter cette Étape d'une manière qui décrivait parfaitement mon expérience personnelle: «D'abord j'en suis venu, ensuite j'en suis venu à, puis j'en suis venu à croire.»

Mon cheminement vers une Puissance Supérieure s'est fait si graduellement que je n'en ai pas eu pleinement conscience. Il n'y a pas eu d'explosion de lumière ni de buisson ardent — simplement un dégagement graduel du brouillard dans lequel je vivais avant de commencer à me rétablir dans Al-Anon. Comme les autres membres, j'ai d'abord assisté de corps aux réunions Al-Anon, sans vraiment y croire. Puis une fois sur les lieux, lentement «j'en suis venu», et à la longue j'en suis venu à croire que je n'étais pas seul dans l'univers. Il y avait et il y a une force, un courant, une énergie qui peut me donner les moyens de rendre ma vie joyeuse et productive. Je n'ai qu'à demander de l'aide et à garder l'esprit ouvert.

Pensée du jour

La venue de la foi dans ma vie a été un processus graduel. Ce processus se poursuit et s'accentue à chaque jour où je garde mon esprit ouvert. Peut-être que le fait de reconnaître ce processus m'aidera quand je serai impatient devant les hauts et les bas de la vie.

«Je crois que l'important dans ce monde, ce n'est pas tellement l'endroit où nous sommes, mais dans quelle direction nous allons.»

Oliver Wendell Holmes

Lors de notre arrivée à Al-Anon, plusieurs d'entre nous avons un impérieux besoin d'être entendus. Nous nous réjouissons de découvrir que les salles de réunions Al-Anon sont des endroits sûrs où nous pouvons parler de choses que nous avons refoulées en nous. Nous partageons notre vécu et nous nous sentons compris par les membres qui nous entourent. Ils causent avec nous après les réunions et nous disent à quel point ils s'identifient à nous, ou ils nous remercient d'avoir exprimé nos sentiments. Enfin quelqu'un nous écoute et nous sommes appréciés par des gens qui ont vécu la même chose que nous.

Cette attention est tellement réconfortante que nous pouvons être tentés d'en abuser. Plusieurs d'entre nous craignons de laisser passer cette chance de parler ouvertement, comme si c'était notre dernière occasion de le faire. Mais lorsqu'un membre, quel qu'il soit, accapare régulièrement les discussions aux réunions, le groupe en souffre.

Conformément à nos Traditions, le bien du groupe doit venir en premier lieu. C'est une des raisons pour laquelle le parrainage est un outil aussi précieux. Notre besoin de nous exprimer est réel et devrait être pris en considération. Une marraine ou un parrain peut nous accorder le temps et l'attention dont nous avons besoin pour parler de nous-mêmes et de notre vie.

Pensée du jour

Mes besoins sont importants. Al-Anon m'aide à trouver des moyens appropriés pour les combler. Je prendrai bien soin de moi aujourd'hui.

> «Il n'est pas nécessaire que le groupe tout entier connaisse les détails très personnels... Il est préférable de se confier à un parrain qui peut écouter d'une façon soutenue et garder une confidence — quelqu'un qui nous connaît à fond et qui nous accepte tels que nous sommes.»
>
> *Le parrainage — et tout ce qu'il comporte*

Je dois parfois accepter des réalités désagréables. Je peux désirer éviter des déceptions, mais je trouve que le seul moyen d'acquérir de la sérénité, c'est d'être disposée à accepter les choses que je ne peux changer. L'acceptation me donne des choix.

Par exemple, un jour j'ai téléphoné à ma marraine parce que l'alcoolique et moi avions des billets pour un concert ce soir-là et je craignais qu'il ne commence à boire et ne s'enivre avant notre départ de la maison. Cela s'était produit à plusieurs reprises auparavant: Nous perdions nos billets et je passais une soirée dans le désespoir.

Ma marraine m'a suggéré de prévoir d'autres activités chaque fois que mes projets impliquaient une personne à qui je ne pouvais me fier. Le plan A était celui de la sortie originale. Le plan B pouvait consister à téléphoner d'avance à un membre Al-Anon, à lui expliquer la situation et à voir si cette personne serait intéressée à accepter une invitation de dernière minute en cas d'échec du plan A. Le plan C pouvait consister à sortir seule et avoir du plaisir. Cette nouvelle approche a fonctionné comme un charme. Ce fut une merveilleuse façon de mettre l'acceptation en pratique dans ma vie.

Pensée du jour

Je ne suis plus obligé de dépendre de qui que ce soit ni d'aucune situation pour vivre ma journée. Aujourd'hui, j'ai le choix.

> «Voyez la petite souris — quel animal plein de sagesse qui ne compte jamais sur un seul trou pour assurer sa vie.»
>
> Plaute

Il arrive parfois que ce que je fais soit moins important que mes raisons de le faire. Par exemple, si je choisis de donner mon opinion quand quelque chose me dérange, ma motivation influencera ce que je dirai et comment je le dirai. Si je donne mon opinion parce que j'ai l'impression que c'est pour moi le bon geste à poser et parce que j'ai besoin de m'exprimer, alors c'est que je me concentre sur moi. Les réactions de mon interlocuteur deviennent beaucoup moins importantes.

Mais si je donne mon opinion dans le but de manipuler ou de changer une autre personne, alors je me concentre sur sa réaction et elle devient ma jauge pour évaluer les résultats.

Je peux utiliser exactement les mêmes paroles dans les deux situations, mais j'ai de fortes chances de me sentir beaucoup mieux après cette expérience si je me concentre sur moi. Ironiquement, d'habitude les résultats semblent également plus favorables de cette façon.

Pensée du jour

Aujourd'hui, au lieu de viser uniquement les résultats, je songerai à passer à l'action parce que cela semble ce qu'il y a de mieux à faire pour moi.

«Même si je savais que la fin du monde arrivera demain, je planterais néanmoins mon pommier.»

Martin Luther

La Cinquième Étape dit: «Nous avons avoué à Dieu, à nous-mêmes et à un autre être humain la nature exacte de nos torts.» Mais quelle est la nature exacte de mes torts? S'agit-il de moments embarrassants, de paroles dites sous l'effet de la colère, de malhonnêteté?

En ce qui me concerne, la nature exacte de mes torts consiste en des présomptions non exprimées, défaitistes à mon égard, et qui engendrent mes pensées et mes actes. Cela inclut la notion que faire de mon mieux n'est pas suffisant, que je ne suis pas digne d'amour, et que j'ai été trop profondément blessé pour vraiment me rétablir. Si je creuse assez profondément, je découvre habituellement des pensées comme celles-là sous les choses qui m'inspirent les sentiments les plus pénibles. J'apprends à examiner si oui ou non il y a une certaine vérité dans ces présomptions. Alors je peux commencer à édifier ma vie sur une façon plus réaliste, plus aimante de me voir.

Pensée du jour

La vie dans le contexte de l'alcoolisme a profondément sapé mon estime personnelle. Comme résultat, il se peut que je ne reconnaisse pas que nombre de mes torts ont découlé d'une fausse vision de moi-même. C'est pourquoi la Cinquième Étape nous éclaire tellement et nous permet de faire le ménage en nous. Avec ma Puissance Supérieure et une autre personne, je peux même changer des habitudes de toute une vie.

> «...si personne ne nous connaît tels que nous sommes vraiment, nous courons le risque de devenir victimes de notre propre haine. Si nous pouvons être aimés par quelqu'un qui nous voit tels que nous sommes, nous serons alors capables de nous accepter nous-mêmes. Les autres pensent rarement que nous sommes aussi mauvais que nous pensons l'être.»
>
> *Alateen — un espoir pour les enfants des alcooliques*

L'alcoolisme est un mal familial. Il affecte non seulement la personne qui boit, mais aussi ceux qui l'aiment. Pour certains d'entre nous, bien des façons de penser qui ont été transmises de génération en génération étaient déformées.

Par mon adhésion à Al-Anon, je m'engage à rompre ces façons de penser malsaines. À mesure que j'assiste aux réunions, *je* commence à me rétablir, à recouvrer la raison et la paix et à me sentir beaucoup mieux avec moi-même. Je ne joue plus mon ancien rôle dans le contexte de l'alcoolisme et par conséquent, toute la situation familiale commence à changer. Ironiquement, quand je cesse de m'inquiéter de tout le monde et que je me concentre sur ma propre santé, j'accorde aux autres la liberté de s'occuper de leur propre rétablissement.

Pensée du jour

Le rétablissement d'une seule personne peut avoir un puissant impact sur toute la famille. Quand je prends soin de moi, je fais peut-être davantage que je ne pense pour aider les êtres qui me sont chers et qui souffrent de ce mal familial.

«Si un membre de la famille se rétablit, toute la situation familiale s'améliore...»

La sobriété: un nouveau départ

«Aujourd'hui seulement... Je rendrai service sans qu'on le sache; si quelqu'un l'apprend, je recommencerai.» Quel exercice fantastique! Il m'aide à rompre l'habitude d'être bon ou généreux afin d'obtenir quelque chose en retour. C'est seulement lorsque je poserai un geste d'amour sans attente que je récolterai la vraie récompense inhérente au fait de donner.

J'apprends que donner n'enlève pas nécessairement quelque chose — ni à moi ni à quelqu'un d'autre — si ce geste est posé sans condition, tout le monde en bénéficie. Chaque geste de bonté et d'amour apaise mon âme et contribue à un monde meilleur. Ces gestes anonymes et positifs sont les assises d'un bien-être spirituel florissant. Mon estime personnelle grandit parce que je me sens bien dans ce que je fais. Je poursuis des buts valables.

Pensée du jour

Aujourd'hui, je mettrai à l'œuvre l'amour inconditionnel. Quand je donne librement, sans rien attendre en retour, je reçois toujours davantage que je ne donne.

«J'ai été créée dans l'amour. C'est pourquoi rien ne peut exprimer ma beauté ni me libérer, sauf l'amour.»

Mechtilde von Magdebourg

En tant qu'êtres humains, nous nous adaptons magnifiquement bien. Nous trouvons des solutions novatrices à des situations impossibles. Une façon de nous en sortir que certains parmi nous développons, c'est la manipulation des autres afin d'obtenir ce que nous voulons. L'alcoolisme peut créer un environnement si menaçant que la manipulation semble nécessaire. Aujourd'hui, avec l'aide d'Al-Anon, nous apprenons à ne pas nous contenter de survivre, et ce genre de manipulation devient inutile et inacceptable. Dans Al-Anon, nous apprenons des façons plus saines de combler nos besoins et de nous comporter envers les autres.

La manipulation avait été une façon normale de me comporter durant si longtemps dans ma vie que j'avais oublié comment discuter ou formuler une demande directe. Si je voulais que quelqu'un lave la vaisselle, j'essayais de lui inspirer de la culpabilité en lui disant tout ce que j'avais fait pour lui, ou je me plaignais qu'il ne faisait jamais sa part. Il ne m'était jamais venu à l'esprit que je pouvais simplement et poliment demander ce que je voulais, ou que je pouvais accepter que ma demande soit refusée ! Mais j'apprends. Un jour à la fois, j'apprends.

Pensée du jour

Aujourd'hui, je me crée une meilleure façon de vivre, libre de culpabilité et de déception.

«Nous pouvons choisir de nous comporter avec intégrité, non parce que cela aidera quelqu'un d'autre à se sentir mieux, mais parce que cela reflète un mode de vie qui nous enrichit et nous apporte l'apaisement.»

...dans tous les domaines de notre vie

Al-Anon me rappelle que je ne peux faire face qu'à «un jour à la fois». Cela me permet d'être plus réaliste quant à la manière d'améliorer ma situation. Ce slogan me débarrasse d'un continuel sentiment d'urgence.

Aujourd'hui je me rends compte qu'aucun problème n'est éternel. Autrefois j'avais l'impression que si je ne solutionnais pas un problème immédiatement, il persisterait à jamais. Maintenant je sais que tout passe à la longue, les moments heureux comme les moments tristes.

Aujourd'hui je peux me demander: «Que puis-je faire à l'instant même?» Cette question m'aide à identifier ma responsabilité avec plus de réalisme et me montre quelle partie de la situation échappe à mon contrôle. En discuter avec un ami Al-Anon ou assister à une réunion m'aide souvent à séparer les problèmes d'aujourd'hui de ceux du passé ou de l'avenir. Ensuite je fais ce que je peux et je lâche prise.

Pensée du jour

Je suis plus en mesure d'aborder efficacement des situations difficiles quand je vois mes responsabilités avec réalisme. J'ai les outils dont j'ai besoin pour faire face aux défis d'aujourd'hui. Je ferai confiance à ma Puissance Supérieure pour ce qui est de demain.

> «Aujourd'hui n'est qu'une parcelle du temps que nous pouvons contrôler et durant lequel il n'est pas nécessaire de nous laisser submerger par nos difficultés. Cette pensée libère notre cœur et notre esprit du poids du passé et de l'avenir.»
>
> *Al-Anon un jour à la fois*

On a défini que la déraison consiste à faire constamment une certaine chose de la même façon et s'attendre à des résultats différents. Dans le passé, j'essayais de contrôler les gens, les lieux et les choses, croyant que mon comportement était correct. Je savais que ma façon d'agir habituelle, qui consistait fondamentalement à imposer ma volonté, ne fonctionnait pas. Cependant je continuais d'essayer. C'était un mode de vie insensé.

La Troisième Étape: «Nous avons décidé de confier notre volonté et notre vie aux soins de Dieu *tel que nous Le concevions*», a été un point tournant pour moi dans l'abandon du contrôle. Cela signifiait de choisir entre une vie insensée et une vie sensée — ma volonté ou la volonté de Dieu. Étant donné que ma volonté m'avait déçu à maintes reprises, la vraie question était de savoir combien de temps je continuerais à tourner en rond avant d'être disposé à admettre ma défaite et à me tourner vers une véritable source d'aide?

Pensée du jour

Je trouve peut-être facile de souligner les choix déraisonnables ou destructeurs de l'alcoolique. Il m'est plus difficile d'admettre que mon propre comportement n'a pas toujours été raisonnable. Aujourd'hui je suis capable de cesser d'imposer ma volonté. Par cette simple décision, je m'engage sur la voie de la raison.

> «Même si personne ne peut revenir en arrière et recommencer à neuf, tout le monde peut partir de maintenant et avoir un tout nouveau but.»
>
> *Tel que nous Le concevions...*

Je ne suis pas particulièrement habile avec des outils. Récemment, un ami m'a démontré qu'un peu d'huile sur les dents d'une scie, avant de s'en servir, facilite la coupe, qu'il s'agisse de métal ou de bois.

Plus tard, il m'est venu à l'idée qu'apprendre à huiler une scie ressemble un peu à apprendre à mettre en pratique le programme Al-Anon. Bien que sceptique, j'ai décidé d'apprendre une nouvelle façon de faire parce que j'en ai vu la démonstration. J'ai su que le programme était efficace quand j'ai vu avec quelle sérénité des membres Al-Anon faisaient face à des situations difficiles, semblables à celles que je vivais. Alors j'ai essayé leur approche — j'ai appris à me servir des Étapes, de la documentation Al-Anon, des slogans, des réunions et du parrainage.

L'utilisation de cette huile ne change pas l'essence même de ma vie, pas plus qu'elle ne me donne de nouveaux outils. Elle rend plus utile ce que j'ai déjà et cela supprime plusieurs de mes frustrations, m'apportant une grande satisfaction.

Pensée du jour

L'édification d'une vie utile et profondément satisfaisante n'est pas une tâche facile. Al-Anon m'aide à apprendre des façons de vivre plus efficaces afin que je puisse éviter des difficultés inutiles. Avec les bons outils, le progrès n'est qu'une question de pratique.

> «On apprend à parler en parlant, à étudier en étudiant, à courir en courant, à travailler en travaillant; et de la même façon, on apprend à aimer Dieu et l'homme en aimant. Commencez comme un simple apprenti et le véritable pouvoir de l'amour vous amènera à devenir un maître dans cet art.»
>
> François de Sales

J'ai lu quelque part que les choses urgentes sont rarement importantes et que les choses importantes sont rarement urgentes. Je peux être tellement accaparé par les petites choses exaspérantes de la vie quotidienne que j'en oublie de consacrer du temps à des activités plus importantes. Le slogan Al-Anon que je trouve le plus utile pour mettre de l'ordre dans mes priorités, c'est «l'essentiel d'abord».

Aujourd'hui, garder ma sérénité est une priorité absolue pour moi. Mon contact avec ma Puissance Supérieure est ma source de sérénité et par conséquent, maintenir ce contact est pour moi «l'essentiel».

Si j'imagine que je suis dans une pièce sombre et que ma Puissance Supérieure est mon unique source de lumière, alors j'ai plus d'espoir de me déplacer autour du mobilier en toute sécurité en apportant cette source de lumière avec moi partout dans la pièce. Autrement, je traverserai peut-être la pièce, mais ma démarche sera certainement lente, incertaine et probablement pénible.

Pensée du jour

Quand je penserai à ce que je ferai de ma journée, je me réserverai du temps pour ce qui est vraiment important. Aujourd'hui, je ferai «l'essentiel d'abord».

«Puissions-nous passer une journée aussi posément que Dame Nature et ne pas être désorientés par tous les petits pépins qui surviennent en cours de route.»

Henry David Thoreau

La Sixième Étape me demande de consentir pleinement à ce que Dieu élimine tous mes défauts de caractère. Ce consentement m'arrive rarement comme une illumination soudaine, aveuglante. Il s'agit plutôt d'un effort positif vers le progrès, où j'en arrive petit à petit à consentir.

Une partie importante de mon travail dans la Sixième Étape consiste à pratiquer la gratitude. Plus je suis reconnaissant pour ma vie telle qu'elle est, plus je peux accepter le rétablissement qui me permet de changer et de croître. En reconnaissant et en développant mes aptitudes, je suis de plus en plus disposé à renoncer à mes défauts.

Cette Étape est une leçon de patience, mais à mesure que je vois ma vie s'ouvrir devant moi dans de nouvelles directions, je finis par consentir à ce que Dieu élimine tous mes défauts de caractère.

Pensée du jour

«Le progrès, non la perfection» s'applique à mon consentement à lâcher prise face à mes défauts, aussi bien qu'à d'autres parties de mon programme Al-Anon. Un jour à la fois, je progresse dans le consentement.

> «La Sixième Étape me donne la chance de coopérer avec Dieu. Mon but est de consentir à lâcher prise face à mes défauts et à laisser Dieu S'occuper du reste.»
>
> *Alateen — un jour à la fois*

Autrefois, je me sentais très blessé si quelqu'un me regardait de travers, me parlait brusquement, ou ne me parlait pas du tout. J'ai progressé suffisamment dans Al-Anon pour me rendre compte que souvent, le regard, le ton ou l'humeur d'une autre personne à mon égard n'a rien à voir avec moi. Cela a généralement plus de rapport avec ce que cette personne vit intérieurement.

Alors, pourquoi suis-je encore blessé dans mes sentiments? Il me vient à l'esprit que mon extrême sensibilité est une forme de suffisance — je me crois le centre du monde. Suis-je à ce point important que tout ce qui se passe autour de moi doive me concerner? Je pense que cette attitude reflète ma vanité plutôt que la réalité. Et la vanité est simplement un défaut de caractère dont j'essaie de me défaire.

Avec l'aide d'Al-Anon, ma sensibilité à tout ce qui arrive autour de moi a grandement diminué. J'essaie de me poser cette question: «Est-ce si important?» Quand je me sens blessé, ma sensibilité ne fait que m'apporter de la souffrance et me contrôler.

Pensée du jour

Les autres ont de l'importance pour moi et parfois leur opinion en a aussi, mais je peux me sentir personnellement visé par quelque chose qui n'a rien à voir avec moi. L'opinion que j'ai de moi-même me permet d'accepter les idées des autres sans qu'elles me contrôlent.

> «C'est grâce aux réunions et à la lecture quotidienne de la documentation Al-Anon que j'ai été éveillé au fait que les actes et les paroles des autres rejaillissent sur *eux* et que mes actes et mes paroles rejaillissent sur *moi*.»

La sobriété: un nouveau départ

J'ai essayé durant longtemps de « lâcher prise et de m'en remettre à Dieu », mais je semblais ne pas en être capable. J'avais besoin de trouver une façon concrète de lâcher prise. Lors d'une réunion, j'ai entendu une personne dire qu'elle s'imaginait les êtres qui lui sont chers sur une magnifique plage au bord de l'océan, une Puissance Supérieure les enveloppant de lumière.

Al-Anon m'a appris à prendre ce qui me plaît et à laisser le reste. La scène de l'océan n'éveillait rien en moi, mais l'idée générale m'a réconfortée. Encore une fois, l'expérience, la force et l'espoir d'un autre membre Al-Anon m'ont amenée à trouver ma propre réponse, une réponse personnalisée. Maintenant, je me vois envelopper les êtres qui me sont chers dans le genre de couverture que je pense qu'ils aimeraient — un édredon, une couverture de l'armée, une courtepointe — et les remettre doucement à ma Puissance Supérieure. Je trouve important d'être très spécifique. Après tout, mes peurs et mes inquiétudes sont spécifiques.

En voyant clairement les êtres qui me sont chers entre les mains de ma Puissance Supérieure, je suis vraiment beaucoup plus en mesure de « lâcher prise et de m'en remettre à Dieu ».

Pensée du jour

Quand j'éprouve de l'anxiété au sujet d'autres personnes, j'ai besoin de l'aide de ma Puissance Supérieure. Combattre la peur renforce souvent son emprise sur moi, mais remettre à Dieu les êtres qui me sont chers nous libère tous.

« "Lâcher prise et s'en remettre à Dieu"... nous apprend à nous libérer des problèmes qui nous tourmentent et nous bouleversent parce que nous sommes incapables de les résoudre nous-mêmes. »

Voici Al-Anon

«Reviens» est un mot qu'on entend souvent aux réunions Al-Anon. Pourquoi est-ce si important de revenir aux réunions? Parce que plusieurs d'entre nous étions tellement habitués à nous disputer avec la personne alcoolique ou à la fuir que nous avons trouvé réellement difficile de ne rien faire pour accélérer le processus de notre rétablissement. Nous voulions avoir des réponses ou passer à l'action tout de suite. Cependant, nous avons ressenti juste assez d'apaisement lors de notre première réunion pour revenir une autre fois. Et encore et encore. Nous avons lentement appris à nous calmer, à écouter et à nous rétablir.

Peu importe depuis combien d'années nous mettons le programme Al-Anon en pratique, nous devons toujours nous rappeler de persévérer. Les périodes difficiles vont et viennent, même après nombre d'années de rétablissement dans Al-Anon. Avec chaque nouveau défi, plusieurs d'entre nous avons encore besoin de nous rappeler qu'«il n'y a pas de situation trop difficile pour être améliorée ni de malheur trop grand pour être soulagé».

Pensée du jour

Si aujourd'hui je me sens découragé, je me tournerai vers les bases du programme Al-Anon. J'assisterai à une réunion, je téléphonerai à ma marraine ou à mon parrain, je retournerai à la Première Étape. Si je persévère dans Al-Anon, je sais que ma situation s'améliorera, un jour à la fois.

> «Si je veux vraiment apprendre à être heureux et à vivre en harmonie avec ma famille et avec mon entourage, Al-Anon peut m'apporter quelque chose.»
>
> *Al-Anon un jour à la fois*

Selon moi, quand la Deuxième Étape parle de «nous rendre la raison», cela implique davantage que la capacité de fonctionner de façon responsable et réaliste. Un mode de vie sain englobe aussi le désir de se divertir, de s'accorder un répit, d'avoir un hobby. Je crois que je considère l'humour comme un hobby particulièrement intéressant. Il ne requiert aucun équipement spécial, ne nécessite pas de déplacements et n'est jamais démodé. Quand je ris de bon cœur, je sais que ma Puissance Supérieure est en train de me rendre quelque peu la raison.

Si je ne vois rien d'autre que mes problèmes, ma vision est limitée. Revenir sans cesse sur ces problèmes leur permet de me contrôler. Bien sûr, je dois faire tout ce qui est nécessaire pour les régler, mais je dois aussi apprendre quand lâcher prise. Lorsque je prends le temps de me divertir, de rire et de profiter de la vie, je prends soin de moi et je laisse de la latitude à ma Puissance Supérieure pour qu'Elle S'occupe du reste.

Pensée du jour

Un bon rire ou une activité captivante peut me remonter le moral et me libérer l'esprit. Je me détendrai en ajoutant un peu de gaieté à cette journée.

> «Maintenant, je cherche le côté humoristique de toute situation et ma Puissance Supérieure est un Dieu rieur Qui me rappelle de ne pas trop me prendre au sérieux.»
>
> *Tel que nous Le concevions...*

Durant des années, j'ai déploré l'absence d'un mot qui identifierait la maladie de l'âme qui m'a amené à la fraternité. Je voulais dire: «Je suis une personne en voie de rétablissement qui, autrefois, contrôlait, volait au secours des gens, prenait soin d'eux, réglait leurs problèmes.» Même si cela décrit certains de mes défauts de caractère, ces étiquettes ne disent pas tout. Je ne cherche pas simplement à me débarrasser d'une limite ou d'un problème. Le but que je vise dans Al-Anon est un sentiment de bien-être global.

Ma poursuite de ce but a commencé quand j'ai cherché à me rétablir des conséquences dans ma vie de l'alcoolisme d'un être cher. Mais aujourd'hui, Al-Anon m'offre encore davantage. À mesure que mon rétablissement et ma croissance se poursuivent, je trouve que ce n'est plus suffisant de simplement survivre. Les principes et les outils du programme qui m'ont amené jusqu'ici peuvent m'aider à me créer une vie de plus en plus riche et satisfaisante.

Aujourd'hui, quand je dis que je suis un membre Al-Anon reconnaissant, je ne me réfère pas à un problème en particulier, mais à ma participation à tout un ensemble de solutions qui peuvent mener à la santé émotionnelle, physique et spirituelle.

Pensée du jour

À mesure que j'avancerai sur le sentier infini du progrès spirituel, j'élargirai ma perception du rétablissement.

«Dans Al-Anon, nous croyons que la vie est une croissance spirituelle et mentale.»

Les Douze Étapes et les Douze Traditions

Même s'il y a plusieurs façons de dompter un cheval, on s'entend généralement sur le même point : L'important, c'est de ne pas briser l'individualité même du cheval. Les poulains, les chiots et les petits enfants sont débordants d'une joie de vivre infinie. Qu'était-il arrivé à ma joie ? L'alcoolisme, qui a affecté toutes les générations de ma famille, avait brisé mon individualité.

Al-Anon me donne une fraternité, un parrain, ainsi que Douze Étapes et Douze Traditions qui me permettent de restaurer mon individualité brisée. Mon rétablissement a débuté quand j'ai cessé de combattre Dieu tel que les autres Le concevaient et que j'ai trouvé un Dieu Qui reconnaissait mon individualité oubliée depuis longtemps. Voilà le Dieu Qui peut me rendre ma véritable personnalité.

Aujourd'hui, je fais un effort sincère pour retrouver ma joie de vivre, danser de bonheur et célébrer la vie. C'est pour moi une façon de rester en contact avec mon Dieu.

Pensée du jour

Que je fasse de ce jour une célébration de l'esprit. Il y a une partie de moi qui conserve de la curiosité enfantine, de l'émerveillement, de l'enthousiasme et du ravissement. Il se peut que j'aie perdu contact avec cette partie de moi, mais je sais qu'elle existe encore. Je mettrai mes problèmes de côté durant quelque temps et j'apprécierai ce que signifie vivre avec intensité.

> « La vie n'est pas pour moi une chandelle de courte durée. C'est un magnifique flambeau que j'ai actuellement entre les mains et je veux qu'il brille de tous ses feux avant de le transmettre aux générations futures. »
>
> George Bernard Shaw

Il m'arrive parfois de penser qu'étant donné que je fais partie d'Al-Anon depuis longtemps, je ne devrais plus avoir d'autres problèmes. Quand surviennent les difficultés, j'ai l'impression qu'il y a quelque chose qui cloche en moi ou dans le programme.

En fait, dans un certain sens, j'ai plus de problèmes que jamais. À mon arrivée à Al-Anon, je n'avais qu'un seul problème: je ne savais pas comment régler le problème de l'alcoolique. (Ma vie était un gâchis complet, mais je jurais que j'allais bien.) Aujourd'hui, je sais que je ne peux régler que mes problèmes et chaque jour, je relève le défi de rechercher une vie plus riche, plus significative. Je prends des risques, je fais face à mes peurs, j'effectue des changements, je donne mon opinion, je m'ouvre à la vie.

C'est évident que je rencontrerai des difficultés ici et là. Il arrive parfois que la vie ne suive pas mon plan. Je suis dépassé et je voudrais ramper sous les couvertures et m'y cacher. En de telles périodes, il est bon de me rappeler qu'Al-Anon n'élimine pas les problèmes, mais qu'il me donne le courage et le discernement nécessaires pour transformer les pierres d'achoppement en pierres de gué.

Pensée du jour

Quand j'affronte mes difficultés, ce qui est important, ce n'est pas depuis combien de temps je suis membre Al-Anon, mais à quel point je suis disposé à me servir des outils du rétablissement. Bien qu'Al-Anon ne nous immunise pas contre les problèmes, il nous offre une façon saine de les affronter.

«Les difficultés sont souvent les outils avec lesquels Dieu nous façonne pour des choses meilleures.»

H.W. Beecher

Al-Anon est un programme de rétablissement spirituel. Le mot «rétablissement» implique que nous recouvrons quelque chose que nous avons déjà possédé, mais que nous avons perdu ou mis de côté.

Dans la confusion de la vie auprès d'alcooliques en phase active, j'ai perdu contact avec ma nature spirituelle. La vie était une question de survie, une lutte quotidienne remplie de peurs et de dur labeur. Peu importe ce que j'essayais, rien ne semblait m'aider. Peut-être était-ce parce que j'essayais de tout faire seul.

Dans Al-Anon, j'en suis venu à savoir que j'ai, à l'intérieur et autour de moi, une ressource qui peut me guider dans mes peurs les plus accablantes et dans mes décisions les plus difficiles à prendre — une Puissance Supérieure. Peu importe comment je définis cette Puissance Supérieure, Elle est réelle pour moi et a toujours été à ma disposition. Je suis tellement reconnaissant d'avoir recouvré ce lien avec ma spiritualité, parce qu'en ce faisant, j'ai reconquis une partie essentielle de moi-même. Comme résultat, aujourd'hui ma vie a un but qui fait de chaque moment un cadeau précieux.

Pensée du jour

Je suis un être spirituel, capable de foi, d'espoir, et capable d'apprécier la beauté. J'ai à ma disposition une source illimitée de force et de réconfort. Aujourd'hui, je prendrai le temps de développer ce lien spirituel.

«Une demi-heure de méditation est essentielle, sauf quand vous êtes très occupé. Alors, une heure complète est nécessaire.»

François de Sales

Combien de fois ai-je rêvé d'un projet que j'aurais aimé réaliser, mais que j'ai abandonné avant même de commencer parce que cela me semblait une tâche trop énorme? Retourner aux études, déménager, voyager, changer d'emploi, tout cela et bien d'autres buts peuvent sembler impossibles à atteindre de prime abord.

Al-Anon me rappelle de «ne pas compliquer les choses». Au lieu d'envisager l'ensemble du travail, je peux le simplifier en le faisant une étape à la fois. Je peux rassembler de l'information — et ne rien faire de plus. Puis, quand je suis prêt, je peux poursuivre le projet. Cela enlève quelque peu la pression de vouloir connaître toutes les réponses et résoudre tous les problèmes qui pourraient survenir avant même que je ne commence.

Je suis également libre d'essayer quelque chose pour ensuite changer d'idée. Je ne suis pas obligé de m'engager à vie avant même de savoir si oui ou non le but que je poursuis est souhaitable.

Mes projets peuvent comprendre beaucoup d'actes et de risques, mais je ne suis pas obligé de m'attaquer à tout aujourd'hui même. Je peux prendre mon temps et avancer pas à pas, à mon propre rythme. En me concentrant sur une chose à la fois, l'impossible peut devenir possible si je «ne complique pas les choses».

Pensée du jour

Avec l'aide d'Al-Anon et de ma Puissance Supérieure, je suis capable d'accomplir une foule de choses auxquelles je n'aurais jamais songé auparavant. Il se peut même que je sois en mesure de réaliser mon plus cher désir.

«Toute gloire découle du fait d'avoir osé commencer.»

Eugene F. Ware

J'observe constamment mes amis et les étrangers pour leur trouver des améliorations à faire: «Elle serait beaucoup plus jolie si seulement...» ou «Ce serait beaucoup plus facile de communiquer avec lui si seulement...»

La Dixième Étape me rappelle tous les jours de cesser d'entretenir de telles pensées. Elle me rappelle de poursuivre mon inventaire personnel et d'admettre promptement mes torts.

Chaque jour, je peux m'observer et décider quelle amélioration apporter en moi. Comment puis-je progresser aujourd'hui? Que puis-je faire au cours de la journée pour m'améliorer? Y a-t-il quelque chose que je peux apprendre? Y a-t-il un défi que je peux relever? Y a-t-il une ancienne peur que je peux affronter et dont je peux me débarrasser? Y a-t-il quelques nouvelles joies dont je peux faire l'expérience? La Dixième Étape me rappelle d'être honnête avec moi-même aujourd'hui, en reconnaissant mes progrès, en admettant mes erreurs et en prenant conscience des occasions de croissance.

Pensée du jour

Quand je poursuis mon inventaire sur une base quotidienne, je n'ai plus à craindre de tomber dans cet état vague et confus où ma négation prend si facilement racine. Quand je confie cet inventaire aux soins de ma Puissance Supérieure, je sais que je me dirige vers la liberté.

> «Un homme ne devrait jamais avoir honte de reconnaître qu'il était dans l'erreur, ce qui, en d'autres mots, revient à dire qu'il est plus sage aujourd'hui qu'il ne l'était hier.»
>
> Alexander Pope

À mon arrivée à Al-Anon, je savais qu'un proche parent buvait trop et que je n'étais pas heureux, mais je ne pensais pas avoir besoin de beaucoup d'aide. J'assistais à une réunion une fois par semaine à moins qu'il n'y ait quelque chose d'autre à faire et je ne me suis pas choisi un parrain. J'ai progressé, mais lentement.

Une situation de crise a mis un terme à mon approche nonchalante du rétablissement. Quand j'ai perdu une personne qui m'était très chère, ma souffrance a été presque insupportable. J'ai eu de la chance; j'avais appris assez de choses pour prendre le téléphone et appeler un membre Al-Anon. Cette personne m'a aidé à traverser cette situation de crise, mais ce n'était que le commencement. J'ai vu à quel point j'avais besoin de la force et des outils qu'Al-Anon avait à offrir. J'ai commencé à assister à plusieurs réunions par semaine, à faire du travail de service, à téléphoner à des amis Al-Anon. Mon rétablissement a vraiment démarré! Aujourd'hui, la pratique du programme est prioritaire dans ma vie, parce que je sais où j'aurais échoué sans cette situation de crise.

Pensée du jour

Il arrive parfois que notre plus grande croissance ait son origine dans la souffrance, mais ce n'est pas la souffrance qui m'aide à croître, c'est ma réaction à la souffrance. Est-ce que je vais souffrir en vivant cette expérience et continuer comme autrefois, ou est-ce que je vais laisser la souffrance m'inspirer des changements qui m'aideront à progresser? À moi de choisir.

«J'ai appris dans Al-Anon à chercher les occasions de croissance dans toutes les situations. Cette attitude m'a permis de retirer de nombreuses richesses spirituelles de la souffrance que je vivais.»

...dans tous les domaines de notre vie

Le sentiment de ne pas être à ma place a été un problème toute ma vie. C'était particulièrement vrai quand je suis arrivé à Al-Anon. J'étais mal à l'aise d'assister aux réunions parce qu'il n'y avait pas d'alcool à la maison quand j'étais enfant — c'étaient mes grands-parents qui buvaient.

Lors de cette première réunion, j'ai appris que l'alcoolisme est un mal familial. Il affecte non seulement la personne qui boit, mais aussi celles qui l'aiment. En fait, les conséquences de cette maladie sont souvent transmises d'une génération à l'autre. Quand j'ai entendu une description de certaines de ces conséquences, j'ai reconnu le profil de ma personnalité. Pour la première fois de ma vie, je me retrouvais avec des gens qui savaient ce que je vivais.

Aujourd'hui je vois clairement que j'ai été en fait affecté par le mal familial de l'alcoolisme. Al-Anon m'offre un moyen de faire ma part pour briser ce schéma familial. Je peux descendre du carrousel en choisissant le rétablissement.

Pensée du jour

Dans Al-Anon, je rencontre des gens qui comprennent comme bien peu peuvent le faire. Si la consommation d'alcool d'une autre personne m'a affecté, je n'ai pas à douter de mon appartenance à Al-Anon.

> «Quelle que soit la difficulté, peu importe à quel point nous pouvons nous croire uniques, quelque part autour de nous il y a des hommes et des femmes qui ont un vécu semblable au nôtre et qui ont trouvé de l'aide, du réconfort et de l'espoir grâce au rétablissement dans Al-Anon.»

...dans tous les domaines de notre vie

Je peux être fier du fait d'être un survivant. J'ai survécu à de nombreuses difficultés pour en arriver exactement là où j'en suis aujourd'hui. Je sais maintenant que je suis plus important que mes problèmes. Je suis un être humain ayant de la dignité. J'ai une riche expérience que je peux utiliser en la partageant avec ceux qui traversent des problèmes semblables aux miens. Je n'ai pas à craindre les défis à venir parce que je sais qu'aujourd'hui, en étant guidé par ma Puissance Supérieure et avec la force et les connaissances que j'ai acquises dans Al-Anon, je suis en mesure de faire face à tout ce que la vie m'apportera.

Même si j'ai déjà perçu ma vie comme une tragédie, j'ai maintenant une perspective différente de ces expériences. Je sais que je suis une personne plus forte à cause de ce que j'ai vécu.

Pensée du jour

Si tel est mon choix, je peux considérer tout ce qui arrive dans ma vie comme un cadeau susceptible de m'apprendre quelque chose et de me faire progresser. Aujourd'hui, je trouverai quelque chose de positif dans une situation difficile et je me permettrai d'être reconnaissant. Je peux être surpris à quel point un peu de gratitude peut aider.

«Quand il fait suffisamment nuit, on peut voir les étoiles.»

Charles A. Beard

Quand j'ai fait ma Quatrième Étape, j'ai dressé une liste de mes traits de caractère aussi honnêtement et courageusement que possible. J'ai été stupéfait de l'ironie de la situation: Plusieurs des traits de caractère que j'avais auparavant considérés comme des vertus — prendre soin de tout le monde autour de moi, m'inquiéter de la vie des autres, sacrifier mon propre bonheur et ma prospérité — se sont avérés les causes de ma souffrance! Et ces traits de caractère que j'avais toujours passés sous silence — talent, optimisme, discipline personnelle — se sont avérés mes véritables qualités. C'était comme si, grâce au pouvoir de cette Étape, j'avais découvert une nouvelle façon de remettre à l'endroit la perception que j'avais de ma personnalité.

Je lutte encore pour éviter qu'elle ne redevienne faussée. Mais quand je me vois bien clairement, j'ai un sentiment de complétude, de fierté et de paix. Je peux être heureux d'être moi-même maintenant que je sais qui je suis.

Pensée du jour

Ma vie est en perpétuel changement. Le fait d'en être conscient me permet d'aller au rythme de ce changement. Aujourd'hui, fasse que j'écoute mes paroles et que j'observe mes actes. Ce n'est qu'en sachant qui je suis que je peux créer la personne que je veux devenir.

«Chaque homme doit regarder en lui pour apprendre le sens de la vie. Ce n'est pas quelque chose à découvrir: c'est quelque chose à façonner.»

Antoine de Saint-Exupéry

Avant Al-Anon, je croyais qu'être adulte signifiait avoir le contrôle — être inflexible, calme. Être adulte, c'était paraître bien extérieurement et ne pas ressentir ce qui se passait intérieurement. Être adulte signifiait me dévouer pour les autres jusqu'à épuisement total.

Al-Anon m'a révélé un tout nouveau mode de vie. La première chose que je devais laisser aller, c'était mon contrôle sur les autres — ce stratagème ne fonctionne tout simplement pas. Tenter d'avoir le contrôle est une méthode efficace pour garder à distance ceux qu'on aime. J'ai plutôt admis mon impuissance devant les autres. Puis il a fallu que je commence à mettre de côté «ma façade» afin d'exprimer mes sentiments au cours des réunions. Puis un jour, j'ai pris mon livre *Al-Anon un jour à la fois* et j'ai lu les pages sur le «martyre». J'ai été très mal à l'aise de constater que mon rôle de «bonne personne» masquait souvent un rôle de martyr.

Devenir plus humain a été parfois difficile et apeurant, mais le fait d'être plus authentique me permet d'établir de vraies relations, d'avoir une véritable communication et un réel bonheur.

Pensée du jour

Aujourd'hui, je peux prendre le risque d'être moi-même. Je n'ai pas à vivre selon l'image de qui que ce soit. Tout ce que j'ai à faire, c'est d'être moi-même.

> «Lorsque j'ai renoncé à mon pouvoir imaginaire sur les autres, j'ai acquis une optique plus réaliste de ma propre vie.»
>
> *Al-Anon est pour les enfants adultes des alcooliques*

Toute personne qui joue un rôle dans notre vie a quelque chose à nous apprendre. Les autres peuvent nous servir de miroir, reflétant nos qualités et nos défauts. Ils peuvent nous aider à régler les conflits de notre passé qui n'ont jamais été résolus. Ils peuvent servir de catalyseurs, éveillant en nous ce qui a besoin de faire surface afin que nous puissions nous en occuper.

Les autres peuvent aussi apprendre de nous. Nous sommes tous reliés les uns aux autres. Voilà notre grande force.

Donc, quand je deviens impatient durant un témoignage lors d'une réunion, ou quand le manque d'attention d'un être cher me blesse, ou quand je suis en désaccord avec les choix d'une autre personne, je considérerai la possibilité que j'ai devant moi mon professeur ou mon miroir. Et je demanderai à ma Puissance Supérieure de m'aider à percevoir les cadeaux que ces situations renferment.

Pensée du jour

Une des raisons pour lesquelles j'assiste aux réunions Al-Anon, c'est pour apprendre à développer des relations saines, aimantes avec moi-même et avec les autres. Je reconnais que j'ai besoin des autres. J'accueillerai ceux que ma Puissance Supérieure mettra sur mon chemin aujourd'hui.

«Le roseau est faible et se brise facilement; mais des roseaux réunis en fagots sont forts et difficiles à briser.»

Le Midrache

Al-Anon a été le premier endroit depuis longtemps où les gens m'ont invité à revenir même après avoir écouté le récit de mes malheurs. Je suis tellement reconnaissant qu'ils m'aient écouté, parce qu'Al-Anon était mon dernier espoir — je pensais que je m'enlèverais la vie si je ne faisais pas quelque chose concernant l'alcoolisme dans mon foyer. Plus tard, quand les membres du groupe m'ont demandé de préparer le café, j'étais heureux de faire *quelque chose* en paiement de leur amour; cependant aucun paiement n'était requis. Les membres m'aimaient, que je m'implique ou non dans le service, et même quand j'étais incapable de m'aimer.

Al-Anon est la seule chose dans ma vie à laquelle je me suis donné corps et âme, le seul endroit où j'ai constamment senti que j'étais à la hauteur. Quand je fais du travail de service, je me vois accomplir quelque chose, donner, recevoir, progresser. Je constate mes progrès à mesure que j'apprends à apprendre, et à mesure que les leçons deviennent partie intégrante de moi, je les applique dans tous les domaines de ma vie.

Aujourd'hui, j'aime penser que je prends une part active à la croissance d'Al-Anon grâce au service. Ce n'est pas une faveur que je fais à Al-Anon; c'est Al-Anon qui m'en fait une. C'est vraiment enthousiasmant de me rappeler cela. J'ai le droit de participer à cette croissance! Vous m'en donnez l'occasion!

Pensée du jour

C'est bien d'écouter, d'entendre, de réfléchir, de lire des choses concernant le réveil spirituel, mais si je veux vraiment ce réveil, il y a quelque chose que je peux *faire*: je peux m'impliquer.

«Ce que nous apprenons à faire, nous l'apprenons en le faisant.»

Aristote

Je peux facilement spécifier les limites de l'être aimé. Je peux passer des heures à dresser une liste des choses qu'il pourrait changer.

Mais ces critiques mentales n'ont jamais rien amélioré. Elles ne font que garder mon esprit centré sur une personne autre que moi. Au lieu d'admettre mon impuissance sur les choix ou les attitudes de quelqu'un d'autre, j'entretiens l'illusion du pouvoir. En fin de compte, j'ai un peu moins d'espoir et un peu plus d'amertume et de frustration. Et rien n'a changé ni dans ma situation ni chez l'autre personne.

Qu'arriverait-il si je prenais ma liste de critiques et si, tout doucement, je me l'appliquais? Je peux me plaindre de la violence verbale de l'être cher — après tout, je ne lui parle pas de cette façon. Mais au niveau de la pensée, je fais tout autant preuve de violence. Cette même attitude est présente en nous deux; mais nous la manifestons simplement de façon différente.

Pensée du jour

Al-Anon dit: «Ça commence par moi.» Quand je découvre quelque chose que je n'aime pas chez quelqu'un d'autre, je peux chercher des traits semblables en moi et commencer à les changer. En faisant des changements en moi, je peux vraiment changer le monde.

> «La tranquillité d'esprit dépend de la connaissance de nos propres défauts. Un inventaire personnel sincère nous aide à reconnaître les défauts qui, si souvent, augmentent notre désarroi et notre désespoir.»
>
> *Voici Al-Anon*

Qu'est-ce que la méditation ? Al-Anon laisse à chacun de nous le soin de répondre à cette question à notre façon. Puiser dans les expériences des autres membres Al-Anon peut nous aider à trouver notre propre voie. Voici seulement quelques-uns des moyens dont les membres de la fraternité nous ont fait part :

Pour moi, la méditation est une perception spirituelle plus élevée. Je m'y exerce en me rappelant que chaque geste peut servir un but spirituel.

Je me rends dans un endroit paisible, je ferme les yeux et je me répète doucement les mots de la Prière de Sérénité.

J'ai besoin d'aller au-delà de mes pensées, donc je me concentre sur ma respiration, comptant de un à dix à maintes reprises en respirant et en expirant.

Je prends simplement du recul et je regarde mes pensées comme si je regardais une pièce de théâtre. J'essaie de garder mon attention uniquement sur la journée présente en faisant abstraction du passé et de l'avenir.

Je me concentre sur une fleur. Quand mes pensées vagabondent, j'accepte que mon esprit ne fait que ce qu'il a à faire — penser — puis je retourne tranquillement à mon sujet.

Dans mon esprit, j'imagine les mains de ma Puissance Supérieure. Un par un, je dépose dans ces mains mes problèmes et mes soucis, ma joie et ma gratitude et finalement, je m'y place moi aussi.

Dans le passé, plusieurs d'entre nous avons appris à faire des choix strictement basés sur nos sentiments, comme si les sentiments étaient des faits. Par exemple, si nous avions peur de poser un certain geste, alors il valait mieux l'éviter. Il n'y avait pas de juste milieu, pas de place pour plus d'un sentiment à la fois.

Une partie du rétablissement Al-Anon consiste à apprendre que les sentiments ne sont pas des faits. Je suis un être humain complexe, fascinant, et avec une vaste gamme d'émotions, d'expériences et de pensées. Mon identité renferme plus qu'un sentiment ou un autre sentiment, un problème ou un autre problème. Je suis un amalgame de contradictions. Je peux accorder de la valeur à tous mes sentiments sans leur permettre de me dicter mes actes.

Aujourd'hui, je peux éprouver de la colère contre quelqu'un et continuer à l'aimer. Je peux craindre les nouvelles expériences tout en les vivant. Je peux survivre aux blessures sans renoncer à l'amour. Et je peux éprouver de la tristesse et demeurer confiant que je serai de nouveau heureux.

Pensée du jour

Aujourd'hui, j'apprends à reconnaître toutes mes contradictions et toutes les facettes de ma complexité, et à être reconnaissant pour la richesse qu'elles m'apportent.

> «La vie, malgré toutes ses angoisses... est passionnante et merveilleuse, amusante, astucieuse et attachante... et peu importe ce qui viendra après — nous ne vivrons plus cette vie de nouveau.»
>
> Rose Macaulay

J'avais la certitude qu'il devait y avoir, en ce bas monde, une personne qui comprendrait toujours mon état d'esprit, qui aurait toujours du temps à me consacrer et qui saurait me faire sourire. Quand cette personne se manifesterait, j'aurais enfin l'amour que je méritais. Jusque-là, je n'avais d'autre choix que d'attendre. Pauvre de moi. Que ma vie était triste et solitaire.

Puis, lors d'une réunion Al-Anon, un membre a prononcé le mot «gratitude» et soudainement, tout ce scénario a commencé à s'effondrer. Quand j'ai réfléchi au nombre de choses dont je pouvais être reconnaissant, mon rêve s'est révélé n'être rien d'autre qu'une ombre. La réalité offrait une image complètement différente. Il y avait mes amis, l'enfant qui venait vers moi avec tellement de confiance, le collègue de travail qui m'offrait son amitié, la personne alcoolique bien-aimée qui faisait partie de ma vie, les membres Al-Anon qui me prenaient dans leurs bras, qui me parlaient et qui m'encourageaient. Qu'est-ce que je faisais de leur amour? Il semble bien que je le mettais de côté pour cette personne imaginaire ou, pire encore, que je ne le remarquais pas du tout.

Pensée du jour

Si je suis incapable de reconnaître l'amour qui existe déjà dans ma vie, est-ce que j'apprécierais réellement d'en recevoir davantage? Fasse que je reconnaisse ce qui m'a déjà été donné.

«Si l'unique prière que vous ayez dite dans toute votre vie était "merci", cela suffirait.»

Maître Eckhart

Avant Al-Anon, j'aurais juré qu'il n'y avait pas la moindre petite trace de colère en moi. Cependant, en mettant les Étapes en pratique, j'ai découvert que sans le savoir, j'avais souvent été furieux contre les alcooliques dans ma vie.

J'ai commencé à discerner la colère au fur et à mesure qu'elle se manifestait. Au début, cela m'a fait beaucoup de bien de reconnaître cette partie refoulée de moi-même — je me sentais plus complet, plus puissant — mais à mesure que le temps a passé, j'ai commencé à abuser de ce sentiment de puissance nouvellement trouvé. J'ai blâmé les alcooliques pour tous mes problèmes, j'ai repoussé tout le monde et je me suis senti plus mal que jamais.

Al-Anon m'a aidé à ramener mon attention sur moi. Si je suis malheureux dans une situation, je peux examiner le rôle que j'y ai joué. Je suis impuissant devant l'alcoolisme. Il m'arrive parfois d'être en colère à ce sujet, mais la colère n'y changera rien. Aujourd'hui je peux ressentir de la colère, exprimer mes sentiments de la façon la plus saine possible, et ensuite lâcher prise.

Pensée du jour

La colère peut me donner une illusion de puissance. Durant un moment, j'ai peut-être l'impression de contrôler la situation et les gens, mais ce genre de fausse sécurité me déçoit toujours. La seule vraie force dont je dispose, c'est celle dont il est question dans la Onzième Étape: la force d'exécuter la volonté de Dieu.

> «Personne ne peut contrôler l'effet insidieux de l'alcool, ni son pouvoir de détruire ce qui est convenable et agréable dans la vie... Mais nous avons un pouvoir qui nous vient de Dieu et ce pouvoir, c'est celui de transformer notre propre vie.»
>
> *Al-Anon un jour à la fois*

Autrefois, je pensais que prendre soin de moi signifiait manger tout ce que je voulais, acheter tout ce que je voyais, ne dormir que quelques heures par nuit et éviter toute activité qui n'était pas amusante et passionnante. Le problème, c'est que les conséquences étaient très désagréables et quand j'y repensais, j'avais l'impression de gaspiller ma vie.

Aujourd'hui, être bon pour moi est un défi bien plus grand, mais les avantages sont absolument merveilleux! J'assiste à deux ou trois réunions Al-Anon par semaine, je lis ma documentation tous les jours et je prends le temps de parler à Dieu. Je m'efforce d'accorder plus d'importance à ma sérénité qu'à tout ce qui m'arrive.

J'apprécie maintenant la saine nourriture, je fais de l'exercice d'une manière que je trouve agréable et je m'occupe de mon argent de façon plus consciencieuse. Je fais de ma croissance une fête. Je danse, je dessine et j'apprécie de merveilleuses amitiés. Mon style de vie n'est pas rigide et je ne voudrais pas qu'il le soit non plus. J'apprécie encore les moments de spontanéité, mais aujourd'hui, c'est moi qui les choisis.

Pensée du jour

Je mérite de faire des choix qui me permettent de me sentir bien face à moi-même. Il faut un certain temps pour constater les résultats, mais je me bâtis une vie qui favorise ma santé et mon estime personnelle. Cela vaut la peine d'attendre.

«Le principe de croissance le plus puissant chez l'homme réside dans les choix qu'il fait.»

George Eliot

L'image d'une avalanche m'aide à laisser à l'alcoolique qui fait partie de ma vie la dignité de prendre ses propres décisions. C'est comme si ses actes formaient une montagne de problèmes reliés à l'alcool. Un amas de neige ne peut pas s'élever indéfiniment sans que la neige ne glisse sur les côtés; la montagne de problèmes de l'alcoolique non plus.

Al-Anon m'a aidé à m'abstenir de protéger l'alcoolique, ou de travailler fébrilement pour ajouter à la montagne de problèmes afin d'accélérer le glissement. Je suis impuissant devant sa consommation d'alcool et sa souffrance. La meilleure ligne de conduite pour moi, c'est de m'enlever du chemin!

Si l'avalanche devait emporter l'alcoolique, ce serait le résultat de ses propres actes. Je ferai mon possible pour laisser Dieu prendre soin d'elle, même quand les conséquences pénibles découlant de ses choix la frapperont de plein fouet. De cette façon, je n'entraverai pas sa chance de désirer une vie meilleure.

Pensée du jour

Je veillerai à ne pas provoquer ma propre avalanche. Est-ce que j'accumule du ressentiment, des excuses et des regrets qui ont le pouvoir de me détruire? Je n'ai pas à me laisser engloutir par tout cela avant de m'attaquer à mes propres problèmes. Je peux commencer dès aujourd'hui.

> «La souffrance que vous essayez d'éviter à l'alcoolique... peut précisément être celle dont il a besoin pour l'amener à se rendre compte du sérieux de la situation; c'est un mal pour un bien.»
>
> *Alors vous aimez un alcoolique*

J'adopte une approche vraiment personnelle quand je médite sur la Onzième Tradition qui décrit la politique d'Al-Anon en relations publiques comme étant basée sur l'attrait plutôt que sur la réclame. Cette Tradition me dit que ma responsabilité première dans Al-Anon, c'est d'apprendre à garder mon attention centrée sur moi et de faire tout mon possible pour vivre ce programme un jour à la fois.

Si je ne mets pas le programme en pratique, cela ne sert pas à grand-chose d'en parler — c'est-à-dire que si, dans ma vie, je ne démontre pas du mieux que je peux mon rétablissement, alors parler du programme peut n'être rien de plus qu'un substitut au fait de le vivre.

Sous ce rapport, je trouve que très probablement je me sens obligé d'inciter les autres à assister aux réunions Al-Anon quand j'en ai moi-même le plus grand besoin.

Pensée du jour

Avant de parler d'Al-Anon à d'autres personnes, je pourrais songer à me poser cette question: «Me l'ont-elles demandé?»

«L'exemple n'est pas la principale façon d'influencer les autres, c'est l'unique façon.»

Albert Schweitzer

Plusieurs parmi nous arrivons à Al-Anon dans un état de confusion. Nous sommes tellement centrés sur les personnes alcooliques que nous aimons qu'il se peut que nous soyons incapables de voir où nous en sommes de part et d'autre. Nous avons perdu le sens de ce qui est approprié. Comment faire la distinction entre un comportement acceptable et un comportement inacceptable, quand nous ne savons même pas ce que nous voulons ni ce dont nous avons besoin?

L'inventaire que j'ai dressé dans ma Quatrième Étape m'a aidé à découvrir qui je suis, quelles sont mes valeurs, quelles facettes de mon comportement j'aimerais conserver et quelles sont les choses que j'aimerais changer. En gardant cela à l'esprit, je cherche à établir un nouveau comportement qui me reflète dans ma totalité et exprime mes véritables valeurs. Alors qu'autrefois j'ai permis un comportement inacceptable, je peux maintenant choisir une réaction différente. Je dois constamment faire ce que je dis que je vais faire. Aujourd'hui, j'ai foi en moi et j'ai le courage d'être fidèle à moi-même, que les autres aiment cela ou non, qu'ils soient d'accord avec moi ou non. Je dois me rappeler que signaler aux autres mon changement d'attitude n'est pas aussi important que de connaître mes propres limites et d'agir en conséquence.

Pensée du jour

Je me rappellerai que le fait de savoir où se situent limites ne veut pas dire forcer les autres à changer; cela signifie que je connais mes propres limites et que je prends soin de moi en les respectant. Aujourd'hui, je me concentre sur moi.

«Celui qui se respecte ne craint pas les autres; il porte une cotte de mailles que personne ne peut transpercer.»

Henry Wadsworth Longfellow

J'ai toujours pensé que la plupart de mes difficultés seraient réglées si je gagnais à la loterie. Tout serait possible avec autant d'argent! Mais est-ce que cela effacerait les conséquences que l'alcoolisme a eues sur ma famille? Est-ce que cela rendrait les buveurs sobres? Est-ce que cela me garantirait le bonheur? Est-ce vraiment de l'argent que je veux?

Bien sûr que non. Ce que je veux vraiment, c'est de me sentir mieux. Rien n'éliminera tous les problèmes de ma vie. Puisqu'il y a des difficultés avec lesquelles je dois vivre, la seule vraie réponse consiste à chercher la sérénité d'accepter les choses que je ne peux changer. Aujourd'hui, je sais que la sérénité est à ma portée gratuitement quand j'assiste aux réunions Al-Anon et qu'ensuite, j'applique dans ma vie les principes que j'y ai appris.

L'argent n'achètera pas la sérénité; en fait, j'aurais probablement un tout nouvel éventail de problèmes et de décisions à prendre si jamais une fortune me tombait du ciel. Mais comme membre Al-Anon qui peut compter sur l'aide d'une Puissance Supérieure dans tout problème qui se présente, aujourd'hui je me sens comme un gagnant dans la vie.

Pensée du jour

La sérénité est toujours à ma portée, mais c'est à moi de la chercher là où elle se trouve.

> «...j'essaie maintenant de remettre mes problèmes à ma Puissance Supérieure, mais je Lui laisse choisir les solutions et le temps.»
>
> *Tel que nous Le concevions...*

Le doute m'assaillait chaque fois que nous, membres Alateen, avions une réunion avec des membres Al-Anon. Je ne croyais pas que des adultes pouvaient m'aider de quelque façon que ce soit, parce que sûrement ils avaient les mêmes attitudes malsaines que mes parents alcooliques. Je me disais: «Ça y est, nous voilà repartis.»

Mais c'était moi qui avais une attitude malsaine. J'avais fermé mon esprit, non seulement à mes parents, mais à tous les adultes. Je gardais cette même attitude aux réunions, alors je n'apprenais rien du tout. J'ai dû faire face à mes ressentiments d'autrefois avant de pouvoir reconnaître le merveilleux cadeau qu'Al-Anon m'offrait. Il y avait ici des gens qui pouvaient m'aider à panser les blessures laissées par la consommation d'alcool de mes parents et m'aider à reconnaître que je pouvais, en toute sécurité, faire partie intégrante de mon monde. Il m'a fallu de la discipline et du courage pour cesser de repousser tous les adultes, mais parce que j'ai fait cet effort, j'ai commencé à constater que les adultes sont aussi des humains. J'ai même commencé à croire que mes parents font leur possible et je peux les aimer tels qu'ils sont sans avoir à les changer ou à me changer.

Pensée du jour

Al-Anon m'aide à voir les choses telles qu'elles sont. Les personnes qui font partie de ma vie ne sont pas telles que je pense parfois qu'elles devraient être. Avec l'aide d'Al-Anon, je peux les aimer pour ce qu'elles sont, au lieu de les aimer pour ce que je pense qu'elles devraient être.

> «Vivre vraiment notre vie est une entreprise pleine de risques et si nous nous mettons trop de barrières contre le risque, nous finissons par nous fermer à la vie elle-même.»
>
> Kenneth S. Davis

Quand je descends une côte à toute vitesse à bicyclette, je me sens merveilleusement en vie, en parfait équilibre. Al-Anon m'aide à mettre de l'équilibre dans ma vie, comme si celle-ci était une randonnée à bicyclette, et à transposer cette vitalité dans chaque journée — surtout quand j'applique le slogan «vivre et laisser vivre».

J'essaie de saisir tout ce que la vie apporte, avec toutes ses joies et ses peines, parce que tout cela a quelque chose à m'offrir. J'ai fait cette découverte un soir, lors d'une réunion Al-Anon, quand quelqu'un a demandé: «Qu'arriverait-il si je commençais à remercier Dieu quand des problèmes surgissent?» Au début, j'ai dû me forcer pour dire, les dents serrées: «Merci, mon Dieu.» Bientôt, j'ai desserré les dents et j'ai remplacé l'apitoiement par la gratitude. J'ai vraiment commencé à vivre.

Quand je vis ma propre vie intensément, il m'est plus facile de laisser les autres vivre la leur. J'ai de la vitalité. Je prie pour que les autres en aient également.

Pensée du jour

Je veux ce qu'il y a de mieux pour ceux que j'aime. J'apprécie de plus en plus la joie de participer pleinement à la vie. Et je choisis de laisser les autres profiter de cette enrichissante mais parfois difficile façon d'apprendre quelque chose de toutes leurs expériences. Aujourd'hui, je vais «vivre et laisser vivre».

«Il est bon d'avoir en vue la fin d'un voyage; mais c'est le voyage qui compte à la fin.»

Ursula LeGuin

Il existe plusieurs formes de pertes — le divorce, l'incarcération, la maladie, la mort, et même les changements émotionnels. Quand j'ai perdu la personne que j'aimais le plus au monde, j'étais extrêmement accablé et dans mon chagrin, j'ai repoussé tous et chacun. Dieu merci, j'étais membre Al-Anon depuis assez longtemps pour avoir éveillé cette partie de moi-même qui voulait la santé, quoi qu'il advienne. Et alors, avec le temps, j'ai recommencé à mettre le programme en pratique.

Avec l'aide de plusieurs merveilleux membres Al-Anon qui m'ont soutenu et m'ont laissé vivre mon chagrin à ma façon et durant le temps nécessaire, j'ai appris à revenir à la Première Étape, à admettre que j'étais impuissant devant cette perte et que ma vie était incontrôlable. Encore une fois, j'ai vu que mon seul espoir reposait en une Puissance supérieure à moi-même. Et Étape par Étape, j'ai appris à vivre avec cette perte, avec la souffrance, avec le désespoir, jusqu'à ce que finalement je commence à me sentir revivre.

Pensée du jour

La souffrance et les pertes font partie de la vie. Peu importe ce que je fais, je ne serai pas capable de changer cela. Mais avec la fraternité pour me soutenir et les Étapes pour me guider, je serai capable de faire face à tout ce qui m'arrivera et à m'en servir pour croître.

> «Non seulement les bases que j'ai acquises dans Al-Anon m'inspirent-elles de la gratitude quand les choses vont bien, mais elles me montrent également que le programme est efficace particulièrement quand les choses vont mal.»
>
> *...dans tous les domaines de notre vie*

Durant un certain temps, la Troisième Étape est restée hors de ma portée. Comment pouvais-je confier ma volonté et ma vie aux soins d'une Puissance Supérieure? J'essayais consciencieusement, mais je reprenais toujours tout en main. J'étais terrifié à l'idée de ne pas avoir le contrôle. Je trouvais difficile de croire que ma Puissance Supérieure serait là pour moi si je lâchais prise complètement. Je me suis demandé à maintes reprises ce que je ressentirais si je m'abandonnais entièrement et comment je le saurais si j'y parvenais?

Récemment, un conférencier à une réunion Al-Anon l'a expliqué en des termes que je pouvais comprendre. Il a dit que confier notre volonté à Dieu est comparable à danser en couple. Si les deux essaient de diriger, il s'ensuit beaucoup de confusion et très peu de pas de danse. Comme j'ai déjà enseigné à plusieurs couples à danser, je sais combien il peut y avoir de maladresses et d'opposition quand les deux partenaires cherchent à diriger. Mais quand le partenaire qui suit peut se détendre et laisser l'autre le conduire, le couple évolue aisément sur la piste de danse.

Pensée du jour

Si je perçois l'opposition de l'incertitude, du désespoir ou de la peur, je peux la considérer comme un signe que j'ai fait un faux pas. Je peux alors demander à Dieu tel que je Le conçois de m'aider à être un partenaire plus docile.

> «Il n'y a aucune garantie que la vie se déroulera comme nous le voulons, mais le programme m'a montré que la volonté de Dieu est la seule voie; il n'en tient qu'à moi de travailler avec Lui et de confier ma vie et ma volonté à Ses soins pour qu'Il me guide.»
>
> *...dans tous les domaines de notre vie*

J'étais convaincu que je devais m'occuper de tout et de tout le monde — je n'avais pas le choix. Mais avec l'aide d'Al-Anon, j'ai appris que, bien que j'aie des responsabilités, il y a aussi de nombreuses choses que je *ne* suis *pas* obligé de faire:

Je ne suis pas obligé de tout comprendre. Certaines choses ne me regardent pas et d'autres n'auront jamais de sens pour moi.

Je n'ai pas à hésiter à montrer mes sentiments. Quand je suis heureux, je peux m'en donner à cœur joie! Quand je ne le suis pas, je peux me tourner vers mes amis Al-Anon qui m'aident à progresser durant les périodes difficiles.

Je ne suis pas obligé de me sentir menacé par l'avenir. Je peux vivre un jour à la fois.

Je n'ai pas à me sentir coupable au sujet du passé. Avec l'aide des Étapes, particulièrement de la Huitième et de la Neuvième Étape, je peux faire amende honorable et apprendre de mes erreurs.

Je n'ai pas à me sentir seul. Je peux assister à une réunion, ou me servir du téléphone — on peut toujours rejoindre quelqu'un dans Al-Anon.

Je n'ai pas à endosser la responsabilité des choix des autres. Ils ont leur propre Puissance Supérieure pour les aider à prendre leurs décisions.

Je n'ai pas à abandonner mes espoirs et mes rêves — ma Puissance Supérieure n'est pas limitée par mon manque d'imagination.

Au cours des années, on m'a très souvent suggéré, aux réunions Al-Anon, de prier pour les personnes qui m'inspiraient du ressentiment. Mes premières tentatives pour suivre cette suggestion ne m'ont pas donné grand-chose. Avec le temps, cependant, cela est devenu l'un des outils les plus efficaces de mon rétablissement.

Qu'est-ce qui a fait la différence? J'ai cessé de prier pour que les autres changent. J'avais l'habitude de dire: «Je t'en prie, mon Dieu, permets qu'ils cessent de me faire souffrir» ou «Montre-leur que j'ai raison», ou «Rends-les sobres et fais vite!» Aujourd'hui, je me concentre plutôt sur ce que *je* peux changer. Je demande d'acquérir une nouvelle façon de percevoir la situation.

Quand je récite la Prière de Sérénité, je garde à l'esprit tout ce qui m'inquiète. Qu'est-ce que je dois accepter ou changer? Je prie pour avoir la sagesse d'en connaître la différence et pour avoir la sérénité et le courage de donner suite à ce que j'apprends. Finalement, je prie pour que la personne en question reçoive la sérénité, l'amour et la joie que je désire pour moi-même. Nous méritons tous cela.

Pensée du jour

Mes ressentiments m'indiquent les situations où je me perçois comme une victime. Je veux m'en débarrasser parce que j'y perds trop de mon estime personnelle. Je m'aimerai suffisamment pour me libérer de la prison où les ressentiments me gardent enfermé.

> «Si nous voulons briser le cercle vicieux du malheur, nous devons apprendre de nouvelles façons de vivre, de nouvelles façons de communiquer les uns avec les autres.»
>
> *Comment puis-je aider mes enfants?*

Dans les pays où les gens comptent sur les chameaux pour se déplacer, il y a un dicton qui dit: «Fais confiance à Dieu et attache ton chameau à un arbre.» Je considère que ce dicton est une façon imagée de dire ce que nous, dans Al-Anon, appelons «faire notre part».

Premièrement, nous faisons confiance à notre Puissance Supérieure. La confiance est un moyen d'affirmer que nous sommes disposés à être réceptifs à tout ce que notre Puissance Supérieure a en vue pour nous. Nous ne nous résignons pas à notre sort; nous abordons la journée dans une attente confiante. Comme on dit couramment, nous nous attendons à un miracle.

Mais nous ne pouvons pas nous attendre à ce que notre Puissance Supérieure fasse pour nous ce que nous pouvons manifestement faire nous-mêmes. Nous devons faire *notre* part. Les Douze Étapes nous aident à faire la distinction entre nos responsabilités et celles que nous pouvons remettre à Dieu.

Pensée du jour

Aujourd'hui je rends grâce d'être guidé par ma Puissance Supérieure et de recevoir le bon sens nécessaire pour appliquer ces directives aux détails de ma vie quotidienne.

«Nul autre ne peut définir notre rôle dans la relation unique que nous développons avec notre Puissance Supérieure.»

...dans tous les domaines de notre vie

L'alcoolisme est une maladie à trois facettes — physique, émotionnelle et spirituelle. Parce que j'ai été affecté par l'alcoolisme d'une autre personne, je prends soin de mon propre bien-être physique, émotionnel et spirituel en me posant les questions suivantes:

Mon bien-être physique est-il une priorité? Est-ce que j'ai une alimentation saine et que je dors suffisamment? À quand remonte mon dernier examen médical ou ma dernière visite chez le dentiste? Est-ce que je m'occupe de mon hygiène corporelle? Est-ce que je prends des vacances? Est-ce que je fais de l'exercice?

Est-ce que je demande ou donne une accolade quand j'en ai besoin? Suis-je plus conscient de mes sentiments? Est-ce que j'ai une marraine, ou un parrain, et des amis Al-Anon pour m'aider à traverser les moments difficiles? Suis-je capable de me réjouir quand les choses vont bien? Est-ce que je prends le temps de me divertir? L'attention que je donnais autrefois aux pensées négatives est-elle maintenant centrée sur la gratitude?

Suis-je en relation avec une Puissance supérieure à moi-même? Sinon, suis-je prêt à essayer? Est-ce que j'accorde du temps à la prière et à la méditation? Suis-je plus disposé à demander de l'aide? Est-ce que j'assiste régulièrement aux réunions Al-Anon, que je lis de la documentation Al-Anon, et que j'applique les Étapes et les autres outils du programme dans ma vie de tous les jours? Est-ce que je reconnais et admets ma croissance?

Pensée du jour

En faisant simplement l'inventaire des habitudes que j'ai développées pour prendre soin de moi, je commence à les améliorer.

> «Il vaut mieux vous garder propre, resplendissant, car vous êtes la fenêtre à travers laquelle il vous faut voir le monde.»
>
> George Bernard Shaw

«Chaque groupe Al-Anon n'a qu'un but: aider les familles des alcooliques.» Cette phrase fait partie de notre Cinquième Tradition, mais comment allons-nous y parvenir? «En pratiquant nous-mêmes les Douze Étapes.» Nous devons apprendre à nous aimer avant de pouvoir vraiment aimer les autres. Lorsque nous nous occupons de nos propres besoins spirituels, nous donnons aux autres la possibilité de voir en nous ce quelque chose de spécial qu'ils peuvent désirer pour eux-mêmes. Un bon exemple est le meilleur sermon.

La partie suivante de cette Tradition dit: «en encourageant et comprenant nos parents alcooliques.» Nous pouvons tous faire preuve de plus d'amour. Savoir que l'alcoolisme est une maladie peut nous aider à réagir avec compassion plutôt qu'avec hostilité.

Finalement, «en accueillant et réconfortant les familles des alcooliques», nous reconnaissons que l'amour centré uniquement sur nous-mêmes et notre petit cercle familial nous garde isolés. Nous avons une foule d'occasions d'aimer parce que nous faisons partie de la famille Al-Anon.

Pensée du jour

Aujourd'hui, je m'exercerai à la compassion. Je ferai d'abord preuve de bonté et d'amour envers moi-même, mais je ne m'arrêterai pas là. J'étendrai cette compassion aux autres. Je suis un être humain parmi d'autres. Quand j'offre de l'amour inconditionnel, en définitive il m'est remis au centuple.

«L'amour est patient et bon, l'amour n'est ni jaloux ni vantard, il n'est ni arrogant ni brusque, l'amour ne s'impose pas.»

La Bible

Lors d'une réunion, j'ai entendu quelqu'un dire, en parlant des Huitième et Neuvième Étapes: «J'ai dressé la liste des personnes que j'ai lésées — et j'ai mis mon nom en tête de liste.» Cela ne m'était pas venu à l'esprit. Quelque part dans mon passé, j'avais reçu le message que ce n'était pas bien de penser à moi d'abord, qu'il était de mon devoir de m'occuper de tous les autres. Par conséquent, je n'étais jamais disposé à prendre soin de moi et je suis donc devenu un fardeau pour mon entourage.

Me suis-je lésé? Certainement. En fin de compte, c'est ce dont j'essaie de me rétablir. À vrai dire, m'améliorer est la seule chose qu'il m'est réellement possible de faire. Je sais maintenant que prendre la responsabilité de moi-même est la première chose que je dois faire pour que le monde soit un meilleur endroit où vivre.

Pensée du jour

Être fidèle à moi-même est un des plus beaux cadeaux que je peux donner à ceux qui m'entourent. Peut-être vais-je les inspirer à faire de même; peut-être pas. Pourquoi les autres se donneraient-ils la peine de suivre mon exemple si je suis incapable de m'occuper de mes propres affaires? Donner des conseils aux autres, c'est m'imposer. Me donner des conseils, c'est progresser.

«Nous causons la plupart des ombres de cette vie parce que nous faisons nous-mêmes obstacle au soleil.»

Ralph Waldo Emerson

Nous nous concentrons souvent sur l'application des principes Al-Anon uniquement à une situation particulière dans notre famille. Il y a, cependant, plusieurs moyens simples d'avoir le programme Al-Anon avec nous partout où nous allons.

Quelques-uns parmi nous apportons de la documentation Al-Anon dans notre boîte à lunch, notre poche ou notre sac à main, afin de pouvoir prendre contact avec la sagesse du programme au moment même où nous perdons la juste perspective des choses. Avant qu'une situation difficile ne se dégrade, nous pourrions nous excuser et nous retirer pour avoir un moment d'intimité. Que nous soyons dans un centre commercial, un bureau ou un hôpital, il y a presque toujours une salle de toilette où nous pouvons nous ressaisir. Des numéros de téléphone de plusieurs membres Al-Anon et de la menue monnaie afin de pouvoir les appeler peuvent être notre planche de salut. Plusieurs d'entre nous gardons toujours une liste de réunions Al-Anon à portée de la main.

Et la prière est accessible n'importe quand, n'importe où. Elle est invisible à l'œil nu, mais elle porte une semence de transformation pouvant remettre la situation la plus incontrôlable dans sa juste perspective.

Pensée du jour

Il est bon de connaître les outils du programme Al-Anon, mais il est préférable de les utiliser. Aujourd'hui, je me rappellerai que le programme est à ma disposition à toute heure du jour ou de la nuit.

« ...la qualité de notre vie continue de s'améliorer à mesure que nous mettons le programme Al-Anon en pratique, non seulement dans les situations de crise, mais aussi dans notre vie de tous les jours. »

...dans tous les domaines de notre vie

J'ai assisté à ma première réunion Al-Anon parce que je voulais apporter mon support moral à un ami intime qui était membre. À ma grande surprise, je me suis identifié à presque tout le monde qui partageait leur expérience. Je n'y comprenais rien — j'étais absolument certain de ne connaître aucun alcoolique! Durant des semaines, je me suis souvenu de ce que j'avais entendu à cette réunion et finalement, timidement, j'y suis retourné et je suis resté.

Mais j'avais l'impression d'être un imposteur chaque fois que j'entendais la Troisième Tradition, laquelle stipule: «La seule condition requise pour faire partie d'Al-Anon, c'est qu'il y ait un problème d'alcoolisme chez un parent ou un ami.» Cette culpabilité m'empêchait presque de m'exprimer au cours des réunions. Mais je continuais d'y assister et lentement, j'ai commencé à me sentir mieux.

Il m'a fallu plus d'un an pour me rendre compte que j'étais l'enfant adulte de parents alcooliques. J'éprouve tellement de reconnaissance qu'on m'ait accordé le temps et le soutien nécessaires pour en arriver à cette prise de conscience, quand j'ai été prêt.

Pensée du jour

Un des signes démontrant que j'ai été affecté par l'alcoolisme, c'est que je pense savoir ce que tout le monde devrait faire. Comme il est expliqué dans le livre *Les Douze Étapes & les Douze Traditions d'Al-Anon*, la Troisième Tradition s'adresse directement à ceux parmi nous «qui, par erreur, pensent qu'un nouveau venu devrait être rejeté quand, effectivement, il remplit la condition requise pour faire partie d'Al-Anon». Je dois moi-même décider si oui ou non je remplis la condition requise pour faire partie d'Al-Anon. J'aurai pour les autres la même courtoisie.

Au milieu de l'agitation constante et des drames qui entourent la plupart des alcooliques, plusieurs amis et membres de leur famille cessent de percevoir ce qui leur arrive personnellement. Il semble toujours survenir quelque chose de plus important et d'extrêmement menaçant. Dans Al-Anon, nous apprenons à prêter attention à notre comportement, à nos pensées et à nos sentiments. Nous méritons cette attention et nous en avons besoin.

Mais nous concentrer sur nous-mêmes ne veut pas dire laisser les autres nous marcher sur les pieds et faire semblant de ne pas le remarquer, ou que tout ce que les autres font est acceptable. Cela ne veut pas dire non plus que nous devrions cesser de nous occuper des êtres qui nous sont chers. Nous concentrer sur nous signifie simplement que lorsque nous reconnaissons la situation telle qu'elle est, nous considérons *nos* options au lieu de considérer les options qui s'offrent aux autres. Nous considérons ce qui est en notre pouvoir de changer au lieu de nous attendre à ce que les autres fassent le changement. Comme résultat, les problèmes ont plus de chances d'être résolus et nous menons une vie plus contrôlable.

Pensée du jour

Aujourd'hui, si je suis perturbé, j'évaluerai la situation et je considérerai les options qui s'offrent à moi. Je n'attendrai pas que quelqu'un d'autre change, mais je me concentrerai sur moi et sur le rôle que je peux jouer pour améliorer la situation.

«Rien ne peut vous apporter la paix, sauf vous-même.»

Ralph Waldo Emerson

Dans Al-Anon, nous apprenons à «penser» avant de réagir à des explosions de colère et à des accusations lancées sous l'influence de l'alcool. Nous apprenons à retenir notre langue quand nous sommes tentés d'intervenir dans quelque chose qui, manifestement, ne nous regarde pas. Nous apprenons la valeur du silence.

Mais le silence peut être plus cinglant que des paroles cruelles quand il est utilisé pour punir. Ignorer délibérément les tentatives de quelqu'un pour communiquer ne vaut guère mieux que s'engager dans une bataille de mots. La rage exprimée non verbalement, mais par des regards glacés et des claquements de portes demeure toujours de la rage. Quand je cherche à blesser quelqu'un par le silence ou toute autre arme à ma disposition, c'est toujours moi que je blesse.

Si je ressens le besoin de dire quelque chose et que je suis incapable pour l'instant de m'exprimer de façon constructive, peut-être que je peux assister à une réunion Al-Anon, ou téléphoner à mon parrain et libérer certains de mes sentiments explosifs. Je me rappellerai que mon but est de me rétablir et d'améliorer ma relation avec les autres. J'essaierai de faire des choix qui tendront vers ce but.

Pensée du jour

Quel message mon silence transmet-il? Aujourd'hui, je tenterai de faire coïncider le mutisme de ma langue avec le calme de mon esprit.

> «... si l'on...sent (dans le silence) la moindre trace de colère ou d'hostilité, il perdra tout son effet... Le véritable calme est fait de sérénité, d'acceptation, de paix.»
>
> *Al-Anon un jour à la fois*

Voici l'une des leçons les plus utiles que j'ai apprises dans Al-Anon: Si je ne veux pas être un paillasson, je dois me tenir debout. En d'autres mots, même si je suis incapable de contrôler ce que les autres disent, font ou pensent, je suis responsable de mes choix.

Quand je regarde en arrière, je peux accepter que bien des fois le comportement inacceptable me visait, mais c'était *moi* qui restais là et l'acceptais et qui, souvent, revenais pour en subir davantage. J'étais un participant volontaire dans une danse qui nécessitait deux partenaires. J'avais l'impression d'être une victime, mais de plusieurs façons j'étais consentant.

Aujourd'hui, comme résultat de mon rétablissement dans Al-Anon, je sais que je ne suis pas démuni. J'ai le choix. Lorsque, comme autrefois, j'ai le sentiment d'être une victime, je peux considérer cela comme un signal d'alarme, un avertissement que je participe peut-être (en pensées ou en actes) à quelque chose qui n'est pas dans mon meilleur intérêt. Je peux résister à la tentation de blâmer les autres et examiner plutôt ma propre implication. C'est là que je peux faire des changements.

Pensée du jour

Endosser la responsabilité de mes propres choix peut me donner beaucoup de force. Aujourd'hui, j'agirai dans mon meilleur intérêt.

«...je ferais bien d'accepter le défi de m'occuper de mon propre rétablissement avant de perdre un temps précieux à désirer que l'alcoolique se transforme...»

La sobriété: un nouveau départ

Peut-être avons-nous besoin de plusieurs points de vue afin de comprendre la vie dans toute sa plénitude; après tout, il n'y a personne qui a une vision complète de la vie. Ainsi, quand mon conjoint, mon enfant, mon employeur, ou un ami Al-Anon a une opinion différente de la mienne, j'ai le choix. Je peux présumer que l'un de nous se trompe et défendre mon point de vue, ou je peux éprouver de la reconnaissance d'avoir la chance de constater qu'il y a d'innombrables façons de regarder la vie. Si je garde l'esprit ouvert, il y a à ma disposition de la sagesse en abondance.

J'essaie d'adopter cette attitude lorsque l'être que j'aime et moi discutons de tout et de rien, même d'émissions télévisées. Il nous arrive souvent de percevoir une émission de façon tellement différente qu'il est difficile de croire que nous sommes à l'antenne du même poste! Autrefois, j'avais l'impression d'être la cible de ces désaccords. Il fallait que l'un de nous deux ait tort et c'était mon opinion qui devait être acceptée! Aujourd'hui, je ne crois pas qu'une différence d'opinions me vise personnellement. Si vous pensez que la mer est bleue alors que je pense qu'elle est verte, je n'ai pas à passer toute la journée à essayer de vous convaincre. Al-Anon m'aide à croire en moi et à respecter le droit des autres de faire de même.

Pensée du jour

Je n'ai pas à démolir l'opinion de qui que ce soit pour prouver la justesse de la mienne. Il n'y a pas de mal à diverger d'opinions. Aujourd'hui, je respecterai le droit d'une autre personne de penser différemment.

«Pensez par vous-même et laissez aux autres le privilège d'en faire autant.»

Voltaire

Pour plusieurs d'entre nous, une conséquence de l'alcoolisme consiste à hésiter à nous rapprocher des gens. Nous avons appris qu'il est dangereux de faire confiance, de révéler trop de choses, d'aimer profondément. Cependant, nous souhaiterions souvent entretenir des relations plus intimes, plus affectueuses. Al-Anon nous suggère un moyen pour atteindre ce but: le parrainage.

En demandant à un membre de me parrainer, j'exprime mon désir d'établir une relation plus intime. Quand cette personne m'accorde de son temps, qu'elle me retourne mes appels, qu'elle m'offre son support moral, sa sollicitude, j'établis une base de confiance. Je constate que mon parrain a également une vie personnelle et qu'il lui arrivera parfois de ne pas être disponible. Parce que notre relation me démontre que je peux me fier à certaines personnes, je suis plus en mesure de demander de l'aide aux autres membres de la fraternité.

Mon parrain m'aide à apprendre à recevoir de l'amour, mais j'apprends aussi à en donner. Une personne qui fait preuve d'amour inconditionnel, qui continue à s'occuper de ses propres besoins et qui m'offre du support moral sans me dire quoi faire peut être un merveilleux modèle. La meilleure façon de mettre en pratique ce que j'apprends, c'est de le transmettre.

Pensée du jour

L'intimité peut être un des plus grands cadeaux de la vie. Aujourd'hui, je profiterai de ses bienfaits en demandant de l'aide à un ami Al-Anon.

«L'échange entre le parrain et le membre parrainé est une forme de communication qui enrichit les deux.»

Le parrainage — et tout ce qu'il comporte

Il y a des moments où tout ce que fait l'alcoolique m'irrite. Il semble même parfois ne pas bien se verser des céréales au petit déjeuner ! Bien qu'il soit important pour moi d'apprendre à reconnaître un comportement inacceptable et à m'en protéger, ce n'est pas toujours ce qui se produit. Quand je me surprends à surveiller et à critiquer chaque petit détail de son comportement, je peux m'en servir comme d'un signal que j'ai raté, ou dont je n'ai pas tenu compte, me disant que quelque chose ne va pas en *moi.* Ai-je peur d'une prochaine évaluation à mon travail ? Est-ce qu'une parole entendue à une réunion éveille une ancienne colère non résolue ? Est-ce que j'agis de cette façon parce que j'ai choisi de ne pas discuter d'un ancien ressentiment ? Téléphoner à un membre Al-Anon peut m'aider à voir clair dans tout cela.

Pensée du jour

Il peut être presque aussi difficile pour moi de cesser de critiquer qu'il est difficile pour l'alcoolique de cesser de boire — parfois, cela semble si nécessaire ! Bien que les critiques et les pensées négatives puissent servir d'exutoire à ma souffrance, elles ne règlent jamais mes problèmes, elles ne font que m'en distraire. En fin de compte, j'évite seulement de me connaître.

> « Un homme peut déceler une brindille dans les cheveux d'une autre personne tout en étant incapable de voir les mouches qui se promènent sur son nez. »
>
> Mendele Mocher Seforim

Les choses désagréables que disent ou font les autres n'ont pas le pouvoir de détruire ma tranquillité d'esprit ni de gâcher ma journée à moins que je n'y consente. Est-ce que je me permets de réagir aux paroles d'une personne malade comme s'il s'agissait de l'ultime vérité? Se pourrait-il que je tire un certain avantage à accepter l'humiliation?

Parfois je me pose des questions. Durant longtemps j'ai joué le rôle de martyr. Ma souffrance m'a valu beaucoup d'attention et de pitié. J'ai pris l'habitude de blâmer les autres pour mes problèmes et j'ai évité de prendre la responsabilité de ma propre vie. En d'autres mots, j'ai dans l'idée que j'ai peut-être tiré des avantages de ma souffrance. Mais ces avantages ne valent plus le prix qu'il faut payer.

Aujourd'hui, je découvre qui je suis vraiment avec l'aide de ma Puissance Supérieure et du programme Al-Anon. Il y a en moi une magnifique personne qui n'a pas besoin de bâtir son identité sur la souffrance. J'apprends à laisser cette personne s'épanouir au lieu de se cacher sous un masque de souffrance. Je ne veux plus rater les occasions merveilleuses qui s'offrent à moi de vivre, de progresser et d'être heureux.

Pensée du jour

Il y a tellement de choses à apprécier dans cette vie. Je ne perdrai plus un seul autre moment à m'apitoyer sur moi-même.

> «...la majeure partie de notre bonheur ou de notre misère dépend de notre état d'esprit et non des circonstances.»
>
> Martha Washington

Maintenant que l'année tire à sa fin, je prendrai quelques minutes pour constater les progrès que j'ai faits et pour remercier ma Puissance Supérieure de ma croissance. Qu'ai-je fait cette année pour contribuer à ma croissance? Peut-être que cela a été aussi simple et aussi profond que d'oser assister à ma première réunion Al-Anon, ou de continuer à assister aux réunions même quand c'était difficile.

Qu'ai-je fait cette année pour tendre la main à d'autres membres de la fraternité? Ai-je placé la documentation, présidé une réunion, rangé la salle? Peut-être ai-je souhaité la bienvenue à un nouveau venu ou lui ai-je donné mon numéro de téléphone. Peut-être ai-je demandé à un membre de me parrainer, ou me suis-je confié davantage au parrain que j'avais déjà. Ai-je remercié cette personne pour tout ce qu'elle m'a donné? Ai-je reconnu ma capacité croissante d'aimer et de faire confiance aux autres?

Peut-être que finalement j'ai compris la Première Étape, ou que je me suis vraiment engagé à en mettre quelques autres en pratique. Peut-être ai-je eu la confiance et le courage de prendre quelques décisions difficiles.

Je découvre que je joue un rôle important dans mon propre bien-être. Je me réjouirai de mes réalisations et j'éprouverai de la gratitude pour tout ce que j'ai reçu. Je ne suis pas parfait, mais je suis excellent!

Pensée du jour

J'éprouve de la gratitude pour le programme Al-Anon et tout ce que ma Puissance Supérieure m'a donné. J'espère que la nouvelle année sera encore meilleure.

> «J'apprends à me traiter comme si j'avais de la valeur. Je constate que lorsque je mets cela en pratique assez longtemps, je commence à y croire.»
>
> *...dans tous les domaines de notre vie*

L'étude de ces Étapes est essentielle au progrès dans le programme Al-Anon. Les principes qu'elles renferment sont universels, s'appliquent à chacun, quelle que soit sa croyance. Dans Al-Anon, nous nous efforçons d'avoir une compréhension de plus en plus profonde de ces Étapes et nous prions pour avoir la sagesse de les mettre en pratique dans notre vie.

1. Nous avons admis que nous étions impuissants devant l'alcool — que notre vie était devenue incontrôlable.
2. Nous en sommes venus à croire qu'une Puissance supérieure à nous-mêmes pouvait nous rendre la raison.
3. Nous avons décidé de confier notre volonté et notre vie aux soins de Dieu *tel que nous Le concevions*.
4. Nous avons procédé à un inventaire moral, sérieux et courageux de nous-mêmes.
5. Nous avons avoué à Dieu, à nous-mêmes et à un autre être humain la nature exacte de nos torts.
6. Nous avons pleinement consenti à ce que Dieu élimine tous ces défauts de caractère.
7. Nous Lui avons humblement demandé de faire disparaître nos déficiences.
8. Nous avons dressé une liste de toutes les personnes que nous avions lésées et nous avons consenti à leur faire amende honorable.
9. Nous avons directement réparé nos torts envers ces personnes quand c'était possible, sauf lorsqu'en agissant ainsi, nous pouvions leur nuire ou faire tort à d'autres.
10. Nous avons poursuivi notre inventaire personnel et promptement admis nos torts dès que nous nous en sommes aperçus.
11. Nous avons cherché, par la prière et la méditation, à améliorer notre contact conscient avec Dieu *tel que nous Le concevions*, Le priant seulement de nous faire connaître Sa volonté à notre égard et de nous donner la force de l'exécuter.
12. Comme résultat de ces Étapes, nous avons connu un réveil spirituel et nous avons essayé de transmettre ce message à d'autres et de mettre ces principes en pratique dans tous les domaines de notre vie.

Ces directives sont des moyens de promouvoir l'harmonie et la croissance dans les groupes Al-Anon et dans la fraternité Al-Anon dans son ensemble. D'après l'expérience de nos groupes, notre unité dépend de notre adhésion à ces Traditions:

1. Notre bien commun devrait venir en premier lieu; le progrès personnel de la majorité repose sur l'unité.
2. Pour le bénéfice de notre groupe, il n'existe qu'une seule autorité — un Dieu d'amour tel qu'Il peut Se manifester à notre conscience de groupe. Nos dirigeants ne sont que des serviteurs de confiance — ils ne gouvernent pas.
3. Lorsqu'ils se réunissent dans un but d'entraide, les parents d'alcooliques peuvent se nommer Groupes familiaux Al-Anon pourvu que, comme groupes, ils n'aient aucune affiliation. La seule condition requise pour faire partie d'Al-Anon, c'est qu'il y ait un problème d'alcoolisme chez un parent ou un ami.
4. Chaque groupe devrait être autonome, sauf en ce qui peut affecter un autre groupe, ou Al-Anon ou AA dans leur ensemble.
5. Chaque groupe Al-Anon n'a qu'un but: aider les familles des alcooliques. Nous y parvenons en pratiquant *nous-mêmes* les Douze Étapes d'AA, en encourageant et comprenant nos parents alcooliques, et en accueillant et réconfortant les familles des alcooliques.
6. Nos Groupes familiaux Al-Anon ne devraient jamais ni endosser ni financer aucune entreprise extérieure, ni lui prêter notre nom, de peur que les questions d'argent, de propriété et de prestige ne nous détournent de notre but spirituel premier. Cependant, bien qu'étant une entité séparée des Alcooliques Anonymes, nous devrions toujours coopérer avec eux.
7. Chaque groupe devrait subvenir entièrement à ses besoins et refuser les contributions de l'extérieur.
8. Le travail de Douzième Étape Al-Anon devrait toujours demeurer non professionnel, mais nos centres de service peuvent engager des employés qualifiés.

9. Nos groupes, comme tels, ne devraient jamais être organisés ; cependant, nous pouvons constituer des centres de service ou des comités directement responsables envers ceux qu'ils servent.
10. Les Groupes familiaux Al-Anon n'ont aucune opinion sur les questions étrangères à la fraternité ; par conséquent, notre nom ne devrait jamais être mêlé à des controverses publiques.
11. Notre politique en relations publiques est basée sur l'attrait plutôt que sur la réclame ; nous devons toujours garder notre anonymat personnel au niveau de la presse, de la radio, de la télévision et du cinéma. Nous devons protéger avec un soin spécial l'anonymat de tous les membres AA.
12. L'anonymat est la base spirituelle de toutes nos Traditions, nous rappelant toujours de placer les principes au-dessus des personnalités.

Les Douze Étapes et les Douze Traditions sont des guides pour la croissance personnelle et l'unité des groupes. Les Douze Concepts nous guident dans le service. Ils nous montrent comment le travail de Douzième Étape peut se faire sur une vaste échelle et comment les membres d'un Bureau des Services mondiaux peuvent faire le lien les uns avec les autres et avec les groupes, grâce à une Conférence des Services mondiaux, afin de transmettre le message d'Al-Anon à travers le monde.

1. La responsabilité et l'autorité ultimes des Services mondiaux Al-Anon relèvent des groupes Al-Anon.
2. Les Groupes familiaux Al-Anon ont délégué l'entière autorité relative à l'administration et au fonctionnement à leur Conférence et à ses corps de service.
3. Le droit de décision rend possible l'efficacité de la direction.
4. La participation est la clé de l'harmonie.
5. Les droits d'appel et de pétition protègent les minorités et assurent qu'elles seront entendues.
6. La Conférence reconnaît la responsabilité administrative primordiale des administrateurs.
7. Les administrateurs ont des droits légaux tandis que les droits de la Conférence sont traditionnels.
8. Le Conseil d'administration délègue sa pleine autorité en ce qui a trait à la gestion courante du siège social d'Al-Anon à ses comités exécutifs.
9. Des dirigeants ayant des qualités de chef sont essentiels à tous les niveaux de service. Le Conseil d'administration assume la direction principale en ce qui concerne le service à l'échelle mondiale.
10. La responsabilité en matière de service est équilibrée par une autorité soigneusement définie et la double gestion est évitée.
11. Le Bureau des Services mondiaux est composé de Comités permanents, d'un personnel exécutif et d'employés rémunérés.
12. La base spirituelle des Services mondiaux d'Al-Anon est contenue dans les Garanties générales de la Conférence, article 12 de la Charte.

LES GARANTIES GÉNÉRALES

Dans tous ses travaux, la Conférence des Services mondiaux d'Al-Anon observera l'esprit des Traditions:

1. *que son principe de prudente gestion financière soit de ne garder que les fonds suffisants pour son fonctionnement, y compris une ample réserve;*
2. *qu'aucun membre de la Conférence ne soit placé en position d'autorité absolue sur d'autres membres;*
3. *que toutes les décisions de la Conférence soient prises après délibération, par un vote, et chaque fois que c'est possible, à l'unanimité;*
4. *qu'aucune action de la Conférence ne constitue jamais une sanction personnelle ou une incitation à la controverse publique;*
5. *que la Conférence, bien qu'elle soit au service d'Al-Anon, ne pose jamais aucun acte de nature gouvernementale et tout comme la fraternité des Groupes familiaux Al-Anon qu'elle sert, qu'elle demeure toujours démocratique en esprit et en action.*

Livres Al-Anon et Alateen:

Al-Anon face à l'alcoolisme
2-921351-00-5

Alateen — un espoir pour les enfants des alcooliques
2-921351-01-3

Un dilemme: le mariage avec un alcoolique
2-921351-02-1

Les Groupes familiaux Al-Anon
2-921351-03-X

Al-Anon un jour à la fois
2-921351-04-8

Lois se souvient
2-921351-05-6

Les Douze Étapes & les Douze Traditions d'Al-Anon
2-921351-06-4

Alateen — un jour à la fois
2-921351-08-0

Tel que nous Le concevions...
2-921351-09-9

...dans tous les domaines de notre vie
2-921351-43-9

—A—

— B —

— C —

— D —

— E —

— L —

— M —

— N —

— O —

— P —

— R —

— S —